KB085881

절대갑 길들이기

절대갑
길들이기

반하라 장편소설

Ⅱ

CONTENTS

절대갑 길들이기

Romance
crescendo

008   9.   휴가, 그 대환장 파티

090   10.   내가 미안해

160   11.   꼼짝 말고 딱 기다려

230   12.   Say, When will you return?

284   13.   Happily ever after

336   14.   Happy ending, and…

#9

휴가, 그 대환장 파티

은현은 아침부터 기분이 울적했다.

일찌감치 날아온 문자 메시지 한 통 때문이었다.

[강은현 고객님.

왁싱 리터칭의 시기가 되었습니다.

방문 가능한 시간으로 예약 후, 가벼운 마음으로 들러 주세요.

-다포바 뷰티살롱]

그들이 요구와는 반대로 마음은 묵직해졌다.

은현은 듬성듬성 새싹이 돋고 있는 아랫부분을 힐긋 보았다. 물론 옷을 뚫고 보이지는 않았지만, 매일 샤워할 때마다 보는 곳이라 그 모습이 눈에 선했다.

태어나 처음 겪는 그 고통과 수치를 이겨 낸 대가가 대체 무어란 말인가. 새로 태어나 다시 2차 성징기가 올 때까지 아무것도 이루지 못한 남자의 허무함. 이 상태로 리터칭을 당한다면, 그야말로 성과

없이 환생을 거듭하는 무한 루프에 갇힐 것 같았다.

"안 되겠어!"

"응?"

갑자기 벌떡 일어난 은현 탓에, 곁에서 서류를 보던 경원이 끔찍 놀랐다.

"박 실장. 우리 회사 휴가 기간이 언제지?"

"갑자기 휴가는 왜? 휴가는 쓸데없고 지겹기만 하다고 주리를 틀 땐 언제고."

"그러니까 언제냐고."

"8월 첫 주부터니까 한, 삼 주 남았네."

레드핏의 여름 휴가는 두 번의 주말을 포함해 9일간이었다. 그 기간에는 아무리 급한 프로젝트라도 무조건 올스톱 하는 것이 레드핏의 철칙이었다.

"앞당겨. 일주일만."

"뭐? 야! 네가 아무리 사장이라도 그렇게 막 휴가를 바꾸냐? 그거 갑질이야."

"휴가 보너스 30%씩 더 얹어 주고, 무조건 앞당겨. 무조건!"

"얘가 에어컨 빵빵하게 나오는 사무실에서 더위를 먹었네. 그것도 아주 지독한 더위야."

경원은 투덜대면서도 인사팀에 연락했다. 순식간에 회사가 발칵 뒤집혔다. 대표이사실로 뛰어 올라온 인사팀장은 전 사원의 휴가 일정은 어쩌며, 휴가 급여 재산정은 대체 누가 하냐며 방방 뛰었다.

"아니, 급여 재산정이야 주판알 튕기는 것도 아니고, 프로그램 돌릴 테고. 혹시 일정 변경으로 피해를 본 직원이 있으면, 휴가 종료 후에 개인적으로 소명하라고 하세요. 그런 건 당연히 보상해 줘야지."

아니, 그러니까 애초에 왜 일정을 변경하냐고.

인사팀장은 답답해서 펄쩍 뛸 일이었지만, 심드렁한 태도로 끝까지 고집을 굽히지 않는 은현을 이길 수는 없었다.

초은도 덩달아 바빠졌다. 휴가에 맞춰 세워놓은 일정을 모조리 조정해야 했다. 프로젝트 진행 스케줄을 다시 짜고, 약속이 잡혀 있던 거래처와 업계 관계자들에게 연락을 돌리느라 내내 정신이 없었다. 쉴 새 없이 말을 하느라 목이 아플 지경이라, 뭐라도 좀 마시려고 탕비실에 들어갔을 때였다. 커다란 형체가 불쑥 뒤따라 들어오면서 문이 탁 닫혔다.

"초은아, 휴가 어디로 갈까?"

초은은 멀뚱히 은현을 바라보았다.

설마…… 휴가 일정이 갑자기 바뀐 것과 은현의 이 뜬금없는 물음에 어떤 상관관계가 있는 것은 아니겠지.

불길한 예감이 발끝부터 스멀스멀 몸을 휘감아 올라온다.

"어디 가고 싶은 곳 있어? 어디라도 좋으니까 말만 해."

"아아…… 휴가 말이죠."

"그래. 우리의 첫 휴가지."

아니, 왜 이렇게 비장하게 말씀하세요. 무섭게.

초은은 마른침을 꿀꺽 삼켰다.

"어쩌죠……."

"어쩌긴 뭘 어째. 오늘부터라도 한번 생각해 봐. 좀 늦었지만 아직은 예약이 될 거야. 몰디브든 하와이든 어디든 난 괜찮아."

몰디브…… 하와이……. 무슨 신혼여행 가시나요.

"아니, 그게 아니라. 올해 휴가는 다민이와 제주도에 가기로 벌써 오래전부터 약속이 되어 있어서."

"뭐, 뭐라고?"

아니, 지금 우리의 첫 휴가를 함께 보내지 않겠단 말인가.

"하지만 제주도에서 돌아와서 며칠은 만날 수 있을 거예요. 영화라도 같이 봐요."

그 긴 휴가 기간에 고작 영화?

은현은 울컥했다. 그깟 영화나 보겠다고 내가 이 난리겠냐고.

"안 돼. 말도 안 돼. 취소해."

"네? 미안하지만 이미 오래된 약속이라 취소할 수 없어요."

"지금 정다민 씨가 나보다 더 중요해? 대답해 봐. 내가 더 좋아, 정다민이 더 좋아?"

"애처럼 왜 이래요."

'엄마 좋아, 아빠 좋아'도 아니고. 섭섭한 마음은 알겠지만, 요즘 유치원생에게도 안 할 질문이랍니다.

"애고 뭐고. 난 인정 못 하겠어. 그리고 뭐? 영화? 우리가 휴가나 돼야 겨우 영화 볼 수 있는 그런 사이야?"

"……."

"그래, 그러고 보니 그동안 너무 연인답지 못했어. 뭔가 꼬물꼬물하고 오물오물한 그런 느낌이 전혀 없었잖아."

꼬물꼬물? 오물오물? 무슨 말을 하고 싶은 건지는 알겠지만, 제대로 연애하고 싶으면 먼서 적정 용어부터 좀 습득하시는 게…….

"좋아. 말 나온 김에 당장 영화 보러 가기로 하지. 아니, 영화도 보고, 밥도 먹고, 드라이브도 하고, 차도 마시고. 연인끼리 할 수 있는 건 다 하자고."

은현은 초은이 채 대답도 하기 전에 문을 쾅 닫고 나가버렸다. 초은은 뾰로통하게 입술을 불쑥 내밀었다.

하지만 생각해 보면 그랬다. 사내 연애라는 이유로 두근두근 설레는 데이트를 기다려 본 적이 몇 번 없는 것 같았다.

그저 얼굴 보면 좋고, 온종일 함께하는 시간이 즐겁다. 하지만 은현의 말대로 뭔가 심장이 빨라지고 피가 뜨겁게 달아오르는 감각을 느끼기엔, 그들의 일상은 너무나 루틴했다.

초은은 조금 반성했다. 휴가도 그렇고, 은현이 내심 섭섭하게 생각할 만도 했다. 아니, 내심이 아니라 아주 대놓고 마음껏 섭섭함을 표현했지만 말이다.

한편, 제 방으로 돌아간 은현은 책상 앞에 털썩 주저앉았다.

"또 뭐? 뭐? 휴가 당기래서 당기고, 돈 더 주래서 더 주고. 하라는 대로 다 했는데 또 뭐?"

마침 경원이 결재판을 가져다 놓으러 와 있던 참이었다. 은현의 찡그린 눈썹과 몸에서 피어오르는 검은 기운을 눈치채고는 재빨리 선수를 쳤다.

"경원아."

"왜, 왜? 뭐?"

"물어볼 사람이 너밖에 없다는 게 참 서글프지만……."

이제 뭐, 새삼스럽지도 않다. 은현이 저렇게 나올 때는 늘 같은 문제였으니. 아니나 다를까, 은현의 한숨은 이내 약이 오를 것 같은 질문으로 이어졌다.

"뭐? 한 번의 데이트로 여자를 사로잡는 비법?"

그런 걸 알면 내가 아직도 이렇게 고고한 솔로겠냐고.

하지만 늘 그렇듯, 경원이 은현에게 고자세가 되는 기회는 이럴 때가 아니고서는 별로 없었다. 그래서 경원은 놓치지 않고 아무 말을 해주기로 했다.

"아직도 못 사로잡았냐?"

경원의 코웃음에 은현의 눈썹이 꿈틀했다.

"무, 물론 사로잡았지. 딱 보면 몰라?"

응, 몰라. 딱 보니까 네가 사로잡혔더라.

"그러니까 내 말은, 잡은 고기를 아예 도망 못 가게 지느러미를 싹둑 잘라 놓는 방법이 뭐냐 이거지."

"어우, 이 자식. 표현을 해도 그렇게 끔찍하게……."

야, 너 스토커 같아.

"그래. 그러고 보면, 네가 한 대리한테 참 잘하긴 하지만, 결정적인 한 방이 없어."

"……데이트가 토요일이야. 베타 테스트도 없이 바로 정식 서비스 오픈이라고. 결정적인 한 방이라……."

은현은 정말이지 초조해 보였다. 경원은 흠흠, 목청을 가다듬었다.

"여자는 분위기지. 로맨틱하고 엘레강스하면서 때로는 멜랑꼴리한, 응? 뭔지 알겠지? 그런 거에 껌뻑 죽는다니까."

"대체 뭔 소리야……."

그래. 사실은 아무 말이야. 하지만 내뱉고 보니 제법 그럴싸해.

경원은 은현의 든든한 어깨를 툭툭 두드렸다.

"걱정 마, 친구. 내가 있잖아. 나만 믿으라고."

경원이 자신감에 차오를수록 불안해지는 은현이었다. 하지만 늘 그렇듯 대안은 없었다. 은현은 심기 불편한 얼굴을 하면서도 경원을 향해 슬그머니 몸을 기울였다.

/

부지런한 여름 해는 일찌감치 아침을 밝혔다. 아침 공기가 맑은 것이, 오늘도 무더위가 예상되는 날씨였다.

은현은 벌써 일어나 만반의 준비를 갖추고 있었다. 우선 냉수로 샤워하며 머릿속에 남아 있는 잠기운을 멀리 내쫓았다. 바디 워시의 풍성한 거품으로 몸 구석구석을－물론 때아닌 성장기를 맞은 그곳을 비롯해－정성스럽게 문지르고, 샴푸도 두 번이나 했다.

오늘 준비한 일들을 완벽히 해내려는 주술적인 의미도 있었지만, 모처럼 본격적인 데이트라 설레는 마음도 한몫했다. 헤어드라이어로 머리를 말리며, 만남부터 헤어짐까지의 모든 과정을 순서대로 짚어 보았다.

좋아. 오늘이야말로 한초은을 나의 포로로 만드는 거야. 눈만 마주쳐도 아주 껌뻑 넘어가게 해주마.

은현은 헤어드라이어로 거울 속 자신을 향해 총을 쏘는 시늉을 하며, 한쪽 눈을 끔뻑했다. 늘 완벽한 제 모습이지만, 오늘은 좀 더 멋있어 보였다. 예감이 좋은 아침이었다.

"응. 초은아. 지금 집 앞에 도착했는데."

[아, 바로 내려갈게요. 준비 거의 다 했어요.]

"괜찮아. 천천히 내려와."

[네.]

은현은 차에서 내려 심호흡했다. 여름의 공기는 어쩐지 오븐에서 갓 나온 빵 냄새처럼 따끈따끈하고 달콤한 느낌이었다. 높은 기온이 전혀 불쾌하지 않았다.

제 몸을 발끝까지 흐뭇하게 훑어보았다. 캐주얼하면서도 너무 흐트러지지 않은 5부 면 팬츠, 소매를 걷어 올린 린넨 셔츠. 가볍고 편한 스니커즈. 착장 좋고, 정차 위치 완벽하고. 이제 초은이 나오는 순간 리모컨으로 트렁크만 열면 생애 가장 인상적인 데이트가 시작되는 것이다.

좋아. 와라, 와라, 와라.

그때였다.

끼이익, 쿵.

오라는 초은은 오지 않고, 어설프게 달려오던 자동차가 은현의 차 뒤 범퍼를 가격했다.

"아니, 이런……. 괜찮으십니까?"

귀여운 빨간 자동차에서 내린 운전자는 은현 또래의 남자였다. 다급하게 다가온 남자는 당황한 기색이 역력했다. 아니나 다를까, 그의 빨간 자동차의 후면 유리창에는 '버스도, 택시도 무섭지만 내가 제일 무섭습니다.'라는 스티커가 붙어 있었다.

"일단 차를 좀 빼 보시겠습니까."

이제 막 하루가 시작되려는 참인데. 이건 불길했다.

가뜩이나 큰 덩치로 눈살을 찌푸린 은현에게 겁을 먹었는지, 남자는 달달 떨며 차를 후진했다.

딱 붙어 있던 부위가 떨어지자, 찌그러진 범퍼가 모습을 드러냈다.

"아이고, 이걸……. 죄송합니다. 죄송합니다."

남자는 벌게진 얼굴로 연신 고개를 조아렸다. 아마도 은현의 차 뒷

부분에 떡하니 박힌, 날개를 펼친 'B' 로고를 알아본 모양이었다.

"괜찮습니다. 우선 주행에는 이상이 없으니, 수리하면……."

"네네, 수리하셔야죠. 제가, 제가 보험 처리하겠습니다. 그런데 트렁크는 괜찮을까요? 이거, 안 열리면 어쩌죠?"

이리저리 부산하게 차를 살피던 남자는 은현이 저지할 틈도 없이 트렁크를 덜컥 열었다.

"아, 안 돼!"

은현의 절규는 뒤늦은 메아리였다.

활짝 열린 트렁크에서 색색의 풍선이 기다란 리본 꼬리를 달고 맑은 하늘을 향해 날아올랐다. 구름이 둥실 떠 있는 파란 하늘로 퍼져 나가는 수십 개의 풍선은, 그야말로 낭만적인 장면이었다.

"와! 저것 봐!"

"정말 예쁘다!"

오전부터 어딜 가는 건지, 킥보드를 타고 가던 아이 두 명이 환호했다. 은현은 울고 싶었다.

"아, 저……. 어, 어쩌나. 죄송합니다."

남자는 두 손을 맞잡고 어쩔 줄 몰라 했다. 아마도 풍선이 떠나간 자리에 덩그러니 남은 화려한 꽃다발을 보았을 것이다.

하지만 난감한 일은 이것이 끝이 아니었다.

"무슨 일이에요?"

하필 이 타이밍에, 입구로 나오던 초은의 어리둥절한 목소리였다.

쾅. 반사적으로 트렁크를 닫은 은현이 얼른 뒤돌아섰다.

"아니, 아무것도 아니야. 가벼운 접촉사고야."

은현의 목소리는 하염없이 떨렸다. 초은은 고개를 갸웃하며 은현의 차 트렁크를 응시했다. 닫힌 문 사이로 리본 꼬리가 끼인 채 둥실 둥실 안간힘을 쓰고 있는 분홍 풍선 하나.

"아, 하하하. 이게 왜 여기로 날아왔을까. 애야, 풍선 가져가렴."

은현은 거친 손길로 풍선을 잡아 뽑아 킥보드를 탄 아이에게 들려주었다. 엉겁결에 풍선을 얻은 아이들은 꺄르르 웃으며 킥보드를 타고 내달렸다.

"괜찮아요? 다친 데는 없어요?"

초은이 걱정스럽게 다가오자, 안 그래도 황망했던 마음에 설움이 북받쳤다.

아까 그 환상적인 장면을 너에게 보여 주고 싶었는데. 널 위해 준비한 초특급 슈퍼 울트라 메가 로맨틱 퍼포먼스였단 말이다.

"아니야. 빈 차였어. 난 나와 있었거든."

울지마, 울면 안 돼. 그나저나 오늘 왜 이렇게 더 예쁜 거야.

은현은 뜨끈해지는 눈가에 힘을 주면서도 눈빛을 빛냈다.

하늘하늘한 원피스에 귀여운 샌들을 신은 초은이 영 풀리지 않는 얼굴로 더 가까이 다가왔다.

"왜 이렇게 땀을 흘려요? 아픈 거 아니에요?"

"아, 아니야. 오늘 일찍부터 덥군."

초은과 은현이 주고받는 대화를 듣고 있던 남자는 몸 둘 바를 몰라 시선만 이리저리 흔들어 대고 있었다.

"저, 죄송합니다. 정말 죄송합니다."

사고도, 풍선도.

남자의 눈빛이 차마 다 하지 못한 말을 담고 있었다.

"다친 사람이 없고, 큰 사고가 아니니 다행이죠. 일단 보험사에 사고 접수해 주시고요, 수리비가 나오면 다시 연락이 갈 거예요."

"네네. 정말 죄송합니다."

은현이 화난 얼굴로 입술만 꼭 깨물고 있자, 초은이 선선히 대꾸했다.

"네. 그럼 가 보셔요. 어디 나가시는 길 같은데."

"네네. 죄송합니다. 그런데……."

계속 머뭇거리던 남자가 에라 모르겠다는 표정으로 입을 열었다.

"저기……. 풍선 날리는 거 새들한테 안 좋대요."

아니, 이 상황에 대체 뭐라는 거야.

은현의 두 눈썹이 불쑥 쳐들렸다. 남자는 마지막 말만 남긴 채 도망치듯 차를 몰고 사라졌다.

"우리도 갈까요?"

"응? 그, 그래. 가야지."

그의 마지막 말을 들은 건지, 못 들은 건지. 초은의 표정은 아무렇지도 않았다. 은현은 연속적으로 벌어진 일로 한껏 혼란해진 마음을 가다듬었다.

괜찮아. 오늘 하루는 기니까. 지금부터 시작인 거야.

"보험 처리한다고 하고, 범퍼만 가는 거라 수리도 금방 될 거예요."

"응. 그렇겠지."

"우리 이제 어디 가는 거예요? 영화 보러 가요?"

생각지 못한 사고로 은현의 기분이 상하기라도 했을까. 초은의 목소리는 평소보다 한결 더 부드러웠다. 은현은 얼른 마음을 다잡았다. 지나간 잠깐의 일로 하루를 망칠 수는 없었다.

"아직 아니야. 기대해. 오늘 하루는 내가 완벽히 준비했으니까."

"하하. 정말 기대되네요."

은현은 목소리를 가다듬으며 부드럽게 차를 출발시켰다. W12 트윈 차저 엔진이 '괜찮다, 괜찮다.' 속삭이며 으르렁거렸다.

그래. 첫 끗발은 개 끗발이라는 말도 있으니까. 액땜했다 치자.

운전대를 잡은 은현의 팔에 힘이 들어갔다.

/

매끄럽게 달리는 차 위로 황금빛 햇살이 넘실거렸다. 아직은 땅이 달궈지기 전이라, 열린 창으로 불어오는 바람으로도 충분히 더위를 피할 수 있었다.

바람결에 흩날리는 머리칼, 라디오에서 흘러나오는 명랑한 노래, 힐긋 눈치를 보다 잽싸게 초은의 손을 감싼 은현의 커다랗고 든든한 손의 감촉. 간질간질하고 달달한 데이트의 설렘이 제대로 느껴졌다.

찌그러진 범퍼만 아니라면 더없이 완벽했을 텐데.

하지만 초은의 여린 흥얼거림이 아쉬움마저 잊게 했다.

"도착했어."

"어······. 여기는······."

어느새 차가 멈춰 선 곳은 서울 도심, 그것도 거의 한복판이었다.

"서울숲이야."

번잡하고 메마른 도시의 중간, 맑은 숨결을 전해 주듯 자리 잡은 물과 나무와 꽃들.

경원의 제안이었지만, 제법 괜찮은 선택이었다.

'너도 알겠지만, 화려하고 거창한 건 한 대리에게 너무 식상해. 안 해본 거 없을걸? 그래서 이번 데이트 컨셉은 평범해서 더 로맨틱한

하루.'

아주 그럴싸했다.

박경원 이 자식. 예전엔 어쩐지 선무당 같은 느낌이 있었었는데, 어젠 아주 연애 전문가로 나설 기세다.

"처음…… 와 봐요."

그렇지. 바로 그거야. 한초은의 서울숲 첫 경험은 나와 함께한 추억으로 남는 것이지.

"그래? 잊지 못할 하루를 만들어 주지."

어쩐지 어깨가 으쓱해졌다. 은현은 짐짓 큰소리를 치며, 초은의 손을 잡아끌었다.

어디선가 아련한 새소리가 들려오고, 하늘을 향해 뻗은 나무들은 햇살의 기운을 듬뿍 받아 눈부신 연둣빛으로 빛나고 있었다.

그 사이로 난 길을 따라 천천히 발을 맞춰 걷는 기분. 땅바닥에 닿은 빛 그림자를 밟는 발걸음이 가볍고, 따끈따끈하게 달아오른 공기마저도 기꺼웠다. 이 숨 가쁜 도시에 이렇게 시간이 멈춘 것처럼 여유롭고 한적한 곳이 있었다니.

초은은 신기하고 신난 마음에 주위를 두리번거리며 은현의 손을 앞뒤로 흔들었다. 초은에 맞춰 천천히 발걸음을 옮기던 은현이 낮은 웃음을 터뜨렸다.

"덥진 않아?"

"네. 나무가 많아서 그런가. 훨씬 더위가 덜한 것 같아요."

"다행이군. 그럼 좀 더 걸을까?"

"응. 좋아요."

어쩐 일인지, 경원의 말이 맞았다. 특별하지 않아도, 다소 심심해도. 맞닿은 손바닥의 감촉만으로 심장이 동동 안달 내는 이런 느낌이 새로웠다.

문득 마주치는 눈빛이 머쓱하면서도 절로 웃음이 났다.

"저긴 뭐예요?"

"음……. 들어가 볼까?"

온실처럼 생긴 건물 앞에는 노란 나비 조형물과 함께 나비 정원이라는 글자가 붙어 있었다.

안쪽은 바깥 공기보다 조금 더 후텁지근했지만, 또 그만큼 아늑하기도 했다. 아무렇게나 자라난 풀과 꽃들. 내버려 둔 정원같이 애잔하면서도, 또 자유롭고 야성적인 느낌이 있었다.

"어머!"

화단 쪽으로 한 걸음 내딛는 순간 우거진 풀잎 사이에서 하얀 나비 한 마리가 나폴 날아올랐다. 초은의 감탄사를 신호로 여기저기서 나비들이 팔랑팔랑 꽃잎처럼 흩날리기 시작했다.

콘크리트 숲에 살면서 나비를 본 적이 언제였던가.

"와, 이렇게 많은 나비는 처음 봐요."

"나도 처음이야. 신기하군."

어린 시절 여름에 흔히 보던 희고 노란 나비부터 색깔과 모양이 독특한 나비까지. 환한 햇살 속에 무리 지어 날아다니는 모습이 꿈결처럼 예뻤다.

"이것 좀 봐요!"

문득 시선을 내린 초은이 외쳤다. 이파리가 삐죽삐죽하게 남은 풀 위로 살이 통통하게 오른 애벌레가 꼬물거리고 있었다. 애벌레가 지나는 자리마다 잎에 뽕뽕 생기는 구멍이 귀여웠다.

"와, 진짜 잘 먹는다."

"그러게. 한초은이 맥주 안주로 치킨 먹는 것 같네."

"뭐라고욧!"

은현의 짓궂은 농담에 초은은 짐짓 눈을 흘기며 허벅지를 아프지 않게 꼬집었다. 너무 단단해서 제대로 잡히지도 않았는데, 은현은 아프다며 엄살을 떨어댔다.

어느새 이마를 맞대고 쪼그리고 앉은 둘 주위로 나비들이 하늘하늘 날갯짓을 했다.

"와, 이것 좀 봐. 나비들이 네가 꽃인 줄 아나 봐. 하긴 얘들도 눈이 있으니 그럴 만도 하지."

초은의 어깨와 손끝에 사뿐히 내려앉았다 날아가는 나비를 보며, 은현이 과장되게 감탄했다.

으악, 내 손, 내 발!

초은은 순식간에 오그라드는 손가락을 말아쥐며 절규했다.

"그, 그만 해요."

"왜? 난 진심을 말할 뿐이라고. 그렇게 앉아 있으니 누가 꽃인지, 한초은인지 구분도 못 하겠어. 봐봐, 나비들도 계속 헷갈리잖아."

"으익! 그만 좀 하라니까요."

머리에 호랑나비 한 마리 얹고 할 말은 아니잖아요.

하지만 초은이 안달할수록 은현은 신이 나는지 어깨춤이라도 출 듯이 벙글거렸다.

"왜? 욕 나올 것 같아? 내가 욕하는 거 좋아하는 건 알지?"

깐족거리는 은현을 노려보던 초은은 결국 웃음을 터뜨려 버렸다.

하지만 은현의 만행은 거기서 끝나지 않았다. 나비 정원을 나와 다음으로 들른 꽃사슴 우리 앞에서였다. 조금은 겁먹은 표정으로 손바닥 위에 놓인 먹이를 사슴에게 먹이고 있을 때였다.

옆에서 연신 감탄한 표정으로 얼쩡댈 때부터 예감이 좋지 않더라니.

"우와. 진짜, 사람에게 왜 꽃사슴 같다는 표현을 쓰는지 이제야 알 것 같아."

"그만 하세요."

"저 사슴 눈망울 좀 봐. 어디서 많이 봤다 싶었더니⋯⋯."

"흐즈 믈르고!"

어금니를 앙다문 초은이 으르렁대는데도 은현은 아랑곳없었다.

이 인간이. 그냥 웃고 넘기려고 했더니.

정녕 도시의 허파인 이곳, 서울숲을 '뿌셔' 버리길 바라는 것인가.

"바로 우리 초은이 눈이잖아!"

"우쒸, 그 입 좀 다물라고!"

구타를 부르는 몹쓸 너스레였다. 격하게 달려드는 초은을 껑충 피한 은현이 도망치기 시작했다.

"거기 당장 서지 못해요? 한 대만 맞자!"

"싫어. 난 결백하다고! 너무 정직한 게 죄인가!"

때아닌 추격전이 벌어졌다.

죽자고 도망치는 은현을 초은은 우사인 볼트처럼 추격했다. 정녕 그녀는 몰랐다. 이런 경악스러운 일의 원인은 경원의 아무 말 어드바이스였음을.

'그리고 칭찬을 해줘야 해.'

'그거야 늘 하지.'

'아니, 그런 사무적인 칭찬이 아니라. 뭔가 감성적이고 오글오글하

는 칭찬 말이야.'

하지만 경원도 제 말이 은현의 뇌를 거쳐 이런 식으로 해석될 줄은 몰랐을 것이다.

은현의 체력은 짐승 같았고, 초은의 근성은 고래 심줄처럼 질겼다.

'잡히면 죽는다.'

'잡으면 죽인다.'

결과는 마찬가지였지만, 쉽게 해결되지 않았다.

둘은 사력을 다해 드넓은 서울숲을 가로질렀다. 귓가로 윙윙, 바람이 스치고, 배어 나온 땀방울이 귀밑머리에 맺혔다.

헉헉거리는 숨이 턱까지 차오른 은현이 초은에게 기어이 따라잡혔을 때, 갑자기 홱 몸을 돌렸다. 뜻밖의 태세 전환에 멈출 겨를조차 없었다. 초은은 그대로 은현의 품으로 뛰어들었다.

"하아, 하아. 내가 그렇게 좋아? 안아달라고 말을 하지."

"우엑, 웃, 헉헉, 무슨, 헉헉헉."

무척이나 억울하기 짝이 없는 해석이었다. 하지만 거친 숨을 몰아 쉬느라 도무지 말이 나오지 않았다. 어디 그뿐인가. 한 대 야무지게 때리려던 계획도 이룰 수 없었다. 그의 바위 같은 품에 꽉 끌어안긴 채 겨우 팔다리만 바동거릴 뿐이었으니까.

가쁜 숨이 잦아들자, 겨우 주위가 눈에 들어왔다. 그들이 도착한 곳은 넓게 펼쳐진 호숫가였다.

한여름 환한 해님 아래 수천, 수만 조각의 보석처럼 반짝이는 물결. 그 빛 조각을 헤치고 둥실 떠다니는 구름. 맑은 하늘을 가슴 가득 품고 있는 거울 호수였다.

"여기서 좀 쉴까? 운동도 거하게 했으니."

"네네. 그러니까 좀 놓으세요."

"안 때린다고 약속하면. 나 아픈 건 싫다고."

초은은 주위에 누가 보기라도 할까 안달인데, 은현은 능글거리기만 했다. 결국, 절대 구타하지 않겠다는 맹세를 하고서야 그녀는 겨우 풀려날 수 있었다.

신체는 자유를 되찾았지만, 짙게 훅 끼치던 그의 체취와 단단한 힘이 아쉬워지는 건 왜일까.

"이럴 줄 알았으면 피크닉 준비라도 좀 해올 것 그랬나 봐요."

짙게 우거진 나무 그늘에 어정쩡하게 서 있으려니 그런 생각이 들었다.

"오호, 김밥도 쌀 줄 알아?"

"아뇨. 한 번도 해보지 않았죠. 하지만 모든 일에는 처음이 있는 법이니까요."

"그리고 우리 초은이는 뭐든 다 잘하지."

"……그렇게 봐주셔서 고마워요."

초은은 잠시 망설이다가 담담히 대꾸했다.

다행이다. 이번엔 그렇게 오글거리지 않아서.

"뭘. 이번엔 아쉽지만, 괜찮아. 우리가 누구지?"

"네?"

"배달의 민족이잖아."

웃자고 하는 소리인지, 진심인 건지. 은현은 웃음기 하나 없는 얼굴로 거만하게 말했다.

"이제 도착했습니다."

핸드폰을 꺼내 한다는 말이 고작 한 문장이었다. 게다가 의아하게 보는 초은을 향해 씽긋 웃기까지 했다.

통화가 끊어진 지 얼마나 되었다고. 어디선가 윙윙 소리가 가까워 지고 있었다. 이내 등장한 사람은 까만 라이더 재킷과 가죽바지, 라이더 부츠를 신고, 헬멧 속 얼굴을 선글라스로 가린 남자였다.

리터급 바이크를 탈 복장으로 올라탄 것은 전동 킥보드라니.

아니 그것보다, 덥지도 않으세요?

비록 얼굴은 보이지 않았지만, 조금 전 은현만큼이나 진지한 태도 였다. 그는 말없이 은현에게 큼직한 쇼핑백을 건네주고는 순식간에 멀어져갔다.

"왜?"

"⋯⋯누구예요?"

"보면 몰라? 딜리버리 맨이지."

"어디 배달원이요?"

"너무 깊이 알려고 하지 마."

시계 토끼를 본 앨리스처럼 어리둥절하기만 한 것은 초은뿐인가 보다. 은현은 아무렇지도 않게 쇼핑백에서 피크닉 담요를 꺼내 나무 아래 능숙하게 펼쳤다.

"뭐해? 다리 아프겠다. 어서 앉아."

"⋯⋯이걸 다 준비한 거예요?"

"이 나라에서 배달로 안 되는 건 없어. 오늘 하루는 내가 완벽하게 준비했다고 했잖아."

"기대 이상이에요⋯⋯."

어쩐지 가슴 한중간이 찌릿하면서도 뜨끈한 온기가 퍼져 나가는 것 같았다.

그저 같이 있는 것만으로도 만족스럽다고, 유치하게 꽁냥거리는 건 우리에게 어울리지 않는다고, 그는 바쁜 사람이고 할 일이 많다고. 그렇게 일상을 꾸역꾸역 받아들이려고만 했던 것이 얼마나 어리석었던가.

그의 노력이, 정성 어린 준비가 초은을 부끄럽게 했다. 사랑이란 꽃밭처럼 살뜰히 가꾸어야 더 예쁘게 피어난다는 것을, 초은은 미처 몰랐다.

은현은 쇼핑백에 든 용기를 하나하나 차례로 꺼내 놓았다. 무엇보다 반가웠던 것은 물방울이 송골송골 맺힌 아이스아메리카노였다. 뙤약볕 아래서 신나게 달리고 난 후의 갈증이 뒤늦게 목 안에서 꿈틀거렸다.

"목마르지? 일단 커피부터 마셔."

초은의 마음을 꼭 집어내는 걸 보니, 은현도 퍽 목이 마른 모양이었다. 은현이 권하는 대로 자리에 편하게 앉아 시원한 커피를 한 모금 쪽 빨아당겼다.

"어우우우, 이제 살 것 같다."

뒷골이 쨍하게 당길 정도로 차가운 기운이 뱃속으로 흘러내려 가자, 아저씨 같은 감탄사가 절로 나왔다.

피식 웃던 은현이 나무젓가락을 건넸다.

빨강 체크 무늬 돗자리 위에 펼쳐놓은 도시락들은 그야말로 푸짐했다. 알록달록 색감을 살려 담은 김밥, 윤기가 자르르 흐르는 닭강정, 소복소복 담긴 유부초밥, 먹기 좋게 작은 세모꼴로 늘어선 샌드위치. 먹음직스러운 모양새나, 정성이 담긴 담음새가 흔한 판매 도시락은 아니었다.

"우와, 진짜 맛있겠어요. 잘 먹을게요."

"많이 먹고 힘내. 나랑 만나면서 건강해지고 그래야 나도 뿌듯할 거 아냐."

은현의 뚝뚝한 배려가 달콤하기만 했다.

"은현 씨도 한번 먹어 봐요. 자, 아."

은현의 준비에 비하면 빈약하기 짝이 없지만. 초은은 저도 노력이 필요하다고 생각했다.

젓가락으로 집어 입 앞에 내민 김밥을 보고, 은현은 멈칫하더니 잠자코 입을 열었다. 남의 입속에 김밥을 넣어 주는 초은도 어색했지만, 받아먹는 은현 역시 뻣뻣하기는 마찬가지였다.

둘 다 익숙하지 않은 짓을 하려니 팔다리가 근질근질하고 목 뒷덜미가 당기는 느낌이었다. 하지만 또 뱃속 깊은 곳에서는 보글보글 거품이 터지는 것 같은 짜릿한 기분도 들었다.

"음…… 맛있다. 너도 얼른 먹어 봐."

"음음…… 와! 진짜 맛있어요! 이제까지 먹어 본 김밥 중에 제일!"

은현이 권하는 대로 김밥 한 알을 입에 넣었던 초은의 두 눈이 휘둥그레졌다.

"당연하지. 내가 직접 싼 건 아니지만, 그에 버금가는 노력으로 서울 시내에서, 아니 전국에서 제일 고퀄 도시락집을 찾아냈다고. 이집으로 말할 것 같으면 100% 사전 예약제에 하루에 딱 세 팀만 주문을 받는, 돈 있다고 다 사 먹을 수 있는 그런 집이 아니야. 게다가 이재료들은……."

랩퍼세요? 아니면 주문하는 김에 그 가게 취직이라도 하셨나요.

거만하게 쏟아 내는 말들의 자간에는 뿌듯함이 꽉꽉 들어차 있었다. 저 디테일한 정보를 줄줄 꿰고 있는 걸 보니, 직접 싸는 노력으로 가게를 선별했다는 것이 허튼 말은 아닌 모양이었다.

초은은 고마운 마음에, 유부초밥을 하나 집어 쉴 새 없이 움직이는 입술 사이로 쿡 밀어 넣었다.

"……그래서 계약 재배, 읍!"

"유부초밥도 때깔이 끝내주는 게 진짜 맛있겠어요."

반사적으로 유부초밥을 씹던 은현은 말없이 커피를 한 모금 마셨다. 저 멀리 호수의 금빛 테두리를 응시하는 눈빛이 애틋했다.

"우리 엄마는 유부초밥을 잘 만드셨어."

'엄마'라는 부름이 가져오는 어떤 따끔한 감정. 목구멍이 화하게 뜨거워지고 매캐해지는 감각. 그것은 어린아이의 천진한 목소리보다 다 자란 이의 조금 망설이고 멋쩍은 음성에서 더 짙게 느껴지곤 했다. 커다란 덩치의 남자가, 어디 그뿐인가. 그렇게 오만하고 삐딱한 남자가 입 밖에 내어놓은 '우리 엄마'라는 울림.

그가 마지막으로 엄마의 유부초밥을 먹은 것은 언제일까.

초은은 어쩐지 가슴에 뜨거운 덩어리가 꽉 차오르는 느낌이었다.

"어디서 먹어도 그렇게 맛있는 유부초밥은 없더군. 어마어마하게 비싼 일식집에서도 그런 맛은 내지 못했어."

그랬을 것이다. 그가 기억하는 엄마의 유부초밥은 그리움의 맛일 테니까. 아마 이제는 영원히 다시 맛보지 못할 추억의 맛.

초은은 그의 그런 기억을 이해할 수 있을 것 같았다. 초은의 엄마가 소풍날 싸 주던 김밥은 그 어떤 김밥과도 다른 맛이었으니까.

외삼촌의 집으로 온 이후, 소풍날이면 온갖 메뉴로 가득한 값비싼 주문 도시락이 준비되었다. 하지만 초은은 엄마가 작은 도시락

통에 싸 주던 소박한 김밥이 늘 그리웠다는 것을 아무에게도 말하지 못했다.

"음…… 내가 은현 씨 어머니를 따라잡을 자신은 없지만, 다음에 한번 도전해 볼까요? 도즈언!"

초은은 짐짓 명랑한 척, 주먹까지 불끈 쥐어 보였다. 은현은 그런 초은을 보며 싱긋 웃었다.

"그래. 그럼 기대해 보지."

"난 뭐든 다 잘하니까?"

"그렇지."

덩치만큼이나 잘 먹는 은현의 먹성을 생각하더라도, 둘이서 먹어 치우기엔 벅차 보이는 양이었는데. 맛이 있어 하나둘씩 맛보다 보니, 어느새 도시락통이 얼추 다 비었다. 두 손을 뒤로 짚고 부른 배를 볼록 내밀고 앉아 있으려니, 뭐가 어떻든 다 좋다 싶었다.

눈부신 햇살이 쏟아지는 빛나는 호수, 슬슬 부는 바람에 흔들리는 잔물결, 그에 맞춰 이리저리 몸을 흔드는 초록의 나뭇잎들. 평온하고 고즈넉한 이 시간이 좋았고, 그런 순간을 함께하는 이가 좋았다.

저편에서 자전거 한 대가 달려왔다. 아직 대학생인 듯 앳된 남녀를 태운 2인용 자전거가 쌩, 바람을 일으키고 지나가자 깔깔대는 웃음소리만 남아 흩어졌다.

은현과 처음 데이트를 하던 날이 떠올랐다. 바람에 따라 물결처럼 일렁이던 양귀비 꽃밭, 상쾌한 바람을 일으키며 나란히 밟던 자전거 페달.

"우리도 2인용을 탔어야 했는데."

같은 생각을 했는지, 곁에서 은현이 불만스럽게 중얼거렸다.

"신기해요."

"응? 뭐가?"

"전혀 그렇게 보이지 않는데, 은현 씨가 기획한 데이트는 매번 정말 즐거워요."

"흠흠. 뭐야. 아직도 날 몰라? 내가 아주 유능한 개발자이기도 하지만, 신이 내린 기획자이기도 한 거."

경원이 들었다면 펄쩍 뛸 말이었지만, 전혀 죄책감은 없었다. 아무리 좋은 설정이라도, 누가 실행하느냐에 따라 결과는 천차만별인 법이니까.

초은은 어이없다는 눈으로 은현을 바라보다 풋, 웃어 버렸다. 그의 저 넘치는 자신감이 좋기만 하니 이젠 초은도 마음의 병이 깊은 모양이었다.

오후가 되어갈수록 달궈진 대지가 더운 열기를 내뿜었다. 우거진 나뭇잎도 따가운 햇볕을 가리기엔 역부족이었다.

"이제 슬슬 다음 코스로 가 볼까?"

"다음 코스요?"

"우리 오늘 영화 보기로 했잖아. 하기로 한 건 다 해야지."

그 흔한 영화가 뭐라고, 은현의 말이 이렇게 설렐까. 자리를 정리하는 초은의 손이 절로 빨라졌다.

영국 유명 제작사의 로맨틱 코미디 영화는 귀엽고 달콤해 데이트용으로 안성맞춤이었다.

감정이입이란 참 대단했다. 길다면 긴 시간을 붙어 다니며 알 만큼 아는 사이가 된 초은과 은현이 아닌가. 그런데도 팝콘 통에서 맞닿는 손가락의 감촉에 두근두근 설레는 시간이었다.

영화가 끝나고 먹은 저녁은 아담하고 깔끔한 초밥집의 메밀국수였다. 점심에 도시락을 배부르게 먹은 탓에 가벼운 저녁 식사는 무척 만족스러웠다.

집으로 돌아오는 길. 변덕스러운 여름 날씨는 비를 뿌리기 시작했다. 차창에 떨어지는 빗방울 소리와 규칙적으로 오가는 와이퍼의 부지런한 움직임.

둘이 오롯이 함께하는 차 안의 공간마저 로맨틱했다.

"오늘 즐거웠어?"

초은의 오피스텔 앞에 차를 세운 은현이 부드럽게 물었다.

"그거 알죠? 은현 씨는 정말 능력 있다는 거."

본인이 늘 입버릇처럼 하는 말이면서, 정작 초은이 말하자 은현은 너털웃음을 터뜨렸다.

"평소의 은현 씨도 무척 좋지만, 오늘의 은현 씨는 온 세상의 산이 모두 무너져 버릴 만큼 좋았어요."

어떻게 표현해야 할까. 그의 노력이, 그 정성이, 초은을 향한 마음이. 그녀를 벅차도록 행복하게 해줬다고.

"그렇게 말하니 기분 좋군."

"난 정말…… 은현 씨가 좋아요."

은현이 두 눈이 반짝 빛을 내더니 어느새 초은의 허리가 은현에게 훌쩍 딸려갔다. 단단한 팔이 초은의 몸을 다급하게 휘감는가 싶더니, 정신을 차릴 틈도 없이 기울어진 은현의 얼굴이 다가왔다.

뜨거운 입김이 훅 와 닿고, 이내 촉촉하고 말캉한 감촉이 초은의 입술을 뒤덮었다. 가볍게 한 번 촉, 닿았다 떨어졌던 입술은 조금 더 깊게 맞물렸다.

어긋나게 맞물린 윗입술과 아랫입술이 보듬듯 살살 움직이더니, 어느새 뾰족한 혀가 초은의 것을 촉촉이 적시며 빨아들이기 시작했다. 까슬한 혓바닥에 쓸리는 감각에 배꼽 아래 어디쯤이 단단하게 조여드는 기분이었다.

초은의 입술을 굴리듯 맛보고 덧그리던 혀가 이번엔 입술 사이를 가르고 들어왔다. 가지런한 치열을 쓸고 입천장과 혀끝을 문지르는 열정적인 움직임.

"흐응……."

아찔한 쾌감이 등줄기를 타고 올랐다. 초은은 저도 모르게 신음을 흘렸다. 본능적으로 꿈틀 움직인 초은의 혀가 은현의 것과 얽혀들고 배 속 어디선가 부풀어 오르던 것이 펑펑 터지는 것 같았다.

꽉 눌린 가슴에 콩닥콩닥 느껴지는 감각이 쏟아지는 빗소리인지, 달아오른 심장의 박동인지 알 수 없었다. 부드럽게, 또 강하게 초은의 안을 휘감고 흡입하고 문지르는 뜨겁고 단단한 덩어리. 그 관능적인 강약의 리듬이 초은의 머릿속을 마구 휘저었다.

"하아……. 초은아."

"……."

"나도 사랑해. 정말……."

"흐읏……."

달아오른 입김이 마치 미약처럼 초은의 숨결로 스며들었다. 목덜미를 스치고 등을 쓸어내리는 뜨거운 손길이 닿는 곳마다 감각의 흔적을 새기는 것 같았다.

"그러니까……. 우리 휴가 같이 가자. 응?"

입술을 간질이는 속삭임이 세상에서 가장 달콤한 초콜릿 같았다.

"으응…… 그건……."

"응? 그렇게 해."

"안…… 돼요."

은현의 손이 멈칫, 움직임을 멈췄다.

"우와……. 한초은."

초은의 대답이 에어컨 강도를 올리기라도 한 걸까. 온통 달아올랐던 차 안의 공기가 순식간에 서늘하게 식었다.

"하지만 이미 약속한 거란 말이에요."

저라고 은현과 함께 하는 여행이 싫어서 이럴까. 아주 지능적으로 고집을 부리는 은현 덕택에 초은은 울상을 지었다.

"좋아. 이렇게 나온단 말이지? 알았어. 나도 그냥 보고 있진 않겠어."

"뭐…… 뭘, 어쩌려고요."

"그건 두고 보라고."

능력 있는 개발자이자, 신이 내린 기획자 강은현.

그가 이번엔 어떻게 작전을 기획하려는지.

쌩, 멀어져 가는 찌그러진 범퍼를 바라보며, 초은은 밤비 속에서 망연자실했다.

/

"어땠냐? 이번에도 내 아이디어는 아주 굿이었지?"

눈치도 없이 너스레를 떨던 경원이 고개를 갸웃했다.

얼굴을 보니 그리 기분이 나빠 보이지도 않는데, 의자에 깊숙이 기대 턱을 괸 모양새가 심상치 않았다.

"대표님? 뭘 그렇게 골똘히 생각하시나?"

"……."

"아! 너무 좋았구나? 그래. 내가 생각해도 아주 끝내주는 계획이었지. 한때 대기업 경영기획실을 주름잡던 박경원, 어디 가지 않았다고. 인마, 그거 다 내 덕인 것만 잊지 마라."

잠시 불안했던 경원은 이내 고개를 끄덕이며 엄지를 척 들어 보였다. 역시 자화자찬의 달인, '뇌내 꽃밭'의 주인공 경원다웠다.

"제주도 호텔 예약하자."

하지만 은현의 대답은 영 엉뚱했으니.

"뭐? 휴가 제주도로 가기로 했어?"

"……."

"야! 가려면 둘이서 가라. 왜 나까지……. 내가 거기까지 가서 안구 테러당할 일 있냐."

"……."

"그리고 지금 어디 예약이나 되겠어? 성수기도 완전 극성수기인데."

"스위트룸이든, 펜트하우스든. 얼마가 들어도 좋으니까 꼭 예약해."

"우와……. 이 사랑에 눈먼 놈 같으니."

"그리고 박 실장, 너도 가는 거야."

"아, 진짜. 싫다고."

"아니, 가는 게 좋을걸."

"헐……."

"왜냐하면 정다민 씨가 초은이랑 같이 가거든."

그러니 네가 정다민 씨를 전담 마크해 줘야지.

"그래, 친구야. 몇 박으로 할까?"

경원이 핸드폰으로 호텔 번호를 찾으며 활짝 웃었다. 은현도 덩달아 씩, 의뭉스러운 미소를 지었다.

이해관계로 똘똘 뭉친 그들의 우정이 무척 흡족했다.

바야흐로 여름 휴가의 절정기였다.

한낮의 제주 공항은 조리개를 잘못 조절한 스냅 사진 같았다. 쏟아지는 햇볕이 모든 색깔을 날려버린 것처럼 하얗게 바랜 느낌. 비행기가 도착했는지, 공항 출입구가 열리며 나름대로 멋을 낸 관광객들이 쏟아져 나왔다.

그 사이에서 돌돌 캐리어를 끌고 경쾌하게 걸어 나오는 선글라스를 쓴 두 남자. 외형에 조금 차이는 있었지만, 둘 다 건장한 체격에 멀끔한 외모였다.

화려한 프린트의 반소매 셔츠, 편안하면서도 몸에 잘 맞는 고급스러운 반바지. 완벽한 휴가객의 입성이 어딘가 어색해 보였다면, 아마도 햇빛 한 번 본 적 없는 것처럼 뽀얀 팔다리 때문일 것이다.

"이야, 이 이국적인 향기!"

경원이 하늘을 향해 두 팔을 쭉 펴며 감격했다.

"우리나라거든."

"사람이 이렇게 메말라서야. 기분이 그렇다는 거지!"

경원에게 핀잔을 주긴 했지만, 공항 앞에 늘어선 열대 야자수들이 휴가 분위기를 물씬 풍기는 것만은 분명했다. 하지만 은현에게는 모처럼의 여유를 만끽할 정신이 없었다.

이곳까지 경원을 이끌고 온 목적이 무엇인가. 은현은 주위를 둘러볼 겨를도 없이, 렌트카 하우스로 발걸음을 성큼성큼 옮겼다.

"이야, 이 자식. 제대로 기분 냈구나."

이윽고 경원은 화려한 카브리올레의 액셀러레이터를 밟으며 환호성을 울렸다.

"너 태우려고 빌린 거 아니거든."

"안다, 알아. 말 안 해도 다 안다고, 이 자식아."

이 새끼, 쓸데없이 솔직하고 난리야. 경원은 입을 삐죽거리며 운전대를 움켜쥐었다.

"그래서, 어디로 가면 다민…… 아니 한 대리 만날 수 있는 건데?"

초은은 이미 전날 다민과 제주도에 도착해 있었다.

뒤늦게 호텔과 항공권을 예약하려다 보니, 초은과 같은 날짜에 출발하지 못한 것이다.

"잠깐만 있어 봐."

은현은 핸드폰을 꺼내 어디론가 전화를 걸었다.

"응, 처제. 그래, 이제 막 도착했어, 하하. 초은이 일정이 어떻게 된대? 아하, 그래? 오케이, 알았어."

"뭐야? 한 대리는 너 오는 거 모르는 거야?"

은현의 통화를 듣고 있던 경원이 어이없다는 표정을 지었다.

"아아. 넌 이런 거 안 해 봐서 모르겠지. 서프라이즈!"

"야, 야야! 이런 건 그냥 스토커야! 서프라이즈는 개뿔."

성능 좋은 카브리올레가 부앙 소리를 내며 속력을 높였다. 울컥하는 경원의 속마음을 대변이라도 하는 것 같았다.

"그래서! 어디로 가라고!"

"왜 소리는 지르고 난리야. 오늘 오전에 '덱슨 박물관' 갔다가 지금은 월정리에 있을 거라는데."

"뭐? '넥슨 박물관'? 와, 한 대리는 휴가 때도 그러고 싶대?"

'넥슨 박물관'은 우리나라 최초로 온라인 게임을 만든 게임 회사에서 세운 박물관이었다. 컴퓨터와 게임의 변천사를 볼 수 있고 다양한 즐길 거리가 있어, 사실 어린 남자아이들이 좋아하는 장소였다. 온종일 게임 관련된 일만 하던 게임 회사 직원이 휴가에 게임 박물관에 가다니. 경원이 진저리칠 법도 했다.

"거긴 정다민 씨가 가 보고 싶어 했다던데?"

"오오, 역시, 다민 씨는 쉴 때도 프로페셔널하군. 아무리 봐도 멋지다니까."

질색하며 고개를 내두르던 경원의 태도가 손바닥 뒤집듯 바뀌었다. 그 신속한 변화에 이번엔 은현이 고개를 절레절레 흔들었다.

월정리는 제주 공항에서 그리 멀지 않은 바닷가였다. 올레길 20번 코스를 끼고 개성 있는 카페들이 하나둘씩 들어서며, 카페 거리로 유명해진 곳이었다.

해변 인근 주차장에 적당히 주차하고 차에서 내린 두 사람은 한동안 입만 떡 벌리고 있었다. 바다는 먼저 짭짜름한 냄새와 차르르 부서지는 파도 소리를 통해 제 존재를 알렸다. 눈을 돌렸을 땐, 끝없이 펼쳐진 맑은 바다가 흰 구름이 둥실 떠 있는 하늘과 맞닿아 있었다.

밀가루처럼 뽀얗고 고운 백사장. 그곳에서 여름을 만끽하려는 사람들이 하염없이 밀려오는 파도를 온몸으로 맞으며 웃고 있었다. 남녀노소 할 것 없이 즐겁기만 한 모습이었다.

이곳은 정녕 지상 낙원인가.

어쩌다 한강만 바라봐도 가슴이 탁 트이는 소박한 수도권의 직장인에게, 남해의 넓고 푸른 바다는 압도적인 감흥을 주었다. 어디 그뿐인가. 그들이 주로 보아오던 일상이 무엇이었나. 깊은 밤, 몸의 50%는 카페인으로 이뤄진 거북목의 좀비들이 우글우글 야근하는 광경이지 않은가. 이렇게 환하고, 눈부시고, 여유롭고, 행복한 경치는 그들에게 강력한 컬처 쇼크로 다가올 수밖에 없었다.

"야, 너 어딜 보는 거냐?"

"너나 침 좀 닦아라."

물론, 그 지상 낙원을 즐기는 사람들이 대부분 수영복 차림이란 것. 그 사실이 그들에게 더 인상적으로 다가온다는 것은…… 그냥 묻어 두기로 하자.

한참이나 넋을 놓고 있던 두 사람 중, 그래도 은현이 먼저 정신을 차렸다. 아무래도 목적이 있는 사람이 방향을 잃지 않는 법이다.

"네 마음은 이해한다만, 지금 이럴 때가 아니라고."

"아아……."

"정신 좀 차리고."

은현이 도무지 움직이려 하지 않는 경원의 뒷덜미를 잡아끌었다. 경원은 어쩔 수 없이 억지로 발길을 옮기며 아쉬운 감탄사만 흘렸다.

"한 대리는 지금 어디에 있는데?"

은현을 따라 걸으면서도 경원의 시선은 자꾸 해변을 돌아보았다.

"올레길 가다 보면 유명한 카페가 있는데, 지금 거기서 커피랑 당근 케이크 먹고 있다는데."

당근 케이크라니, 귀엽기는. 토끼야 뭐야.

은현이 혼잣말로 중얼거렸다. 이제 곧 초은을 만난다고 생각하니 마냥 좋기만 했다. 비위 상하는 표정으로 저를 훑어보는 경원 따위. 눈에 들어오지도 않았다.

"야야, 가자, 가. 빨리 가자. 얼른 둘이 만나 버려라. 그래야 이 화상 좀 떨궈 놓지."

"뭔가 착각하나 본데, 누가 누굴 떨군다고."

"와, 같이 가달라고 매달려서 여기까지 따라와 줬더니. 화장실 갈 때랑 나올 때 다르다더니, 이 자식이 딱 그 짝이네."

"매달리긴 개뿔. 나 아니면 이 긴 휴가 기간에 독거노인처럼 지낼까 봐 데리고 왔더니 고마운 줄은 모르고."

덩치도 큰 남자 둘이 티격태격, 유치원생도 안 할 유치한 말싸움이라니. 누가 볼까 우세스러운 일이었다. 쉴새 없이 움직이는 입과 함께, 발걸음도 점점 빨라지고 있었다.

"아주방. 그디 아주방들."

월정리 해수욕장 옆에 있는 방파제 부근을 지날 때였다. 커다란 함지박 두어 개를 늘어놓고 앉아 있던 할머니였다.

"저희 말씀이세요?"

"기여. 아주방들, 혼저 와봅서. 제주도엔 왔시민 이거난 반도시 먹읍써. 왕 방 갑써."

은현과 경원을 향해 반갑게 손짓을 하시는 것이 가까이 와보라는 것 같기도 했다.

"뭐라고 하시는 거야?"

"그…… 글쎄……."

분명 외모는 우리나라의 푸근한 할머니인데, 알 수 없는 외래어를 하신다. 서로 귓가에 속닥거리던 둘은 엉거주춤 할머니에게 다가갔다. 큰 함지박에는 해삼, 멍게, 소라, 전복 같은 해산물들이 가득 담겨 있었다.

"할머니, 저희 부르셨어요?"

"이거 좀 봅서. 막 심옵써 식식호우다. 전복도 돌코롬하고 맛조수
다게."

"……"

"제주말 호난 무신 거옌 고람 산디 몰르쿠게? 싸게 주난 먹엉 갑써."

거의 외국어에 가까운 제주 방언이었다. 하지만 전 세계 어디를 가
도 통하는 '눈치'라는 제6의 감각이 있지 않은가. 척하면 척이었다.

"야, 이거 먹고 가자! 우리가 언제 이렇게 막 잡은 싱싱한 해산물
을 먹어 보겠냐?"

경원이 팔꿈치로 은현의 옆구리를 쿡쿡 찔렀다. 해산물이라면 껌
뻑 죽는지라 침이 절로 넘어갔다.

"야, 지금 이런 거 먹을 때냐."

그러는 은현의 눈에도 광채가 돌고 있었다. 아직 점심도 먹기 전인
그들에게 생생한 바다 내음은 무척이나 유혹적이었다.

"아무리 제주도라도 식당에서 사 먹으려면 싸지도 않아. 여자들
카페에서 수다 떨면 시간 가는 줄도 모르는데, 얼른 먹고 가면 되지."

"음……"

"그리고 바로 요 근처라면서. 카페에서 나오더라도 분명 만난다
니까."

"그…… 그런가. 그럼 그럴……"

"할머니, 얼마예요? 저희 멀리서 왔는데 싸게 주실 거죠?"

은현의 대답이 채 끝나기도 전에, 경원은 신나게 가격 흥정을 시작
했다.

"삼만 원 마씸. 하영 주쿠다 양."

"네네, 푸짐하게 주세요."

경원의 말대로 서울에서는 있을 수 없는 가격이었다. 얼른 지갑에서 돈을 꺼내 드리자, 할머니는 함지박 어딘가에서 작은 도마와 칼을 꺼내 손질을 시작했다. 은현과 경원은 약속이라도 한 것처럼 할머니 앞에 쪼그리고 앉았다.

제대로 된 그릇도 없이 펼친 비닐 위에 숭덩숭덩 썬 해삼과 멍게, 전복이 놓였다. 짙은 해산물 특유의 향이 코끝을 자극하자 군침이 돌았다.

초장도 필요 없었다. 이쑤시개로 쿡 찍어 입안에 넣는 순간. 엄청난 풍미가 입안에서 폭발하듯 터져 나왔다. 방금까지, 아니 지금 이 순간까지 온전히 담겨 있던 바다의 향과 맛은 가히 놀라웠다.

"우…… 우와, 우와."

"어우……."

둘은 제대로 말도 잇지 못하고, 연신 감탄사만 뱉어 냈다. 그러는 동안에도 쉴 새 없이 씹고 삼키기를 반복했다.

"할머니, 물질 오래 하셨어요? 오늘도 진짜 많이 잡으셨네요."

"게난게 나 물질 50년행 아이들 대학 보내고, 시집 장가도 보냈주게."

"우와, 대박. 어쩐지 맛이 남다르더라니까요. 완전 베테랑이시네요, 베테랑."

경원이 웬만큼 먹었는지, 해녀 할머니와 수다를 시작했다. 낯선 제주말로 대화가 통하는 것이 신기할 따름이었다.

"아고게, 총각 막 싹싹행 사위 삼으민 좋으켜."

"에이, 어머니, 조금 전에 따님 시집 보냈다고 하셔 놓고."

아프리카 오지에 갖다 놔도 살아남을 놈.

놀라운 친화력이었다. 잠깐 사이 할머니가 어머니가 되었다. 서글서글한 경원의 태도에 할머니는 몇 개 남지 않은 이를 드러내며 환하게 웃었다.

"겐디 훤칠한 남소나가 무사 비바리도 없이 와쑤꽈?"

"하하, 그래서 비바리 찾으러 제주도에 왔잖아요."

"게난 무신일로 서울에 비바리가 어성 제주도까장 찾으래 와서게?"

"그러게 말이에요. 예쁜 비바리 찾게, 멍게랑 전복 좀 더 주세요."

"하영 먹고 힘냉 예쁜 비바리 찾앙갑써."

할머니는 주름이 자글자글하게 눈가를 한껏 접은 채, 전복을 몇 개나 더 썰어 주었다.

"와, 진짜 전복이 녹는다 녹아."

"제주도 멍게는 종이 다른 건가? 멍게가 이런 맛이었나?"

둘은 어느새 해야 할 일도 잊고, 제주의 별미를 흡입하고 있었다.

/

"너무 괜찮았다, 그치?"

"그러게. 당근 하면 제주도 당근이라더니, 당근 케이크도 그렇게 맛있냐."

"서울 가기 전에 한 번 더 올까?"

"그래, 그러자. 어차피 숙소 근처잖아."

초은과 다민은 만족한 표정으로 막 나서던 카페를 돌아보았다.

제주도 전통 촌집을 개조한 카페는 소박하면서도 독특한 멋이 물씬 풍겼다. 제주 여행의 핫플이라는 소문이 아깝지 않을 정도로, 분위기도 맛도 손색없었던 곳이었다.

다시 올 것을 기약하며 초은과 다민은 근처에 세워 놨던 렌트카에 올라 시동을 걸었다.

"아직 시간 좀 있지?"

"응. 천천히 움직이면 될 것 같아."

보조석에 앉은 초은은 일정표와 시계를 번갈아 보며 대꾸했다. 몸에 밴 비서의 습성은 휴가지에서도 어김없이 발휘되고 있었다.

"어, 저기 좀 봐."

방파제 인근을 지나는데, 다민이 초은에게 턱짓을 했다.

"해녀가 막 잡아 온 해산물 사 먹으면 싸고 싱싱하다던데. 저 사람들 먹는 건가 봐."

"그러게. 우리도 먹어 볼까?"

"그 물질 시간 맞추기가 의외로 어렵대. 저 사람들 운도 좋네."

차창 밖으로 함지박을 늘어놓은 나이 든 해녀 앞에, 쪼그리고 앉은 두 남자의 등판이 보였다. 요란한 프린트 셔츠의 듬직한 뒤태가 어쩐지 익숙하게 느껴지는 것은 기분 탓이겠지.

자그마한 자동차가 속도를 내기 시작했다. 탁 트인 넓은 바다를 바라보며 달리자니, 그동안 도시의 스트레스에 찌들었던 마음이 개운해지는 것 같았다. 룸미러에 비치는 해산물 먹는 두 남자의 뒷모습이 점점 작아지다 점이 되어 사라졌다.

초은과 다민을 태운 차는 성산항을 향하고 있었다.

"강 대표하고 연락은 했어?"

흘러나오는 걸 그룹의 노래를 따라 흥얼대던 다민이 문득 생각난 듯 물었다.

"응. 어젯밤에 통화하고. 오늘은 아직 연락이 없네."

"엄청 삐졌다더니. 괜찮대?"

"음……. 어제 통화할 땐 또 멀쩡하더라고."

"그래? 다행이네."

다민의 무심한 대꾸를 들으며 초은은 생각에 잠겼다.

제주로 떠나기 전날까지 입이 툭 튀어나와서 툴툴거리던 은현이었다. 휴가 떠나는 마당에 꼭 그렇게 마음을 불편하게 만들어야 하나 싶어, 그가 밉살스럽기도 했다. 그래도 막상 다민과 둘이 제주에서 하루를 보내고 나니 또 미안한 마음도 들었다.

망설이다 건 전화 저편의 은현은 아무 일도 없었던 것처럼 선선했다. 초은은 다행스러우면서도 당황스러웠다. 은현은 마치 기억상실증이라도 걸린 사람처럼, 재미있게 보냈냐며 허허 웃었다.

은현 씨는 뭘 하고 보냈냐 묻는 초은에게, 그는 장난스러운 목소리를 했다. 저도 나름대로 휴가 계획이 있으니 걱정 말라고.

그의 그 산뜻한 태도가 더 불안하게 느껴지는 것은 왜일까. 뭔가 숨기고 있는 꿍꿍이가 선연히 느껴져, 초은의 명치에 돌멩이처럼 걸려 있었다.

"어, 다 왔다."

다민의 목소리에, 초은은 문득 정신을 차렸다. 거리가 꽤 되는 줄 알았는데, 벌써 성산항이 보였다. 주차장에 차를 세우고 예매해 놨던 티켓을 찾고 나니 곧 승선할 시각이 되었다.

"뭐? 강 대표야?"

다민이 초은의 핸드폰을 요리조리 들여다보았다. 초은은 그들이 탈 배를 찰칵 찍고, 바쁘게 핸드폰 자판을 두드리던 중이었다.

"아니, 시현이. 이제 어디로 가냐고 물어서."

"걔 아직도 그러니? 그거 시스콤이다. 아주 심각해."

"막내라, 외로움을 많이 타서 그래."

고개를 내젓는 다민에게 초은은 살짝 웃으며 대꾸했다.

둘은 티켓을 내보이고 배에 올랐다. 저 멀리 아스라이 우도가 보였다.

/

"와, 진짜 잘 먹었다."

"역시, 해산물은 재료가 99%라더니. 다른 거 없네. 신선도가 다르네."

"그것 봐. 내 말 듣길 잘했지?"

두 남자는 두둑해진 배를 두드리며 발길을 옮겼다. 빵빵해진 위장만큼이나 마음도 뿌듯했다. 그 돈에 이렇게 맛있는 해물을 배부르게 먹었으니 말이다. 정말이지, 최고의 가성비였다.

"그래서, 한 비서가 어디에 있다고?"

"어디 보자, 이 근처인데……. 아, 여기다."

핸드폰의 지도 어플을 들여다보던 은현이 고개를 번쩍 들었다. 그가 격하게 가리킨 손가락은 어느 아담한 카페를 향하고 있었다. 크고 작은 돌들을 쌓아 세운 나지막한 돌담을 두르고, 슬레이트 지붕과 벽을 둘러싼 통창이 정겨운 느낌이 드는 곳이었다.

"와, 사람 많다."

경원의 멋없는 감탄은 그런 많은 감정을 내포하고 있었을 것이다. 경원의 말대로 그 더운 날씨에도 정원에 놓인 테이블까지 빈자리가 없었다. 그러나 은현은 제주의 핫플이라는 그 카페의 정경을 만끽할 여유가 없었다.

"초은아……."

보고 싶던 그녀가 여기 있다는데.

긴 다리를 움직여 성큼성큼 카페 안으로 들어섰다.

그가 갑자기 나타나면, 그녀는 어떤 표정을 할까. 당근 먹던 토끼처럼 놀란 눈을 할까, 아니면 활짝 웃어 줄까.

하지만 그 답은 알 수 없게 되었다.

"다민 씨…… 아니, 한 대리가 대체 어디 있다는 거야?"

뒤따라 들어온 경원이 고개를 이리저리 내둘렀다. 은현 역시 아무리 둘러보아도 초은은커녕, 초은의 머리카락 한 올도 보이지 않았다. 그리 크지 않은 카페라, 어디 숨을 곳도 없는데 말이다.

"저, 여기 서울에서 온 여자 두 명이 왔을 텐데, 혹시 못 보셨습니까?"

은현은 마침 곁을 지나던 직원을 붙들었다. 직원은 무척 난감한 표정을 지었다.

"아…… 죄송하지만, 여자 두 분이 오는 경우가 많아서요. 그렇게 말씀하시면 잘……."

"한 명은 키가 165cm 정도고, 머리카락 길이는 이 정도. 그리고 매우 예쁩니다."

그런 여자 손님이 하루에도 백 명은 옵니다.

차마 그리 대답할 수 없는 직원의 얼굴이 꿈틀거렸다.

"그렇게 말씀하셔서는 알 수가 없습니다만."

"여기서 커피랑 당근 케이크를 먹었다는데 말입니다."

이러면 알겠지? 응? 당근 케이크 먹는 미녀가 흔하냐고.

의기양양한 은현의 얼굴을 보며, 직원은 기어이 표정이 일그러졌다.

"죄송합니다만, 손님. 여기 오시는 고객님들의 99.9%가 커피와 당근 케이크를 드십니다."

뭐라고?

아니, 그럼 우리 초은이가 왔는지, 갔는지도 모른단 말이야?

갑자기 칠흑 같은 갑갑함이 몰려왔다.

"야, 아무리 찾아봐도 없어. 벌써 갔나 봐."

그새 경원이 내부를 한 바퀴 돌아보고 온 모양이었다. 은현은 떨구었던 고개를 홱 쳐들고 경원을 노려보았다.

이게 다 너 때문이다, 이 자식아. 괜히 그걸 먹자고 해서는.

"야…… . 너도 잘 먹었잖아…… ."

역시 절친은 절친이었다. 은현의 눈이 쏟아지는 레이저 광선의 의미는 찰떡같이 알아듣는다.

은현은 머쓱하게 뒤통수를 쓸어내리는 경원을 잡아챘다. 다급한 발걸음에 경원은 속절없이 끌려갔다.

부아아앙.

쭉 뻗은 해안 도로를 달리는 카브리올레가 신나는 굉음을 냈다.

"응, 처제. 지금 초은이 어디서 뭐 하고 있대?"

[아직 언니 못 만났어요? 지금까지 뭐 하느라고요?]

"길이 엇갈렸나 봐. 지금 어디에 있는지 알아?"

[헐…… . 형부 보기보다 허당이구나.]

다른 사람도 아닌 시현에게 그런 말을 듣다니. 옆에서 연신 액셀러레이터를 밟고 있는 박경원이 다시금 괘씸해졌다.

[언니, 좀 아까 이상하게 생긴 배 사진 찍어서 보냈던데요. 우도 잠수함 탄다고. 난 당연히 형부도 같이 있는 줄 알았지.]

"어, 우도. 그래서 그 잠수함은 몇 시……."

[어, 형부. 저 지금 거래처 미팅이 있어서, 끊어요.]

통화는 야속하게도 뚝 끊겼다.

날라리인 줄만 알았던 시현은 놀랍게도 꽤 감각 있는 보석 디자이너였다. 강남 어딘가에서 운영하는 파인 주얼리 숍도 유명한 모양이었다.

"야야, 빨리 가자. 우도, 잠수함."

"뭐? 우도에서 잠수함 탄대? 이야……. 별걸 다 하는구나."

은현의 두서없는 말을 용케 알아듣고, 경원은 운전대를 돌렸다.

우도로 가는 배편은 1시간 간격으로 있었다.

"어쩔 수 없지, 뭐. 일단 우도에 들어가서 잠수함인지 뭔지 알아보자."

병 주고 약 주는 것도 아니고. 경원이 축 늘어진 은현의 어깨를 툭툭 두드렸다.

이게 다 누구 때문인데, 이 자식아.

원망스러움이 그득한 은현의 눈동자를 들여다보며, 경원은 굳이 한 마디 덧붙였다.

"울지 마, 울지 마. 다 잘 될 거야."

너 때문에 울 것 같다, 이 자식아.

이윽고 배가 출발했다. 성산항에서 우도까지는 10분 남짓 걸리는 뱃길이었다. 오후의 해가 여전히 열렬한 햇볕을 쏟아 내고 있었다.

출렁이는 파도가 금빛 너울을 한 겹 덮은 것처럼 빛났다.

"우와, 갈매기 좀 봐. 엄청 크다."

"아니, 왜 이렇게 느려. 배에는 액셀도 없나?"

경원은 바닷바람에 머리칼을 휘날리며 바다와 하늘을 번갈아 감상했다. 반면 은현은 고작 10분을 견디기 어려워 다리를 달달 떨어댔다.

"야, 아무리 한 대리 찾으러 왔다지만 모처럼 휴가인데 즐길 줄도 알아야지. 이런 경치를 우리가 언제 또 여유롭게 보겠냐."

구구절절 맞는 말이다.

하지만 지금 여기서, 박경원 네가 할 말은 아닐 텐데.

드디어 그들이 탄 배가 우도 천진항에 도착했을 때, 그 많은 사람을 제치고 가장 먼저 섬에 발을 디딘 사람은 단연 은현이었다. 은현은 땅에 발이 닿자마자 바람처럼 항구를 누볐다.

하지만 아무리 찾아보아도 잠수함의 'ㅈ'도 보이지 않았다.

"저, 혹시 잠수함을 타는 곳은 어디입니까?"

마침 지나가던 직원은 저를 붙드는 억센 손길에 흠칫 놀랐다. 그리고 은현의 이마에 송골송골 맺힌 땀과 애타는 눈빛에 한 번 더 놀랐다.

"네? 잠수함이요?"

직원은 자다가 웬 봉창 두들기는 소리냐는 표정이었다. 직원의 설명의 들은 은현은 절망할 수밖에 없었다.

무슨 이런 사기 같은 일이 있단 말인가. 우도 잠수함이 우도가 아니라 성산항에서 타는 거라니!

시간에 쫓겨 급히 배표를 산 것이 문제였다. 맞은편에 있던 잠수함

매표소를 미처 발견하지 못했다니. 은현은 온몸에 기운이 쭉 빠져 항구 앞에 쪼그리고 앉았다. 경원까지 옆에 함께 앉으니 신세가 처량하기 그지없었다.

넋 놓고 있는데 저 앞 도로로 관광객을 태운 투어버스가 지나갔다.

"어차피 이렇게 된 거, 우리도 우도나 한 바퀴 돌아 볼래?"

"……."

은현이 아무 말도 하지 않았지만, 경원은 알아서 입을 다물었다. 쭈그린 몸에서 뿜어져 나오는 검은 기운에 살해당할 것 같았다.

하지만 그것도 잠시.

"어! 저기 좀 봐."

"뭐, 또 뭔데?"

"저기. 저거 2박 3일에 나왔던 짬뽕집 아냐?"

경원의 눈이 포착한 곳은 언젠가 예능 프로에 나와 유명해진 해물 짬뽕집이었다.

"야, 넌 그러고도 또 먹고 싶냐?"

"솔직히 우리 오늘 제대로 된 식사는 한 끼도 못 먹었잖아."

경원은 배꼽이 볼록 튀어나올 정도로 정신없이 먹었던 해산물의 기억은 이미 지웠다.

하긴, 해산물은 해산물이고 식사는 아니지. 건장한 남자들의 먹성을 쉽게 볼 것은 아니었다.

"어차피 다음 배 타고 나가더라도 기다려야 하는데, 기다리는 동안 한 그릇 먹자."

"……."

"금강산도 식후경이잖아. 여기까지 와서 저 유명한 걸 안 먹고 갈 수는 없지."

은현의 망연자실한 기분은 둘째 치고, 객관적 논리적으로 따져 봐도 틀린 말은 아니었다. 오랜만에 설득력 있는 소릴 하는 경원이었다.

"은현아, 응? 한 대리랑 빨리 만나는 것도 중요하지만, 우리도 휴가잖아."

경원은 망설이는 은현에게 결정타를 날렸다.

그래, 하긴. 꼬셔서 데려오긴 했지만, 경원은 은현에게 이용당하는 것이나 마찬가지인 휴가가 아닌가. 이 정도 바람은 들어주자.

잠시 후, 그들의 앞에는 홍합이며 오징어, 게, 새우 등이 수북이 담긴 그릇이 놓였다.

"우와, 우와."

"이야, 대박."

제대로 말도 하지 못하고 연신 감탄사만 뱉어 내는 사태가 반복되었다. 어쩐지 제주의 해산물에는 대단한 효능이 있는 것 같았다. 이를테면 근심, 걱정을 한 방에 날려버리는 효과 같은.

둘은 부른 배를 다독이며 우도를 나오는 배에 무사히 올랐다.

[아직도 못 만난 거예요? 이쯤 되면 형부의 능력이 좀 의심스러워지는데요.]

은현은 시현의 타박에 입도 벙긋할 수 없었다. 어째서 그 집안 여자들 앞에서는 작아지기만 하는가.

[마지막으로 산굼부리에 갔댔어요. 이후로는 나도 이제 몰라요.]

오케이. 산굼부리. 오늘 하루 그들을 덤 앤 더머로 만들었던 길고 긴 숨바꼭질의 종지부를 찍을 곳.

바다 저편에서 서서히 다가오는 성산항을 바라보며, 은현은 입술을 깨물었다.

/

다른 계절이라면 벌써 어스름 해가 질 시각이었다. 하지만 기운 넘치는 여름의 태양은 여전히 건재했다.

"헉헉, 여기가 오늘 마지막인 거지? 진짜 알차게 보냈다."

"차 타고 다녀놓고 웬 호흡곤란이야?"

"어우, 아무리 차 타고 다녀도 오늘 일정은 너무 알찼어."

마지막으로 들른 산굼부리의 입구. 정상을 향해 길게 뻗은 세 갈래 길 앞이었다. 아직 꽃이 피어 색이 바래기 전, 짙푸른 억새가 우거진 언덕이 뭉게구름이 둥실둥실 떠 있는 하늘을 향해 솟아 있었다.

"너에게 선택권을 줄게."

"헐, 셋 다 싫어. 여기 차 타고는 못 올라가니?"

"별로 높지도 않아."

"야, 이 기집애야! 넌 게임 개발자의 체력을 대체 뭐로 보냐!"

세상에 게임 개발자만큼 저질 체력 있으면 나와보라고 해!

온종일 부지런히 다니고도 아직 생생한 초은을 보며, 다민은 버럭 성을 냈다.

하긴, 원더우먼이 되어야 하는 비서와 밤낮없이 앉아 일하는 자들이 똑같은 일정을 소화해 내는 것부터가 무리였는지도 모른다.

초은은 적반하장으로 울컥하는 다민을 물끄러미 보았다.

이 친구도 고등학교 시절엔 참 파릇파릇했는데. 지금 산굼부리에 펼쳐진 저 억새처럼 말이다.

저 좋아서 하는 일이라고는 하지만, 야근과 격무에 시달리느라 시

들해진 친구가 안쓰럽기도 했다.

"그럼 내가 앞서서 갈 테니까, 쉬엄쉬엄 올라올래?"

"매정한 년. 알았어. 얼른 올라가 버려라. 훠이훠이."

입으로는 매정하다면서 그 안심한 표정은 뭐니?

초은은 가방에서 작은 생수 한 병을 꺼내 다민에게 건네주고는 가운뎃길로 발을 내디뎠다.

그래도 아직 20대인데, 이 정도 오르막은 소화할 수 있어야 하는 것 아닌가? 친구의 건강에 대한 때아닌 걱정이 들었다.

이쪽 업계 사람들의 체력이 그렇게 취약하다면, 회사에서도 건강 관리를 위한 복지 대책이 필요할 것도 같았다. 무엇보다 직원의 능력이 가장 소중한 자산인 업계이니까 말이다.

은현도 경영보다 개발에 집중하던 시절에는 그런 저질 체력이었을까? 지금의 그 우람한 골격에 붙은 단단하고 탄력적인 체형을 생각하면, 흐물흐물하고 울룩불룩한 강은현은 도저히 상상되지 않았다.

회사 직원들의 건강에 대한 고민도 잠시였다. 눈 앞에 펼쳐진 거대한 푸르름이 온갖 고민과 스트레스에 찌든 머릿속 구석구석까지 깨끗하게 씻어 내는 기분이었다.

저녁 무렵이 되어 열기를 누그러뜨린 햇살이 초록에 반짝임을 더하고, 넓게 펼쳐진 억새 숲은 이따금 살랑 불어오는 연약한 바람에도 짙푸른 파도가 되어 일렁였다.

"하아, 상쾌하다."

보는 것만으로도 가슴이 탁 트이는 느낌. 아마도 이런 감각 때문에 사람들이 여행을 힐링이라 하는 거겠지.

해발 400m가 조금 넘는 곳. 부지런히 경사진 길을 밟으려니, 제아무리 체력의 한초은이라도 호흡이 조금 가빠졌다. 초은은 잠시 멈춰서 이마에 맺힌 땀을 닦고 숨을 골랐다.

휴가를 맞아 일상에서 벗어난 사람들이 즐겁게 길을 오르고 있었다. 저마다의 정다운 동행과 사연을 안고. 연인이나 가족, 혹은 친구와 함께인 인파 속에서 초은은 조금 외로움을 느꼈다.

친구와 함께하는 여행도 즐겁지만, 은현과 함께 왔다면 어땠을까. 체력이라면 초은에게도 절대 지지 않는 은현이니, 이 정도 오르막은 평지처럼 올랐겠지. 어쩌면 초은을 성큼성큼 이끌어 줬을지도 모른다. 그와 손을 잡고 함께 보는 이 경치는 좀 더 낭만적인 느낌으로 다가왔을 것이다.

어느새 정상이었다. 하늘에 떠 있는 뭉게구름에 머리가 닿을 듯 가까워지고 싱그러운 풀냄새가 주위에 가득했다. 눈 아래로는 푸르른 억새밭이, 저 멀리에는 성산 일출봉이 보였다.

"앤 대체 어디서 뭘 하는 거야……."

사람들이 끊임없이 오르고 내려가는 길을 유심히 보아도 다민의 모습은 보이지 않았다. 길목 어딘가에 푹 퍼져 있을 그녀의 모습이 절로 떠올랐다.

조금 쉬다가 내려가는 길에 어차피 만날 수 있을 터였다. 초은은 정상에 놓인 벤치에 잠시 앉기로 했다.

'경치나 좀 감상하지, 뭐.'

"어, 혹시……. 아까 우도 잠수함 타지 않으셨어요?"

가방에서 생수를 꺼내 한 모금 마시는데 낯선 목소리가 들려왔다. 고개를 돌려보니 반들반들하게 생긴 남자 하나가 느끼하게 웃고 있었다.

"네. 그런데요?"

이건 또 뭐야.

소싯적 나름 산전수전을 다 겪은 초은이었다. 이렇게 접근하는 남자들의 목적이며 패턴은 이미 빤했다.

"여기서 또 뵙다니, 이것도 인연이네요."

관광지가 다 거기서 거기지, 인연은 개뿔.

초은의 싸늘한 대꾸에도 남자는 눈치 없이 식상한 대사를 읊었다.

"서울에서 오셨어요? 아까 보니까 친구분하고 같이 오신 것 같던데. 어디 가셨지? 저도 친구랑 같이 왔거든요."

남자의 손짓을 따라, 저편에 서 있던 비슷하게 빤들빤들하게 생긴 남자가 꾸벅, 눈인사했다.

"그래서요?"

"이렇게 만난 것도 인연인데, 저녁이나 같이할까요?"

"왜요?"

"아니, 친구랑 와서 이렇게 자꾸 마주치니까 반갑기도 하고."

"저는 별로 안 반가운데요."

언제 봤다고 반갑냐. 초은의 단호박 같은 대답에 멈칫했던 남자는 이내 껄껄 웃음을 터뜨렸다.

"하하하. 차도녀 스타일이시네요. 되게 매력 있다. 이런 데 와서 새로 친구도 사귀고, 인연도 만들고 하는 게 또 여행의 묘미 아닙니까."

아니! 아닌데!

촌스러울 뿐만 아니라 끈질기기까지. 하나만 해도 질색일 판에 가지가지 하고 있었다. 아무래도 쉽게 물러날 것 같진 않았다.

성가시게 질질 끌 필요 없이 단숨에 뿌리치자. 초은의 무의식 어딘가 잠재해 있는 젊은 날의 못된 소가지를 소환해야 할 때였다.

초은은 잠시 숨을 고르며 에너지를 응축했다. 그리고 드디어 한 방 터뜨리려는 순간.

"서프라이즈!"

벤치 앞 수풀에서 커다란 뭔가가 불쑥 튀어나왔다.

"꺄악!"

"더헙!"

초은도, 이름 모를 남자도, 이 순간만큼은 한마음이 되어 가슴을 부여잡았다.

"으, 은현 씨……."

갑자기 뛰쳐나온 덩치는 단연 은현이었다.

"우리 예쁜이, 놀랐어? 하하하."

놀라지, 그럼 안 놀라냐. 놀라게 하려고 한 서프라이즈 아니냐고. 그리고 님, 머리에 꽂은 그 억새 한 줄기는 좀 빼시죠.

너무 당황스러운 나머지 입만 벙긋대는 사이, 옆에 있던 남자도 겨우 정신을 차린 모양이었다.

"다, 당신 뭐야?"

"나? 댁이 비루하게 질척거리던 여자의 남자다. 그 마음 이해해. 우리 자기가 좀 예쁘긴 하지? 보기만 해도 훅 넘어가겠지? 그래도 생각을 좀 하고 들이대야지. 우리 자기가 예쁜 만큼 눈도 높은 편이라, 어지간해서는 눈도 깜짝 안 하는데. 흠, 그쪽은…… 어지간하지도 않거든."

"뭐…… 뭐라고?"

"그러니까 주접은 그쯤하고, 우리 자기 안구 보호를 위해 좀 꺼져

주시지.”

“웃기시네. 못난이 주제에, 하루 놀아 주려고 했더니. 에잇!”

남자는 불쾌감으로 일그러진 얼굴을 하고도, 건장한 은현이 무서 웠는지 잽싸게 저편으로 사라졌다.

“뭐라고! 눈이 아주 그냥 야무지게 삐었네. 초은아, 저놈 말 헛소 리인 거 알지?”

아니, 지금 그게 문제가 아니잖아요.

뭐라 할 말은 많지만 무슨 말을 먼저 해야 할지 몰랐다. 초은은 일 단 손을 뻗어 은현의 머리에 꽂힌 억새 한 줄기를 뽑아냈다.

“어떻게 된 거예요? 여긴 어떻게 왔어요?”

“어떻게라니. 그럼 정말 내가 휴가를 따로 보낼 줄 알았단 말이야? 금방도 봐. 넌 혼자 다녀서는 절대 안 되는 외모라고. 내가 제때 안 나타났으면 어떻게 하려고 했어? 여행 내내 이런 일이 한두 번이겠 냐고.”

으악, 내 손, 내 발.

초은은 하고 싶은 말이 많았지만, 은현의 의기양양한 표정을 보고 는 접어 넣었다.

“내가 여기 있는 줄은 어떻게 알고요?”

“흠흠……. 내가 뭐 모르는 게 있어? 그리고 한초은은 아무리 뛰어 봐야 내 손바닥 안이라고.”

말만 큰소리다. 슬그머니 시선을 저 멀리 돌리는 것을 보니, 대충 짐작이 갔다. 김시현, 그것이 어쩐지 집요하게 소식을 묻더라니.

기가 막혔지만, 웃음이 났다. 그가 함께였으면 좋겠다고 생각하자 마자 나타나다니. 지난번 시현이와 클럽 사건 때도 그렇고, 이쯤 되면 슈퍼맨이 따로 없었다.

"제주엔 언제 왔어요? 혼자 왔어요?"

"아까 정오쯤에. 한초은 따라잡는다고 거의 반나절이나 걸려서 겨우 잡았네."

"전화하지 그랬어요."

"그건 안 되지. 엄연히 서프라이즈였다고."

"하하, 정말 놀랐어요. 그래도 이렇게 만나니까 좋네요. 찾아오느라 수고했어요."

놀랐지만 반가움을 감출 수는 없었다. 초은의 환한 표정을 보며, 그제야 은현의 입꼬리도 활짝 휘어졌다.

"그것 봐. 같이 있으니까 좋지? 그래서 내가 그렇게 휴가에 집착했던 거라고."

네네, 아무렴요. 그래서 그렇게 입이 댓 발 튀어나왔던 거겠죠.

그러고 보니 문득 다민이 생각났다. 저의 반가움은 둘째치고, 아무래도 다민은 은현의 등장이 불편할지도 몰랐다.

"아, 참. 다민이…… 기다릴 텐데."

"정다민 씨? 걱정 마. 올라오는 길에 만났어."

"다민이를 만났어요?"

갑자기 우르르 쾅쾅하는 효과음이 들렸다. 은현과 초은은 동시에 고개를 들었다. 머리 위로 훌쩍 가깝게 느껴졌던 구름이 더 무겁게 내려앉아 있었다. 어느새 주위가 어둑해진 것도 해가 져서가 아니라, 하늘이 흐려져서였다. 방금까지 산굼부리의 정상에 있던 사람들이 서둘러 내려가고 있었다.

"정다민 씨가 길목에 널브러져 있기에, 경원이를 남겨 놓고 왔지.

그나저나 우리도 어서 내려가자고. 금방 쏟아질 것 같은데."

은현의 말이 끝나기가 무섭게 굵은 빗방울이 하나둘씩 떨어지기 시작했다.

"자, 어서."

은현은 벤치에 올려 둔 초은의 가방을 제가 둘러메고 등을 떠밀었다. 둘은 거의 뛰다시피 내리막길을 밟았다. 그러는 동안 빗줄기는 점점 거세졌다. 빗방울이 닿는 어깨며 등이 아플 정도였다.

겨우 입구에 도착했을 때는 속옷까지 홀랑 젖은 상태였다.

"일단 빨리 타."

은현은 주차장에 세워 둔 카브리올레의 문을 열었다.

"다민이는……."

"경원이가 같이 있었으니까, 둘은 비를 피했을 거야."

하긴. 초은과 다민이 함께 타고 온 차의 키를 다민이 가지고 있었다. 그러니 성인 두 명이 속절없이 비를 맞지는 않았을 것이다.

초은은 은현의 차에 몸을 실었다.

"일단 호텔로 가서 몸을 좀 말려야겠어. 마침 여기서 그리 멀지 않거든."

초은과 다민이 머무는 외삼촌의 별장도 가깝긴 했다. 하지만 다민이 먼저 가 있다면 홀딱 젖은 두 사람이 들이닥쳤을 때, 불편하지 않을까. 그런 생각에 초은은 고개를 끄덕였다.

"오케이. 그럼 출발한다."

온통 젖은 머리칼을 하고 왠지 들떠 보이는 것은 기분 탓이겠죠.

물론 초은도 눈치챌 수밖에 없었다. 함께 호텔로 가자는 은현의 말이, 그저 몸을 말리자는 단순한 의미가 아님을.

“한 대리 만났어? 비는 안 맞았고? 뭐? ……그래, 알았어.”

“대표님이 뭐래요? 초은이랑 같이 있대요? 지금 어디래요?”

경원이 시무룩해져서 전화를 끊자 옆에 있던 다민이 닦달했다.

둘은 빗방울이 떨어지자마자 차로 피한 덕분에 그리 젖지 않았다. 그것도 입구에서 그리 멀지 않은 곳에 있어 가능했던 일이었다.

“둘 다 홀랑 젖어서는…….”

“어휴…… 내가 그럴 줄 알았어,”

“그래서 일단 호텔로 간다네요.”

“아하……. 함께 호텔로 가신다?”

자그마한 차 안에 잠시 정적이 흘렀다.

아마도 그 호텔은 당분간 접근 금지일 터였다. 신체 건강한 성인 남녀가 홀딱 젖은 채로 들어갔으니 말이다.

“다민 씨는 숙소가 어디예요?”

“네? 아……. 저희는 구좌 쪽에 있는 초은이 외삼촌 별장에 있거든요.”

아마도 한초은은 오늘 밤 들어오지 않겠지만요.

아무리 함께 온 여행이라지만, 혼자 남의 별장에 있으려니 그것도 좀 꺼림했다.

“그럼 우선 다민 씨 숙소로 모셔드릴게요.”

“네? 박 실장님은 어떻게 하시게요? 대표님과 객실 따로 잡으셨어요?”

“아…… 아니, 그건 아닌데.”

망설이던 경원은 머쓱한 표정을 지었다.

"어쩔 수 없죠. 어디 찜질방이라도 가야죠."

찜질방? 찜질바아앙?

제주까지 와서 찜질방이라니. 와, 강 대표. 사람이 삐딱한 줄만 알았더니 인정머리도 없구나. 다민은 어이가 없었다.

"찜질방이 어디 있는 줄은 알고요? 저 데려다주고 찜질방까지는 어떻게 가시려고요?"

"뭐……. 검색해봐야죠. 여기도 다 사람 사는 곳인데, 이동 수단 없겠어요."

경원은 입만 떡 벌린 다민을 곁눈질로 훔쳐보며, 최대한 불쌍한 표정을 지었다.

예전 같으면 주접이라며 질색했을 이 남자. 지난번부터 왜 이렇게 신경이 쓰이는 걸까. 왜 이렇게 안 돼 보이냐고.

그냥 별장으로 가버려도 될 텐데, 다민의 명치쯤에 뭔가 까슬한 덩어리가 걸린 것처럼 거슬렸다.

"저는 괜찮아요. 뭐…… 찜질방이 조금 불편하긴 해도, 대충 자면 되고……. 여기 찜질방에도 맥반석 달걀이랑 미역국은 있겠죠. 저 맥반석 달걀 되게 좋아하거든요. 열 개는 먹을 수 있어요."

"괜찮긴 뭐가 괜찮아욧!"

괜찮기는 개뿔. 멀리까지 친구 따라 왔다가 이용만 당하고 버려진 이 남자야! 지금 맥반석 달걀 먹을 때냐고!

경원의 처량 맞은 대사에 다민은 그만 울컥해버렸다.

"네? 아……. 전 진짜 괜찮은데……."

"후……. 안 되겠어요. 저랑 같이 가요."

그래, 바로 이거야!

사랑스러운 친구 강은현아, 너의 빅픽쳐가 이거였구나!

경원은 가슴속에 차오르는 환희를 애써 감추며, 짐짓 놀란 표정을 지어 보였다.

"네? 제가 다민 씨랑 같이요? 그…… 별장에요? 어유……. 다른 사람도 아니고 다민 씨한테 폐 끼치고 싶진 않은데요."

"아니요! 별장은 무슨 별장!"

아무리 절친 초은의 별장이라도, 마음대로 외간 남자를 끌어들일 수는 없는 법이다. 그래. 마음 넓은 내가 큰 결심했다.

"제가 찜질방에 같이 가준다고요!"

"넵, 감사합니다!"

아트팀의 여신-물론 경원의 눈에만 그러하지만-다민과 함께하는데, 별장이면 어떻고, 찜질방이면 어떠리.

경원은 그녀의 마음이 변하기라도 할세라, 잽싸게 차를 출발시켰다. 은현에게 버림받은 것이 너무나 신났다.

차창으로 떨어지는 요란한 빗소리가 경쾌하게 울렸다.

/

"따뜻하게 씻고 나와. 옷은 내가 세탁 맡길 테니."

은현이 욕실에서 수건을 가지고 나와 초은의 머리칼을 조심스레 닦았다. 초은은 은현이 그러거나 말거나, 객실을 둘러보느라 정신이 팔렸다.

"어휴……."

"아……. 한창 휴가철이라 남은 룸이 있어야 말이지……."

찌릿, 노려보는 초은의 눈빛에 은현이 찔끔했다.

아무리 남은 방이 없어도 그렇지. 이곳은 호텔 꼭대기에 있는 프레지던셜 스위트룸. 무려 화려한 거실에 침실이 2개, 욕실이 3개, 부엌과 다이닝룸과 드레스룸까지 딸린 호화찬란한 곳이 아닌가.

다시 말해, 무작정 떠나온 남자 두 명이 묵을 방치고는 너무나 사치스러웠다는 말이다.

"자자, 빨리 들어가. 이러다 감기 걸리겠어."

웅얼웅얼 얼버무리던 은현은 얼른 초은을 욕실로 밀어 넣었다. 얼결에 밀려 들어간 욕실 역시 화려하기 그지없었다.

이 드넓은 대리석의 향연은 무엇이며, 저 수영장만 한 욕조는 무엇이며, 결정적으로 욕실 한쪽을 차지한 사우나 시설은 뭐냐고.

초은도 그 누구보다 물질적인 풍요를 누리고 자랐다. 하지만 단지 저와 함께 시간을 보내겠다는 일념으로 이런 고가의 객실을 덜컥 차지한 것이 썩 달갑지만은 않았다.

"에구, 나도 모르겠다."

저를 위해서라면 아낌없이 소비하는 그의 마음만큼은 고맙게 생각해야 하나. 초은은 께름한 마음을 지워 내며 대리석 욕조에 물을 받기 시작했다.

이미 벌어진 일. 알뜰살뜰 이용이라도 해줘야지.

한여름이라도 비에 젖은 몸이 꽤 식어 있었나 보다. 가득 받은 물에 푹 담그고 나니 온몸이 따끈하게 데워지며 개운했다. 젖은 머리를 수건으로 톡톡 두드려 물기를 닦아 내고, 폭신한 목욕 가운을 걸쳤다. 거실로 나오자 에어컨 바람에 선선하게 식은 공기가 기꺼웠다. 소파에 편하게 기대앉으니 세상 부러울 것이 없었다.

"따뜻하게 씻었어?"

다른 욕실을 사용했는지, 초은과 똑같은 가운을 입은 은현이 성큼 성큼 걸어 나왔다. 시원하던 공기가 갑자기 후끈 달아오르는 것 같은 기분은 왜인가요.

물론 그 이유는 충분했다.

초은의 곁에 털썩 앉아 머리칼을 탈탈 털어 내는 거친 손짓. 살짝 벌어진 가운 사이로 언뜻 보이는 떡 벌어진 대흉근. 거기다 단단한 목선을 타고 흐르는 물방울까지. 분명 그는 초은과 마찬가지로 가운 안에 아무것도 걸치지 않았을 것이다.

그런 상상을 하자 초은은 저도 모르게 침이 꼴깍 넘어갔다.

"배는 안 고파? 룸서비스를 좀 시킬까?"

은현이 곁으로 바싹 다가앉으며 초은의 얼굴을 응시했다.

지금 허기가 진 건, 그의 뱃속이 아닌 것이 분명했다. 그의 눈빛이 잡아먹을 듯 덤벼드는 곳은 따로 있었으니까.

"뭐 먹고 싶은 거 있어?"

그리고 눈에 띄게 불쑥 들린 그의 가운 앞섶이 결정적이었다.

"흐읍!"

그의 질문은 애초에 답을 요구한 것이 아니었다. 초은의 대답을 기다리지도 않고 입술을 덮쳐 버렸으니 말이다.

은현의 입술은 뜨거웠다. 그리고 무척 허기져 있었다. 초은의 말랑한 입술을 덥석 물고 강하게 흡입하며 문지르는 감촉이 야성적이었다. 초은은 저를 덮치는 뜨거운 입김과 짙은 체취에 숨이 막힐 것 같았다.

은현은 초은의 허리를 좀 더 강하게 감으며 다른 손으로 젖은 머리칼을 쓸어 넘겼다. 달아오른 손끝이 얼굴선을 쓸어내리고 뒷덜미를 감쌌다. 그 야릇한 움직임을 따라, 초은은 온몸의 신경이 파르르 곤두서는 느낌이었다.

은현이 고개를 비트는가 싶더니 단단하고 탄력 있는 것이 불쑥 밀고 들어왔다. 거침없이 헤집고 비벼대는 선연한 감촉. 등줄기를 따라 짜릿한 감각이 타고 올랐다.

이제까지의 키스와 명백히 다른 느낌이었다. 어떤 분명한 목적을 향해가는 열정적인 출발이랄까. 끝없이 고조되어가는 원초적인 감각의 발화점이었다.

어느새 초은은 소파의 팔걸이에 비스듬히 눕듯이 기대 있었다. 초은의 몸을 온통 뒤덮은 은현에게서 전해지는 강한 동계. 가운 자락 사이로 엇갈린 맨다리가 너무나 관능적이었다.

오늘은 아무래도 그날이 될 것 같았다. 둘 다 말로 표현한 적은 없지만, 마음으로 기대하며 기다린 그날.

"훗…… 흐읍……. 은현…… 씨……."

그렇다면 초은은 꼭 확인해야 할 것이 있었다.

"음……?"

통통하게 부풀어 오른 입술을 몇 번이고 거듭 쪼던 입술이 초은의 목덜미로 미끄러졌다. 초은의 매끄러운 살결에 정신이 팔려, 은현의 대답은 건성이었다.

"흐응…… 궁금한 게……. 있어요."

"음……?"

뾰족한 혀끝이 귀엽게 맥이 뛰는 곳을 꾹 눌러 빙글빙글 돌렸다.

"지난…… 번에 우리 집에서……. 훗……. 왜 그냥 잠…… 들었어요?"

"하아……."

촉촉한 혀가 목덜미를 따라 올라가더니 귓불을 살짝 머금었다. 초은은 감질나는 감촉에 작게 몸서리를 쳤다.

"이상하게 들리겠지만……."

귓속으로 스며드는 속삭임이 혈관을 타고 심장을 두드리는 것 같았다.

"네 체취가 가득한 침대가 세상 그 어느 곳보다 안락하고 포근했어. ……온 세상을 돌아 마침내 도착한 보금자리처럼."

"아앗……."

달콤한 속삭임 끝에 단단하게 세운 혀가 귓구멍을 불쑥 파고들었다. 초은은 흠칫 몸을 비틀었다.

"나도 궁금한 게 있어."

"으응…… 뭔…… 데요?"

목덜미를 감싸던 손바닥을 떼어 내는가 싶더니 이내 초은의 종아리를 감았다.

"그날……. 왜 옷을 벗고 있었던 거야?"

피부를 마찰하며 위로 타고 오르는 손바닥의 감촉이 데일 것처럼 뜨거웠다.

"이상…… 하게 들릴지 모르겠지만……."

"흐응?"

"옷을…… 옷을 벗고 자는…… 습관이 있어요."

아니, 전혀 이상하지 않아.

어디서 그런 좋은 습관이 들었지? 깜찍하게.

듣는 것만으로 은현은 뱃속이 후끈 달아올랐다. 종아리를 매만지던 손이 허벅지를 탐욕스레 움켜쥐었다.

괜찮아. 이젠 속옷마저 입지 못하고 자야 할 텐데.

은현은 가운 자락을 이로 물어 끌어내리며 부드러운 살결 사이로 고개를 묻었다. 산뜻한 초은의 향이 미약처럼 몸에 스며들었다.

늘씬한 허벅지를 주무르던 손은 좀 더 깊은 곳으로 파고들었다. 날카롭고 선명한 자극에 초은은 팔걸이에 고개를 젖힌 채, 정신없이 신음했다.

그리고 가장 열망하던 곳에 도달했을 때, 은현은 멈칫했다.

뭐지? 이 있어서는 안 될 감촉은.

순간 부글부글 끓어 오르던 머릿속이 혼란스럽게 회오리쳤다.

잠깐, 이 뜻밖의 존재는 뭐냐고.

"흐응……."

뜨겁게 애무하던 은현의 손이 멈추자, 초은이 조르듯 다리를 바동거렸다.

박경원, 이 새끼. 난 너만 믿고 말끔히 리터칭까지 하고 왔단 말이다!

은현은 마음속으로 머리칼을 쥐어뜯으며 절규했다.

"초은아…… 하아, 방으로…… 갈까?"

여긴 너무 환해.

이러다간 숨겨왔던 나의 순수한 모습이 다 드러나겠다고.

"웃……. 으응."

이미 쾌락의 도가니에 발을 담근 초은은 의미도 제대로 모른 채 도리질 쳤다. 달음질치던 쾌감이 중단되자 견딜 수가 없었다.

발갛게 상기된 그녀의 두 뺨이 사랑스러웠다. 은현은 몸 안에서 회오리치던 욕망을 애써 억누르며, 초은을 안아 들었다. 방으로 향하는 발걸음이 다급했다.

널 남김없이 삼켜버릴 거야. 하지만 일단 보이지 않는 곳으로 가자. 남자에겐 숨기고 싶은 비밀이 하나쯤은 있는 법이니까.

암막 커튼이 드리워져 어둑한 침실. 은현은 거대한 침대 위에 초은을 내던지듯 내려놓고 늘씬한 허리에 느슨하게 묶인 끈을 풀어내기 시작했다.

달아오른 것은 은현만이 아니었다. 반쯤 몸을 일으킨 초은의 손이 은현의 가운 자락 사이로 파고들며 탄탄한 가슴을 쓰다듬었다. 작고 보드라운 손의 감촉이 은현을 채찍질하듯 재촉했다.

매혹적이기만 한 게 아니라 적극적이기까지. 젠장, 너무 좋아.

펄펄 끓는 피가 쏠려 머리가 뻥 폭발할 것만 같았다.

초은의 가운 자락을 활짝 벌리는 사이, 그녀의 손은 단단하게 짜인 복근을 따라 아래로 더듬어 내렸다.

"잠깐!"

초은의 손길이 거대해진 욕망의 실체에 닿기 직전. 은현은 급하게 초은의 손을 낚아챘다.

"아가씨, 너무 적극적인데. 느긋하게 시작하자고."

휴, 하마터면 들킬 뻔했네.

은현은 덜컥했던 심장을 애써 가다듬으며, 짐짓 입꼬리를 매혹적으로 휘었다.

"밤새 구석구석 남김없이 맛볼 테니까, 기대하라고."

그러니까 제발 거긴 만지지 말아줘.

거기 안 만져도, 충분히 황홀하게 해줄 수 있으니까.

은현은 초은이 대답할 겨를도 주지 않고, 얼른 입술을 덮었다. 도도록한 둔덕을 움켜쥐자 초은은 반사적으로 은현의 등을 감싸 안았다.

아찔한 쾌락이 다시금 덮쳐왔다. 초은의 살결은 매끄럽고 달콤했다. 은현은 초은의 모든 곳을 정신없이 탐닉하기 시작했다.

이제껏 육체가 주는 쾌감에 이토록 몰입한 적이 있었던가. 은현은 제 몸의 움직임이 도저히 제어되지 않았다. 오직 본능만을 충실히 좇아 강하게 들이칠 때마다, 초은의 허리가 한껏 휘어졌다.

공기를 가득 채운 욕망의 향기와 물기 어린 마찰음, 숨 가쁜 신음. 한 몸처럼 출렁이는 두 사람을 높은 곳으로 떠밀던 감각이 정점에 올라 몇 번이고 산산이 부서졌다. 온몸에 쏟아져 내리던 아득한 쾌락. 머리부터 발끝까지, 손가락 하나하나의 끝까지 가득 채운 벅찬 감각이었다.

시간이 얼마나 지났는지도 몰랐다. 또 한 번의 절정이 지나자, 나른한 만족감이 찾아들었다. 은현은 축 늘어진 초은의 등에 촘촘하게 입을 맞췄다. 이 완벽한 포만감은 이전에도, 이후에도, 그 누구에게서도 얻을 수 없는 종류의 것이었다. 오직 초은만이 줄 수 있었다.

"초은아……."

"……."

"하아……. 초은아."

몇 번이고 응축된 절정의 여운이 남아, 초은은 제대로 대답도 하지 못했다.

"넌 정말 완벽해. 나름 완벽한 나에게 과분할 정도야."

"……."

"사랑해. 도저히 표현하지 못할 만큼. 난 영원히 널 벗어날 수 없을 것 같아."

기운 없는 가녀린 팔이 은현의 목을 감았다. 그리고 그의 목덜미에 수줍게 고개를 묻었다. 한마디 말은 없었지만, 진심 어린 대답을 들은 기분이었다. 말랑한 코와 입술의 감촉이 어쩐지 감동적이었다. 은현은 울컥 치미는 뜨거운 덩어리를 애써 되삼키며, 초은을 꼭 끌어안았다.

그 순간, 악착같이 버티며 살아왔던 과거를 오롯이 위로받는 느낌이었다. 초은을 안은 팔에 힘을 주었다. 벗은 몸을 빈틈없이 맞대고 팔다리를 서로 휘감은 채, 둘은 까무룩 꽃잠에 들었다.

/

은현이 다시 눈을 떴을 때는 이미 날이 훤히 밝은 후였다.

초은의 체온을 느끼며 깨어나는 아침은, 이제껏 경험한 모든 아침과는 달랐다. 세상 모든 것이 새것처럼 반짝이고 색채 하나하나가 선명해진 기분.

품에 쏙 안겨 있는 여체는 자그마하고 가녀렸다. 모든 것을 내맡기고 있는 모습이 사랑스러워 견딜 수가 없었다. 그 완벽하고 반듯하기만 하던 한초은의 무방비한 모습이라니.

은현은 제 가슴에 색색 숨을 내쉬는 초은의 정수리에 살짝 입을 맞췄다. 끄응- 소리를 내며 움찔하는 것이 귀여웠다. 이번엔 손가락으로 눈썹을 살살 쓸어 보았다. 미간을 찌푸리며 겨드랑이 쪽으로 파고드는 모습에 웃음이 났다.

하긴 정신없이 곯아떨어질 만도 했다. 제 체력이 어디 보통 체력인가. 밤새 좀 몰아붙였어야지.

그동안 참고 억눌러왔던 본능의 폭발은 빅뱅만큼이나 거대했다. 도무지 스스로 억제하지 못할 정도였으니 말이다. 초강력 흥분제라도 복용한 사람처럼 지치지 않는 힘이 몇 번이고 솟아났다.

저와 나누는 원초적인 쾌락에 신음하던 초은을 떠올리니, 또다시 아랫배에 불끈 힘이 들어갔다. 은현은 덮고 있던 이불을 슬그머니 들어 맨다리가 얽혀 있는 아랫도리를 보았다. 이른 아침 잠깐 깨어 났을 때 귀찮음을 무릅쓰고 가방을 뒤져 속옷을 찾아 입어야 했다.

격한 체력 소모 후, 이불 밖으로 나가야 하는 것은 너무나 괴로운 일이었다. 하지만 중요한 부위를 갑옷처럼 보호하고 있는 드로즈를 보며 얻을 수 있는 안도감이란 그 괴로움을 상쇄하고도 남았다.

이걸 또 벗어? 안 그래도 지쳐서 한잠 들어 있는 사람한테는 좀 심한 거겠지?

잠깐 고민하는 사이, 이불이 펄럭거린 탓인지 초은이 뒤척였다.

"끄응…… 아파……."

아니, 꿈과 현실을 넘나들면서도 이렇게 큐티 섹시해도 되는 건가요.

은현은 낑낑거리는 초은을 품에 안고 등을 쓸었다.

"어디가 아파?"

"흐응……. 다리랑…… 허리도."

무의식중에 대답하면서 잠이 깼는지, 초은이 번뜩 눈을 떴다.

"헉……. 벌써 일어났어요?"

"많이 아파?"

순간 경직됐던 몸이 부드럽게 어루만져주는 손길에 스르르 풀렸다. 초은은 은현의 가슴에 힘없이 늘어지며 칭얼거렸다.

"산굼부리가 별로 높지도 않았는데……. 평소에 운동이라도 좀 해야 했나 봐요."

"아니, 원인 파악이 잘못됐어."

천하의 한초은이 말이야. 물론 그 이유도 조금은 있겠지만, 더 중대한 원인이 있다고.

"네?"

"잘 생각해 봐."

그 목소리가 야릇한 건 자고 일어나서겠죠?

그런 초은의 마음을 비웃듯, 팔을 어루만지던 손이 목과 등을 쓸며 아래로 내려갔다.

"여긴 안 아파?"

"아앗……."

아니, 거긴 몸 전체 중에서도 가장 지방이 많은 부분인데……. 그래도 근육이 있나 보다. 주무르니까 시원한 걸 보니.

"여긴 어때?"

은현의 목소리가 어째 점점 더 잠겼다. 잠기는 목소리만큼 그의 손길도 점점 깊은 곳을 향했다.

"하아……. 은현 씨 좀…… 짐승 같은 거 알아요?"

"그걸 이제 알았어? 나는 시방, 아니 늘 위험한 짐승인데."

하지만 이럴 때 빼지 않는 것이 초은의 매력이었다.

"하긴…… 만져 보면 좀 그런 것 같긴 해요."

초은의 손이 은현의 목에 닿는가 싶더니, 목선을 따라 부드럽게 미끄러졌다.

"특히 이런 곳……."

"윽……."

집게손가락이 가슴골 사이를 문지르는가 싶더니, 이내 펼쳐진 손가락이 대흉근을 덮었다. 단단하게 뭉친 근육을 이리저리 쓰다듬는 감촉이 신경 세포를 하나하나 깨우는 것 같았다.

"그리고 여기도 만만찮네요."

아래로 슬금슬금 내려온 손바닥이 잘 짜인 복근을 매만지고 더듬었다. 찌릿한 감각을 일으키는 그 움직임을 따라 여섯 덩어리의 근육이 움찔대느라, 어느새 은현의 능글맞던 손놀림마저 멎어버렸다.

초은은 키득거리며 아예 은현의 가슴팍에 뺨을 대고 복근을 만지작거렸다.

아…… 이건 너도 원한다는 거지? 그렇지?

본능은 당장에라도 벌떡 일어나 이 발칙한 여자를 덮치라 했다. 하지만 또 다른 본능은 이런 감질나는 감각을 더 만끽하라고도 했다.

아, 좋아…… 이 느낌. 속옷 안으로 손만 안 집어넣으면 돼.

짜릿한 쾌감과 조마조마한 불안감이 뒤섞여 시너지 효과를 내고 있었다.

"그런데 은현 씨는 의외로 체모가 없는 편이네요."

"응?"

은현은 반사적으로 겨드랑이에 힘을 줘서 팔을 딱 붙였다. 어느 쪽을 어필해야 할지 알 수가 없었다.

"사실…… 남자의 Happy trail을 꽤 좋아하거든요. 섹시해서."

"Happy trail?"

"네. 흔히들 배럿나루라고 부르는 거 말이에요."

원래는 그랬는데, 이렇게 반전 같은 순수함도 좋네요. 은현 씨라 그런가.

초은의 나직한 중얼거림은 들리지도 않았다. 은현이 태어나서 이렇게까지 억울했던 적은 처음이었다.

아니야, 그게 아니야. 나도 남부럽지 않게 무성하다고. 길고 굵다는 칭찬까지 들었단 말이야.

울고 싶을 정도로 억울했지만, 억울함보다 더 섬뜩한 감정이 파도처럼 덮쳐왔다. 바로 불안함이었다. 저렇게 Happy trail의 흔적을 따라가다가 드로즈 속으로 불쑥 손을 넣기라도 한다면.

그땐 그냥 취향의 차이로 끝나진 않을 것이다.

"하하…… 배고프지 않아? 어제는 저녁도 못 먹었잖아."

은현은 제 배 위를 배회하는 자그마한 손을 부드럽게 잡아 내리며 몸을 일으켰다.

좋았어. 자연스러웠어.

"엄청요. 배고파서 꼼짝도 못 하겠어."

다행히 초은도 반가운 목소리로 대답하며 침대 위로 몸을 늘어뜨렸다. 어지간히 배가 고팠던 모양이었다.

"하하, 그렇지? 바로 룸서비스 시킬게. 좀 더 쉴래? 아니면 씻을래?"

어제 그렇게 에너지 소모를 하게 만들길 잘했구나.

은현은 마음속으로 칭찬하며 어슬렁어슬렁 거실로 걸어 나갔다.

/

"우와, 우와. 진짜 끝내준다."

경원이 뭔가가 그득 얹힌 트레이를 들고 오며 연신 호들갑이었다. 다민은 생전 해본 적도 없던 양 머리를 뒤집어쓰고 작게 한숨을 지었다.

울컥하는 마음에 경원과 함께 오겠다고 외치긴 했다. 하지만 찜질방에 들어서는 순간 짙은 후회가 몰려왔다. 거부할 수도 없었다. 정성껏 수건을 접고 있는 경원의 모습이 참으로 진지했던 것이다.

"우와, 여기 미역국 때깔이 진짜 장난 아니에요. 다민 씨, 컵라면 으로 되겠어요?"

"아아. 네. 전 미역 별로 안 좋아해서요."

경원이 싱글벙글하며 내려놓은 쟁반에는 미역국이 가득 담긴 대접과 빨대 두 개가 꽂힌 식혜 통, 그리고 구운 달걀이 산더미처럼 쌓인 접시와 초라한 컵라면 하나가 놓여 있었다. 구운 달걀 열 개는 먹을 수 있다더니, 거짓말이 아닌 모양이었다.

"달걀 하나 까드릴까요? 어디 가도 찜질방 달걀만 한 달걀이 없다니까요."

"아…… 아니에요. 전 괜찮아요."

"에이, 그러지 말고 하나만 드셔 보세요. 찜질방에 와서 구운 달걀을 안 먹다니. 경찰서에 잡혀갈 일입니다."

"……그럼 하나만……."

그렇게 열정적으로 권유하는데, 자꾸 거절하는 것도 아닌 것 같아 대답하는 순간. 경원이 기다렸다는 듯 손에 든 달걀로 다민의 이마를 내리쳤다.

"으악!"

"으하하하하."

안 그래도 내키지 않던 양머리가 비뚤어지고, 막 한 젓가락 건져 올리던 컵라면의 면발이 주르르 흘러내렸다. 퍼석, 하는 효과음과 경원의 유쾌한 웃음소리가 아름다운 화음을 이뤘다.

"이야, 다민 씨 이마 튼튼하네요. 한 방에 이렇게 까지기도 힘든데."

급작스러운 공격에 풀썩 수그러진 다민의 고개가 좀처럼 제자리로 돌아오지 않았다. 그 대신 성난 황소 같은 뜨거운 콧김이 뿜어져 나왔다.

"다민 씨? 자, 드셔 보세요."

"……"

경원은 눈치 없이 낄낄대며 다민의 코앞에 깐 달걀을 들이밀었다.

"저기……. 다민…… 씨?"

"……"

"에이, 설마…… 화나신 건 아니죠?"

갑자기 고개를 쳐든 다민이 달걀 두 개를 한 손에 움켜쥐었다.

"헉……. 으악!"

퍼억! 경원의 이마를 향해 번개처럼 휘두르는 팔의 스윙이 못내 거칠었다.

"어유, 그러게, 달걀이 참 잘 벗겨지네요."

다민은 거의 으스러지다시피 뭉개진 달걀의 껍데기를 톡톡 떨어내며 사악한 미소를 지었다. 머리가 핑 도는 것처럼 비틀대며 테이블을 움켜쥐었던 경원은 겨우 정신을 차렸다.

"어디 받아먹을 수만 있나요. 오는 정이 있으면 가는 정도 있는 법. 저는 특별히 두 개 까드리려고요."

"하…… 하하. 우리 다민 씨는 정도 많지."

경원은 눈꼬리에 찔끔 밴 눈물을 대롱대롱 매달고 애써 웃었다.

다민이 까 준 구운 달걀이 어쩐지 특별히 더 짭짤한 것 같은 건 다 기분 탓일 것이다.

"아까 보니까 떡볶이 팔던데 떡볶이 드실래요?"

"아니, 그렇게 먹고 또 먹어요? 그리고 지금 이 상황에 뭐 먹을 생각이 나요?"

다민은 기가 막힌다는 눈으로 경원을 노려보았다.

지금 헉헉거리며 앉아 있는 곳은 온도 55℃의 황토 소금방.

들이쉬고 내쉬는 숨이 불을 삼키는 것 같은데, 떡볶이라니.

"여기가 제일 뜨거운 방도 아닌데. 다민 씨, 뜨거운 거 잘 못 참는 구나. 이거라도 좀 마셔요."

다민은 노려보는 눈 그대로 경원이 내민 식혜 통을 홱 낚아챘다.

"거기 분홍 빨대……."

"알아요, 알아! 분홍 빨대가 내 거. 하늘색이 박 실장님 거."

보란 듯이 분홍 빨대를 쪽쪽 빠는 다민을 보며, 경원이 피식 웃었다.

"왜 웃어요?"

"아니…… 좀 귀여워서요. 얼음방은 춥다고 징징, 여기는 뜨겁다고 징징. 애기 같잖아요."

"아니, 내가 또 언제 징징댔다고."

좀 그러긴 했나.

다민은 머쓱하게 시선을 돌렸다.

경원은 두 팔을 뒤쪽으로 짚으며 느른하게 몸을 젖혔다.

"괜찮아요. 아트팀 여신의 뜻밖의 모습도 좋네요."

"제발 그런 말 좀 그만하세요!"

으악, 내 손, 내 발! 남들이 들으면 욕한다고요. 이 남자가 날 매장하려고 일부러 이러나. 아니면 고도의 돌려 까기인가.

"왜요. 내 눈엔 진짜 그렇게 보이는데."

"……."

"이런 말 하면 다민 씨가 또 날 싫어할 수도 있지만, 사실인 걸 어떻게 합니까.”

경원답지 않게 장난기를 쏙 뺀 눈빛이었다. 다민은 아무 말도 못 하고 얼굴만 붉어졌다.

그러고 보니 이 남자, 왜 이렇게 달라 보이지.

평소 늘 은현과 붙어 다니는 통에 몰랐다. 따로 떼어 놓고 보니 이렇게 멀쩡하고 준수하게 생겼을 줄이야. 게다가 막 씻고 와 뽀얗게 물기 오른 피부와 발갛게 상기된 뺨, 살짝 젖은 머리칼이 청순했다.

다들 똑같이 입고 있는 찜질복인데, 이 남자가 입으니 팔, 다리 기럭지가 돋보이는 게 혼자만 맞춤 제작했나 싶기도 하고.

“힘드시면 다른 방으로 갈까요? 다민 씨가 오해하고 있는데, 사실 저 되게 배려심 넘치는 남자거든요.”

가볍고 속없어 보이는 건 여전한데, 더는 거슬리지 않는 것은 왜일까. 자꾸 보다 보니 익숙해져 버린 건지, 아니면 마음의 문제인 건지.

자리를 옮긴 편백 나무 방은 30℃. 훨씬 숨쉬기 편한 환경임이 분명한데, 다민은 어쩐지 더 숨이 막히는 것 같았다.

“저…….”

“네?”

다민이 어렵사리 말을 꺼냈는데, 경원은 해맑기만 했다.

“저…… 지난번에, 제가 너무 말이 심했죠? 죄송해요. 그게……. 며칠 잠을 제대로 못 자고 야근했더니, 신경이 날카롭기도 하고…….”

“아, 그랬군요. 이해합니다. 저도 그럴 때가 있거든요.”

“아니에요. 아무리 그래도 제가 너무 지나쳤어요. 너무 감정적이다 보니 원래 하려던 의도에서 한참 벗어났지 뭐예요. 기분 많이 상하셨을 텐데, 사과드릴게요.”

"아유, 그렇죠? 저도 그렇다고 생각했어요."

"……네?"

큰맘 먹고 힘들게 한 사과인데. 동네 아줌마처럼 맞장구치는 경원의 반응은 뭘까.

"아무리 생각해 봐도, 다민 씨가 저를 그렇게 싫어할 리가 없거든요. 그래서 기분이 그렇게 나쁘지도 않았고, 이렇게 또 솔직하게 말씀해 주시니 오히려 고마워요."

"……"

아니……. 그게 아니라고. 그게 미묘하게 다른 데, 뭐라고 콕 집어 말하기 힘든데. 어쨌든 아예 없는 말을 한 건 아니었다고.

"뭐, 다민 씨 그때 상태가 그래서 마음에도 없는 소릴 하긴 했지만 나름 저한테도 도움이 됐거든요. 늘 모범적으로 살아가는 저이지만, 혹시 부족한 점이 있진 않나 돌아보고 반성하게 되고."

"……"

"그래서 다민 씨에게 전혀 실망하지 않았으니 걱정 마세요. 다민 씨를 향한 마음은 언제나 변함없어요."

뭐라 대답할 수도 없이 복잡한 심경인데, 퍽 당당한 마지막 말에 또다시 얼굴이 확 달아올랐다.

"어라, 다민 씨 양 머리가 찌그러졌네요. 다시 접어 드릴까요?"

아, 이 사람은 어쩜 이렇게 세상을 꽃 천지로 만드는 걸까. 그의 독특한 삶의 태도가 기가 막히면서도 웃음이 났다.

문득 그런 생각이 들었다. 이 사람과 함께 있으면 어떤 짜증 나는 일이라도 웃어넘길 수 있을 것 같다는.

나른한 몸을 일으켜 개운하게 씻고, 룸서비스로 시킨 아침 겸 점심을 배부르게 먹은 후였다. 본능적인 욕구가 충족되고 나니 더 고차원의 욕구가 생겼다. 좀 인간다워지고 싶은 욕구였다.

세탁 서비스를 맡긴 옷은 아직 감감무소식이었다.

"나 티셔츠나 뭐 아무거라도 좀 빌려주면 안 돼요?"

"흠……. 아무리 티셔츠라도 네 몸에 맞을 옷이 없는데?"

여행 가방에 있을 옷들은 어쩌려는 건지, 그러는 은현도 여전히 드로즈 차림이었다.

아니, 뭐 티셔츠 빌려 입고 패션쇼 하자는 것도 아니고, 에덴동산 처지나 좀 벗어나자는 건데. 왜 이렇게 까탈스러워?

그 의문은 곧 해소되었다.

"어차피 벗고 있어야 한다면, 벗어야 할 수 있는 일을 하는 것이 좋겠어."

무척이나 효율적인 그의 논리였다.

[언니, 형부 만난 거야? 어제 별장에 아무도 안 돌아왔다면서?]

그의 효율적인 정열에 한바탕 휩쓸리고 난 후, 막 정신을 차린 참이었다. 문자 메시지는 시현이었다. 그 멀리서 초은의 일거수일투족을 빤히 들여다보고 있다니. 놀라워해야 할지, 민망해해야 할지.

그러다 퍼뜩 떠오르는 생각이 있었다.

"어! 다민이!"

정신없이 비를 맞은 데다, 호텔에 들어온 이후로는 더 정신을 차릴 수가 없었다. 경원과 함께 있다는 은현의 말만 듣고, 별장으로 데려다줬을 거라 무심결에 생각했었다. 그런데 아무도 별장에 들어오지 않았다니. 정다민, 이것이 대체 어디로 간 거지.

경원과 밤새 역사가 이루어졌다고 생각하기에는 너무나 급작스럽다. 평소 경원을 대하는 다민의 마음가짐을 떠올려 보면 더더욱.

"은현 씨, 어제 박 실장님은 어디서 주무셨어요?"

"뭐? 박경원?"

그렇게 힘을 쓰고도 상쾌한 표정으로 어슬렁거리던 은현이 의아하게 돌아보았다.

"네. 혹시 다른 객실에 계세요?"

"아니? 그냥 들어오지 말랬는데."

우와, 이 냉정한 남자 같으니. 아무리 역사를 이루는 것이 중요하지만, 베프를 그렇게 홀대하다니.

입만 떡 벌린 초은을 보며, 은현은 뭐가 문제냐는 듯 눈썹을 들어 올렸다. 이 와중에 정다민 이년은 전화도 받지 않는다.

딱 좋은 온도의 편백나무 방에서 밤새 하찮은 수다 끝에 곯아떨어진 것을 초은이 알 리 없었다.

"안 되겠어요. 일단 별장으로 가야겠어요."

"응? 별장으로 옮길까? 그럼 이 룸은 경원이랑 다민 씨한테 쓰라고 하고?"

"무슨 소리예요! 그 두 사람이 한 방 쓸 사이에요?"

저도 모르게 빽 비명이 나왔다. 다민이 경원에게 폭언을 퍼부은 것이 불과 얼마 전인데. 세상에 그런 반전이 어딨겠냐고.

"아니, 여긴 방도 여러 개고, 또…… 왜 화는 내고 그러나."

기가 죽어 꿍얼거리던 은현은 다시 불안한 표정이 되었다.

"그럼 대체 어쩌겠다고? 나 별장에서 다민 씨랑 같이 있어야 해?

그건 다민 씨가 너무 불편하잖아."

고양이 쥐 생각해 주고 있네. 제주까지 함께 온 친구가 행방불명됐는데, 지금 그게 문제냐고.

초은은 제 주변에서 종종거리는 은현을 지그시 노려보았다.

"아니…… 그게 되게 중요한 문제잖아."

"빨리 나갈 준비나 하세요."

여전히 흔들리는 동공을 하고 머뭇거리는 은현의 등을 밀어가며 겨우 호텔을 나왔다.

제주 동부를 거의 종단하다시피 차를 달려 외삼촌의 별장에 도착하는 데까지 근 한 시간이 걸렸다. 그러는 동안에도 다민은 계속 통화가 되지 않았고, 은현은 입이 댓 발 튀어나온 채 운전대만 돌려댔다.

"어, 아가씨 이제 오세요? 어젯밤엔 아무도 안 들어오시는 것 같더니."

별장 앞마당에 주차하는데, 마침 현관을 나서던 사람과 마주쳤다. 별장을 관리해주시는 동네 아주머니였다. 아마 시현에게 아무도 돌아오지 않았다는 사실을 전한 것도 이분이겠지.

"그런데 같이 오신 친구분은 어쩌고, 옆에 분은 누구……."

"아……. 친구는 좀 있다가 올 거고요, 여긴 제 일행이에요."

"남자 친구분이신가, 훤칠하니 잘 생기셨네."

아무리 뚱해 있던 강은현이라도 순식간에 기분이 좋아지는 마법의 단어, 남자친구.

"안녕하십니까. 수고하십니다. 네, 저는 남자 친구 강은현이라고 합니다."

"……네, 네. 즐겁게들 보내요."

은현은 쓸데없이 깍듯했다. 관리인 아주머니는 어색하게 웃으며 멀어져갔다.

"오, 외부 못지않게 멋지네. 방이 몇 개야? 많은 것 같은데. 2층엔 몇 개 있어?"

초은은 다민이 머물던 방을 들여다보고, 다시 전화해보고 부산하게 움직이고 있었다. 그 곁을 오락가락하며 건네는 말들이 너무 눈치 없는 것은 대체 어째야 하나.

"그런데 진짜 오늘 여기 있을 거야? 잘 생각해 보라고."

"아, 좀 그만하고 박 실장님한테 전화라도 해 봐요. 사람이, 어떻게 됐는지 궁금하지도 않아요?"

초은에게 또 한 번 타박을 듣고서야 겨우 소파에 엉덩이를 붙였다. 통화는 한 번에 연결되었다. 다행히 경원은 다민을 데려다주러 별장으로 오는 길이라 했고, 오래지 않아 도착했다.

그 짧은 시간 동안 둘이 밤새 어디서 왜 함께 있었는지, 궁금해 미칠 지경이었다. 하지만 그걸 추궁하려 들기엔, 초은은 염치가 있는 사람이었다.

하지만 은현은 달랐다.

"이야, 박경원 밤에 뭘 했기에 얼굴이 그 모양이냐?"

"야! 그럼 방에서 쫓겨난 사람이 안색이 좋을 리가 있냐? 너 찜질방에서 자 본 게 언제야? 엉?"

"아하……. 찜질방에서 잤어? 그래도 정다민 씨가 같이 가줬나 보네. 좋은 시간 보냈겠어."

은현의 말은 퍽 뻔뻔스러웠다. 초은이 허벅지를 꽉 꼬집은 것도 무리는 아니었다. 다민의 퀭한 얼굴을 보니 저는 고개도 못 들겠구만.

"그래서, 둘이 어떻게 새로운 관계가 된 거야? 그럼 언제? 오늘도 같이 보내면서 좀 더 서로를 알아가는 게."

"야! 그게 무슨 개풀 뜯어 먹는 소리야? 너 그거 인사위원회 회부될 소리인 건 아냐?"

경원은 급하게 다민의 눈치를 살피고, 초은은 참지 못하고 은현의 허벅지를 찰싹 내리쳤다. 다민은 그러거나 말거나 피곤한 표정으로 소파에 머리를 기댈 뿐이었다.

"다민아, 어제 잠도 편하게 못 잤겠다. 피곤하지?"

"흥, 내가 편하게 못 잤어도 너만 했겠냐."

"음……. 별장에서 편하게 쉬지 그랬어."

"주인도 없는 집에 내 맘대로?"

"아유, 얘도 참, 우리가 언제부터 네 거, 내 거 따지는 사이였다고."

"됐고, 난 좀 잘래."

다민은 만사 귀찮다는 듯 손을 휙휙 저으며 2층으로 올라갔다.

"초은아, 여기 방도 많던데, 경원이도 좀 재워 주면 어때? 그리고 박경원, 너도 이제 좀 적극적으로 나서 봐. 정다민 씨 자고 일어나면 너 잘하는 김치볶음밥이라도 만들어 주면서 어필도 좀 하고."

"으이구, 진짜!"

초은에게 그렇게 허벅지를 얻어맞고도 여전히 투명한 속마음을 보이는 은현이었다.

경원도 이제는 지친 표정이었다.

"실장님, 저쪽 방에서 좀 쉬실래요? 아무도 안 쓰는 방이거든요."

"그래, 너 여기서 쉬어라, 응?"

"그래도 될까?"

"어유, 그럼요. 거기 욕실도 딸려 있으니까 편하게 쓰시고요."

"오호, 욕실까지. 박경원, 아주 여기 짐 풀면 되겠네."

초은과 경원은 옆에서 계속 깐족거리는 은현을 무시하기로 했다.

오죽 피곤했는지, 경원은 힘없이 고개를 끄덕이며, 초은이 가리킨 방으로 발걸음을 옮겼다.

경원이 사라지자마자 초은은 은현을 찌를 것처럼 노려보았다.

"님, 눈치 좀."

"남 눈치만 살피면 되는 일 하나도 없다고."

하지만 은현은 전혀 반성의 기미가 없이 뻔뻔하기만 했다.

#10

내가 미안해

제주도에서의 나머지 기간은 은현이 원했던 대로 흘러갔다.
은현의 등쌀에 시달린 초은은 결국 별장의 방 하나씩을 배정해야
만 했다. 물론 은현의 방이 초은의 방과 가장 가까운 것은 필연적이
었다.

은현이 얄미운 것은 뒤로하고, 넷은 나름대로 즐거운 휴가를 만끽
했다. 사려니 숲길이나 곶자왈, 1100고지 습지를 걸으며 제주의 아
름답고 거대한 자연을 마주하는 것. 별이 쏟아지는 널찍한 마당에서
떠들썩하게 바비큐와 맥주를 즐기는 것. 어둑한 새벽 일출봉의 가파
른 경사를 올라, 바다에서 솟아오르는 아침 해를 맞이하는 것. 모두
함께라서 더 즐거웠던 추억이었다.

은현과 초은은 셀 수도 없을 많은 환희의 순간을 함께 나누었다.
그 며칠 동안, 은현은 밤이 깊으면 어김없이 초은의 방으로 찾아들었
다. 서로를 가장 잘 아는 업무적인 관계와 사적인 관계. 그 어디쯤 머
물러 있던 관계는 휴가를 기점으로 확실히 변했다. 이젠 한 몸 같은

두 사람이라는 말이 물리적으로도, 심리적으로도 무색하지 않게 되었으니 말이다.

감추고 싶었던 남자의 비밀을 결국 들키게 된 것도, 휴가가 남긴 인상적인 기록이 되었다. 열기로 후끈 달아올랐던 어느 밤, 모든 일에 적극적인 초은이 은현이 씻고 있는 욕실에 난입해 버린 것. 불시에 벌어진 일에 은현은 속수무책이었다.

눈물까지 글썽일 듯 억울해하는 은현의 변명을 들으며, 초은은 배를 잡고 깔깔 웃어댔다. 다 초은에게 좀 더 다가가기 위한 이유였다고 하니 그의 맨송맨송함도 어찌 사랑스럽지 않을까.

그의 제거된 야성미는 아마도 무럭무럭 자라날 것이었다. 그들의 사랑이 무르익어 가듯.

/

휴가가 삶의 활력소인 것은 확실했다.

직원들의 일상이 다시 시작된 '레드핏'에서는 평소와는 다른 활기가 떠돌았다. 그들은 휴가가 끝난 후의 무기력함보다, 쏟아지는 업무를 맞아 바쁘게 머리와 몸을 쓰는 일에 기쁨을 느꼈다.

대표이사실도 평소보다 배는 바쁘게 돌아갔다. 초은은 오랜만에 만난 보윤, 우신과 안부를 나눌 짬도 없었다.

원래 전원을 올려 부팅되기까지가 가장 오래 걸리고 어려운 법.

오전 내내 팀별 미팅이 이어지고, 은현은 부서별로 진행될 업무에 대한 보고를 받았다. 비서실에서도 쉴 틈 없이 각 부서에 전화를 돌리고, 거래업체와 통화하고, 스케줄 확인을 해야 했다.

그렇게 멈춰 있던 업무를 정상화하는데 오전 시간이 쏜살같이 흘렀다. 초은을 비롯한 보윤과 우신이 겨우 한숨 돌린 것도 점심시간이 되어서였다.

"와, 그럼 한 대리님은 제주도에 다녀오신 거예요?"

"응. 보윤 씨랑 우신 씨는 어떻게 지냈어?"

은현은 경원과 함께 외부 점심 약속을 나갔다. 모처럼 함께 먹는 점심이라, 초은은 후배들에게 맛있는 밥을 쏘기로 했다.

"전 친구들이랑 방콕에 짧게 다녀왔어요. 휴가가 갑자기 바뀌어서 무산될 줄 알았는데, 친구들이 다행히 일정을 맞춰줘서요."

"와, 좋은 친구들이네. 재미있었겠다. 다들 남자 친구는 없는 거야?"

"웬걸요. 남친 있어도 일 년에 한 번씩은 꼭 같이 여행가요. 완전 절친들이거든요."

"우신 씨는 뭐 했어?"

"어휴, 전 휴가 일정이 바뀌는 바람에 대학 동아리 여름 캠프에 끌려갔다 왔습니다. 올해는 피해가나 싶었더니."

대학 때 동아리가 남자들만 드글드글하는 럭비부랬었나?

우신의 목소리가 자못 불만스러워, 초은과 보윤은 깔깔 웃었다.

"참, 아까 언뜻 들으니까 대표님도 제주도 다녀오신 모양이던데, 대리님 마주친 건 아니시죠?"

"어우, 휴가 가서까지 상사를 만나면 정말 싫을 것 같아요."

우신과 보윤의 말에 초은은 그냥 얼버무리듯 웃고 말았다.

그리고 보면 얘들도 참 순수한 건지, 눈치가 없는 건지. 마주친 정도가 아니라, 아예 함께 보냈다고 하면 놀라서 까무러칠지도 모를 일이었다.

즐거운 수다와 맛있는 음식으로 어느새 점심시간이 다 가버렸다.

시원한 아이스커피를 하나씩 들고 회사로 향하는 길이었다.

근처에 있는 편의점 앞을 지나는데 누군가 파라솔이 달린 테이블에 앉아 있었다. 그 더운 날씨에 슈트를 잘 차려입고, 다리를 불량스럽게 꼬고 앉은 모습이 퍽 이질적이었다.

"어이, 거기 오타쿠 아가씨."

초은은 발길을 우뚝 멈췄다. 저 기분 나쁜 목소리는 초은에게 불쾌한 기억으로 각인되어 있었다.

"나 알지? 우리 잠깐 얘기 좀 할까?"

물론 안다. 목소리만큼이나 비호감인 눈빛과 표정. 입을 열 때마다 텅텅 소리가 나던 은현의 사촌 형, 동완이었다.

"대리님, 아는 분이세요?"

"아…… 보윤 씨, 우신 씨, 먼저 좀 들어갈래? 나도 금방 뒤따라갈게."

남자에게 풍기는 분위기만으로 보윤과 우신은 방어적인 얼굴이 되었다. 초은은 애써 아무렇지 않게 둘을 도닥여 먼저 보냈다.

"저한테 하실 말씀이라도 있나요?"

"하, 아무리 반갑지 않아도 그렇지……."

동완은 어이없다는 표정으로 주위를 둘러보았다. 대꾸도 없이 편의점으로 홱 들어온 초은을 얼결에 따라 들어온 참이었다. 초은은 냉랭한 얼굴로 편의점 구석에 놓인 간이 의자 앉아 다리를 꼬았다.

"네, 반갑지 않은 거 아시면 용건만 간단히 하시죠."

"하……. 이 아가씨 지난번부터 뭘 믿고 이렇게 당돌할까."

하지만 어쩔 도리가 없는지, 동완도 초은의 앞에 마주 앉았다.

"연봉이 얼마야?"

"네?"

"좀 알아봤더니, 강은현 비서라면서."

느닷없이 나타나서 이게 무슨 뚱딴지같은 질문이람.

대꾸할 가치조차 없었다. 하지만 한편으로 그가 초은을 찾아온 목적이 궁금했다.

"충분히 많이 받습니다. 우리 대표님이 능력이 출중하셔서, 회사가 미친 듯이 벌어들이고 있거든요."

"3천 더 줄게."

다분히 도발적인 대답이라 생각했는데, 상대방은 더 뜻밖의 제안을 했다.

"네?"

"나한테 와."

"허어……."

내가 누군지 알고 꼴랑 삼천으로 낚으려고. 저도 모르게 요란한 콧방귀가 나왔다.

"비서가 상사에 대한 충성심이 아주 대단하시던데. 돈을 엄청 많이 받거나, 아님 돈 말고 다른 거로도 받고 있나?"

"……."

"뭘 받든, 얼마를 받은 내가 섭섭지 않게 챙겨 줄 테니까. 그쪽한테도 나쁘진 않을 텐데."

기가 막혀 아무 말도 하지 않았더니, 더욱더 기고만장이었다. 초은은 그의 머리끝에서 발끝까지 쓱 스캔했다.

"오데마뤼게네요."

순간 멈칫했던 동완이 씩 웃으며 손목을 가볍게 흔들었다.

"비서 아가씨가 그런 것도 알아? 제법인데."

"오데마뤼게에서 유일하게 나오는 가죽 라인. 플래티넘 라인에 비해 저가지만, 모르는 사람들에겐 로고만으로 어필하겠죠."

"뭐…… 뭐야? 이봐, 아가씨. 이게 가죽 라인이라도 기본 몇천인 건 알아?"

"벨트는 콜롬모 수미주라."

"허, 모르시는 브랜드가 없네."

"짝퉁이네요. 버클의 다이아몬드 장식이 큐빅이네."

"뭐…… 뭐어?"

"그 에르베스 씨티홀 가방은 꽤 낡아 보이는데, 중고 거래라도 했나 보죠?"

말문이 막힌 채 얼굴만 벌게졌던 동완이 얼른 고개를 내저었다.

"이 여자 이거, 완전 겉멋만 들었구만. 주제도 모르고 말이야. 그래서 뭐, 콩고물이라도 받아먹으려고 강은현한테 빌붙어 있나? 어?"

"네. 저 되게 사치스러운 오타쿠거든요. 그래서 그쪽한테 갈 생각, 전혀 없습니다. 우리 대표님은 최소 짝퉁은 취급 안 하시거든요. 이왕이면 전망이 밝은 쪽에 붙어 있어야죠."

"이, 이…….."

"그럼 전 바빠서 이만. 아, 웬만하면 벨트 하나 사세요. 너무 티 나요. 한 장이면 그럭저럭 쓸만한 거 하나 장만할 텐데. 참, 한 장이 백이 아닌 건 아시죠?"

초은은 담담히 자리에서 일어났다.

"야, 강은현 그거 완전 헛방이거든. 언제까지 그렇게 빳빳한지 두고 보자. 나중에 후회하고 매달리지나 말라고!"

멍해 있던 동완의 악다구니가 뒤늦게 뒤통수로 날아들었다. 초은
은 편의점 문을 나서며 후회했다.

괜히 시간만 낭비했네. 불쾌한 사람에게 헛소리를 듣고 난 기분이
좋을 리가 없었다.

대표이사실까지 돌아가는 길지 않은 시간 동안 초은은 내내 고민
했다. 동완이 찾아왔던 일을 은현에게 말해야 하나. 아무리 생각해
봐도, 전하기도 난감한 쓰레기 같은 말들이었다. 은현이 들어봐야
기분만 나빠질 그런 말.

'뭐, 굳이 해서 기분 나쁘게 할 이유가 있나. 불쾌한 건 나 하나로
끝내자.'

끝내 결심하고도 여전히 찜찜함이 남았다.

"어, 대리님 금방 오셨네요."

"응. 다른 일은 없었고?"

"네. 박 실장님 연락 왔는데, 한 20분 후쯤 도착한다고 하시네요."

"응, 알겠어요."

초은을 반기는 보윤과 우신에게 고개를 끄덕였다. 탕비실에서 양
치를 마치고 나와 막 자리에 앉는데, 사무실에 문이 열렸다.

"신 팀장님 안녕하십니까."

"네. 다들 휴가 잘 보냈어요?"

화사한 미소로 들어선 연아는 두툼한 하드카피와 태블릿을 양팔
가득 안고 있었다.

"강은……. 아니, 대표님 안에 계세요?"

"대표님은 외부 일정에서 아직 돌아오지 않으셨습니다."

"아하……. 그럼 언제쯤 오실까요?"

"한 10분쯤 후면 들어오실 겁니다. 조금 후에 다시 오시거나……."

초은은 연아의 가녀린 팔에 버겁게 들려 있는 자료들을 보며 말을 이었다.

"많이 바쁘시지 않으면 여기서 좀 기다리셔도 되고요."

연아는 의미심장한 눈빛으로 초은을 일별했다.

"아니, 그럼 안에 들어가 있지, 뭐."

"아, 죄송하지만 대표님이 부재중일 때, 집무실 출입은 금지되어 있습니다."

당혹스러워하는 초은을 보며, 연아의 입꼬리가 방긋 휘어졌다.

"아니, 뭘 우리 사이에. 그것도 일반적인 상황에나 그렇겠지."

"팀장님, 죄송하지만 규정이……."

"한 비서한테 피해 안 가게 할 테니까, 걱정 말아요."

말릴 새도 없이 연아는 은현의 집무실로 들어섰다. 황당하게 서 있는 초은을 보며, 보윤과 우신이 난처한 시선을 주고받았다.

"대리님……. 어쩌죠?"

"하…… 진짜."

초은은 욕이 새어 나오려는 입술을 깨물었다.

진짜 한번 해보자는 건가. 이렇게 티 나게 시비를 걸어오면 응해주는 것이 예의인데.

하지만 안절부절못하는 직원들 앞에서 격한 감정을 내보일 순 없었다. 심호흡하며 열기를 가라앉히는 사이, 다시 사무실의 문이 열렸다.

"여어, 우리 왔어요."

참 타이밍도 좋게 돌아온 은현과 경원이었다. 유쾌하게 문을 열었던 경원이 이상한 공기를 눈치채고는 멈칫했다.

"표정이 왜들 그래? 무슨 일 있었어?"

"저…… 아트팀 신연아 팀장이 왔는데……."

"그런데?"

이번엔 은현이 의아한 눈빛으로 나섰다.

"안 된다고 말씀드렸는데도, 굳이 대표님 집무실에서 기다리시겠다고."

어지간히도 약이 올랐는지, 이번엔 보윤이 불쑥 튀어나왔다. 가늘어졌던 은현의 두 눈이 이내 평소대로 돌아왔다.

"아, 난 또 뭐라고. 내가 들어가 볼 테니까 일들 봐요."

아무렇지도 않게 집무실로 들어서는 은현의 뒷모습을 보며, 초은은 헛웃음을 삼켰다.

뭐야, 신 팀장은 그래도 된다는 거야?

"한 대리, 어떻게 된 거야? 대표님 부재중이실 때, 규정이 어떻게 되는지 몰라?"

무덤덤한 은현과 달리, 뒤돌아선 경원은 잔뜩 굳어 있었다.

"알고 있습니다."

"그래, 알면서 일을 이렇게 하면 어떻게 해? 무엇보다 보안이 중요한 업계인 거 모르는 거 아니잖아. 한 비서답지 않게 말이야."

"죄송합니다."

"신 팀장이 아무리 대표님과 친분이 있어도 공과 사는 구분해야지. 기본 중의 기본 아니냐고."

"한 대리님 잘못 아닙니다. 신 팀장이 멋대로 들어간 겁니다."

"뭐라고?"

경원의 꾸지람이 길어지자, 참지 못한 우신이 불쑥 나섰다.

"맞아요. 대리님이 몇 번이나 안 된다고 말씀드렸는데, 신 팀장이 막무가내였다고요."

"그 말이 사실이야?"

"……"

보윤까지 가세하자, 경원도 어느 정도 누그러졌다. 입만 꾹 다물고 있는 초은을 물끄러미 보더니 고개를 끄덕였다.

"알겠어. 내가 조금 있다가 대표님께 따로 말씀드릴게."

얼마나 지났을까. 한참 이어지던 미팅이 끝났는지 집무실에서 나온 연아의 얼굴에는 만족스러운 미소가 떠올라 있었다.

"그럼 다들 수고해요."

또각거리는 구두 소리만 남기고 사라지자, 초은은 차를 준비해 집무실로 들어갔다. 찌뿌둥한 듯 기지개를 켜던 은현이 초은을 보고 반갑게 웃었다.

"점심 맛있게 먹었어?"

"네. 보윤 씨, 우신 씨와 함께 먹었습니다."

"그래? 휴, 신연아한테 시간 뺏기는 바람에, 오후가 아주 바빠지겠어."

동완에 이어 연아까지. 출근 첫날부터 아주 마음이 복잡했다.

잠시 망설이던 초은은 가볍게 고개를 저었다. 아무래도 동완의 일은 꺼내지 않는 것이 좋겠다. 연아 역시 경원에게 맡겨 두자. 괜히 나섰다가 오해만 사게 되는 일은 사양이다.

"오후에는 말씀대로 AG 프로젝트 진행 현황에 대해 전체적으로 점검해 보셔야 할 것 같습니다."

"음……. 생각보다 진행이 더뎌서 문제네. 보급형 고글 개발이 생각처럼 쉽지가 않아. 로운테크 정 대표와 미팅이 언제라고 했지?"

"이번 주 금요일입니다."

"오케이. 그동안 우리 쪽에서 준비된 SW 자료 준비하고, AR 고글과 호환 가능한 타이틀 리스트도 뽑아 놔. 그리고 회계팀에 애기해서 개발비 사용 내역도 보고하라고 해."

"네, 알겠습니다."

은현은 단아하게 대답하는 초은을 만족스러운 눈으로 보았다.

안색이 조금 안 좋아 보이는 것은, 오랜만에 출근한 후유증일까.

"오늘 저녁 같이할까?"

"오늘 아마 야근하실 겁니다."

쳇, 부정할 수가 없군.

단호한 초은의 대답이 야속했지만, 그녀는 늘 옳았다.

"그럼 나가보겠습니다."

가만히 문을 닫고 나가는 초은의 뒷모습을 보며, 은현은 침을 꿀꺽 삼켰다.

몰랐을 땐 시도 때도 없이 상상하게 되어 괴로웠다. 그런데 그 환희의 실체를 경험하고 나니 상상만 할 때와는 비교도 되지 않았다.

하얀 목덜미, 깜빡이는 속눈썹, 나붓한 손길에 문득 눈길이 갈 때마다 저만 알고 있는 그녀의 은밀한 모습이 떠올라 미칠 것 같았다.

'이거 정말 중증이군. 사춘기 중딩도 아니고.'

어쩐지 아랫배가 조여드는 것 같아, 호흡을 다스리고 있는데 갑자기 문이 벌컥 열렸다.

"아, 깜짝이야!"

"놀라긴 왜 놀라세요? 뭐 나쁜 짓 하고 계셨습니까?"

"박 실장님, 신성한 직장에서 그 무슨 불경한 의심입니까?"

"아하, 신성한 직장에서 불경한 상상을 하고 계셨구만."

"야, 뭐, 뭐? 왜?"

입으로는 실없는 소릴 하면서도 경원의 얼굴이 딱딱했다.

"너 말야. 오늘 일 아무렇지도 않냐?"

"오늘 일? 무슨 일?"

"신 팀장, 집무실에 들어와 있었던 거."

"아……. 난 또 뭐라고."

은현답지 않게 허술한 태도였다. 경원의 표정이 더 심각해졌다.

"아무리 신연이라도 규칙은 규칙이지. 다른 것도 아니고 목숨 같은 보안 문제인데."

"그래, 나도 알아. 그런데 음……."

사실 은현이 일에 있어서나 완벽하지, 형식적인 규정이나 절차에는 연연해하지 않긴 했다. 하지만 이번 일은 달랐다. 은현의 집무실은 레드핏의 심장과도 같은 곳 아닌가.

"너도 알겠지만, 아예 작정하지 않는 이상 내 방에 들어오는 것만으로 뭘 얻어가는 건 불가능하잖아."

"헐…… 그럼 아예 아무나 다 들여놓지 그러냐?"

"네 말대로 신연이잖아. 나 대학교 때 밤잠 못 자고 개발한 게임, 김 선배가 홀랑 팔아먹고 날랐을 때. 그때도 묵묵히 옆에 있어 준 사람은 너하고 연아뿐이었다."

"휴…… 누가 모르냐? 그건 그거고, 이건 이거지. 너 지금 행동 매우 잘못한 거야. 규정에 예외를 두면 누가 그걸 지키지? 그리고 넌 지금 널 보좌하는 비서실 직원들을 혼란스럽게 했어.”

은현도 경원이 하는 말을 충분히 이해하고, 동의했다. 하지만 어쩐지 연아에게는 단호하게 선을 긋기가 쉽지 않았다. 연아는 짧은 인생에서 몇 안 되는 제 사람이었다.

“그래. 네 말, 무슨 소린지도 알겠고 다 옳은 말이야. 다음에 또 이런 일이 있으면 그땐 내가 알아서 할게.”

“너 진짜 똑바로 해라.”

무슨 말을 해도 헤실거리던 경원이 정색하고 나서니 신경이 쓰이긴 했다. 다른 건 몰라도 일만큼은 똑 부러지는 놈이었다. 방을 나가는 뒷모습이 여전히 풀리지 않은 것 같아, 은현은 뒷맛이 씁쓸했다.

“대표님께 제대로 말씀드렸으니, 다음부터는 이런 일 없을 거야.”

은현의 집무실에서 나온 경원의 목소리는 나직했다.

“아, 네. 죄송합니다.”

“그래. 한 대리와 보윤 씨, 우신 씨도 오늘 맡은 일 제대로 못 한 거야. 다음에 또 이런 일이 있으면 몸으로라도 막도록 해.”

“네, 알겠습니다.”

평소 경원이 한없이 가벼워 보이는 상사라지만, 이렇게 이슈가 있을 때마다 확실히 처리하곤 했다.

보윤과 우신은 새삼스레 경원에게 감탄했다. 대답하는 목소리가 우렁찬 건 아마도 그 때문일 것이다.

초은은 내심 안심이 되면서도, 마음속 어딘가 불안함이 여전히 남았다. 연아의 근성을 생각하면 그리 쉽게 해결될 일이 아니라는 어떤 예감 때문이었다.

남은 여름의 나날은 작열하는 태양만큼이나 치열했다.

계획에 잡혀 있던 알파테스트가 시작되어, 개발팀 직원들의 24시간 근무체제가 시작되었다. 기획팀에서는 내년에 진행될 프로젝트 기획에 박차를 가했다. 마케팅팀에서는 캐나다 출장에서 얻어온 계약으로 해외 런칭 진행에 모든 화력을 집중했다.

다들 제각각 맡은 업무에 최선을 다하는 나날이었다.

은현은 그 모든 프로젝트를 최전선에서 지휘했다. 그러면서 여전히 난항을 겪고 있는 AG 프로젝트에 신경을 써야 했다. 로운테크와 합작으로 개발 중인 보급형 고글에 계속 발생하는 오작동 문제였다.

어느새 아침저녁으로 선선한 바람이 계절의 변화를 알리는 시기였다. 더 날렵해진 은현의 턱선을 보며, 초은은 안타까웠다.

"오늘 모처럼 일찍 퇴근할 것 같은데. 초은이네 오피스텔에 갈까?"

핼쑥한 얼굴을 하고도 해맑게 욕망을 드러내는 것을 보면 또 괜찮은 것 같기도 하고.

"피곤해 보이시는데. 푹 쉬시는 게 좋지 않을까요?"

"이 정도로 피곤할 리가 있나. 예전 벤처 시절이나 창립 초창기에 비하면 아주 여유로운 편인걸."

"그땐 더 젊고 체력이 더 좋으셨고요."

"쳇…… 냉정하긴."

곁에서 지켜보기만 해도 강행군의 연속인데. 이걸 여유롭다 하니 초은은 더 마음이 아팠다.

-대표님, 아트팀 신연아 팀장 왔습니다.

"들여보내요."

키폰을 통해 들리는 보윤의 목소리였다. 초은은 작게 한숨을 쉬었다. 경원의 당부 덕인지, 그날 이후 확연히 선을 넘는 일은 없었다. 하지만 여전히 지켜야 할 선을 간당간당하게 건드리며 초은의 신경을 자극하고 있었다.

은현 역시 짐짓 아무렇지도 않게 연아를 대하는 듯하면서, 은근히 초은을 비롯한 비서실 직원들의 눈치를 보는 것 같았다. 그런 기색이 초은을 더 거슬리게 했다.

"대표님, 그럼 전 먼저 나가보겠습니다."

"응. 그렇게 해."

방을 나서는 초은과 엇갈리며 연아가 들어섰다.

스쳐 지나는 얼굴에 여전히 떠오른 도발적인 미소.

"소문에 듣자 하니 오늘 칼퇴라면서? 간만에 한잔할래?"

격의 없는 말투는 다분히 초은을 의식한 것이었다. 하지만 초은은 그것보다 연아의 배려 없음이 더 짜증이 났다. 격무에 시달리다 모처럼 일찍 퇴근하는 사람을 꼭 그렇게 끌고 나가야 하나.

은현이 거절해줬으면 좋겠다고 생각하면서도, 또 마음대로 나서지 못하는 제 입장이 짜증스러웠다.

/

[우리 초은이는 자고 있겠네. 피곤하기도 하지만, 오랜만에 친구들과 시간을 보내니 스트레스가 풀리는 기분이야. 조금 취했어. 친구들도 좋지만, 초은이 너와 함께 했으면 더 좋았을걸. 내일 봐, 아가씨.]

아침에 일어나 확인한 은현의 문자 메시지는 깊은 새벽에 도착해 있었다. 결국 연아는 쉽게 은현을 놓아주지 않은 모양이었다. 아마 경원도 함께였을 것이고. 기분이 착잡해지는 아침이었다.

오늘은 뭘 챙겨야 하나. 피로 회복제와 꿀물. 아니, 얼마 전에 거래처에서 선물 받은 로얄젤리가 있었지.

초은은 머릿속으로 할 일을 떠올리며 출근 준비를 더 서둘렀다.

"좀 일찍 들어가서 쉬지 그러셨어요."

은현의 책상에 트레이를 내려놓으며 기어이 한마디가 나왔다. 눈 아래 진 그늘을 보니 참을 수 없었다.

"아트팀도 줄줄이 프로젝트에, 내가 하도 퇴짜를 놓으니 그동안 골치 아팠을 거야. 일 잘하라고 기분도 풀어 주고 하는 게 사장이 할 일이잖아."

언제부터 그렇게 직원들을 애틋하게 챙기셨다고.

은현은 초은의 싸늘한 눈길을 피하며 흠흠, 헛기침을 했다.

"이건 뭐야?"

"속이 불편하실 것 같아서 감자 수프를 준비했습니다. 그리고 지난주에 선물로 들어온 로얄젤리입니다. 피로 회복에 효과가 좋대요."

"역시 날 생각해 주는 사람은 우리 초은이밖에 없어."

지금 그렇게 흐뭇한 표정 지으실 때가 아니거든요.

"오늘도 일정이 빡빡하니 서둘러 주세요. 10시부터 시작되는 기획팀 프레젠테이션 준비 중입니다."

"알았어. 이거 고마워."

은현은 눈을 반달로 접으며 초은을 향해 활짝 웃었다.

흥, 다크서클로 유혹해 봐야 하나도 안 멋있거든요.

얄미우면서도 안쓰러운 이 모순된 감정. 초은은 샐쭉한 표정으로
은현의 방을 나왔다.

일이 터진 것은 기획팀 프레젠테이션이 거의 마쳐갈 무렵이었다.
경원과 함께 프레젠테이션을 돕던 초은은 먼저 대표이사실로 올
라왔다. 어차피 막바지 토의-라고 쓰고 대표이사의 잔소리라고 읽
는다-만 남겨 둔 참이었다.

사무실로 들어왔을 때, 보윤이 어정쩡하게 서서 발을 동동 구르고
있었다.

"보윤 씨, 왜 그래? 무슨 일 있어요? 우신 씨는 어디 가고?"

"아……. 저 그게……."

초은을 보는 보윤의 얼굴이 하얗게 질려 있었다. 초은은 불안한 예
감이 들었다.

"무슨 일인데?"

"아트팀 신 팀장님이요……."

"신 팀장님이 왜?"

젠장, 또 그 여자다.

"안 된다고 계속 말씀드렸는데, 오늘은 너무 힘들고 피곤하다면
서……."

"……."

"우신 씨는 계속 배가 아프다더니 화장실에서 가서는 오지도 않
고……. 제가 막으려고 했는데 휙 피하더니 쏙 들어가 버렸어요."

이번엔 쉽게 지나갈 일이 아닌 모양이었다. 잔뜩 일그러진 보윤의
두 눈에 눈물까지 글썽거렸다.

"이런 미친……."

참을 새도 없이 욕이 튀어나왔다.

"일단 박 실장님한테 연락해."

"네."

초은이 은현의 집무실 문을 열었을 때는 더 기가 막혔다. 너무 기가 막힌 나머지 눈앞에 하얗게 변할 정도였다.

"지금…… 자는 거야?"

연아는 손님용 소파에 기댄 채 잠들어 있었다. 그동안의 쌓인 피로가 폭발한 건지, 전날의 숙취인지 알 수는 없었다. 하지만 분명한 건, 직장에서 절대 있을 수 없는 일이라는 것이었다.

초은은 일단 다시 문을 닫고 나왔다. 그대로 있었다간 연아의 머리채라도 잡을 것 같았다. 물론 그렇게 하진 않았겠지만, 정말 그럴 수 있을 것 같은 기분이었다.

후우……. 릴렉스, 릴렉스.

아무리 심호흡을 하고 마인드 컨트롤을 해봐도 들끓는 열기가 가라앉지 않았다.

지금이라도 다시 들어가서 귀에 대고 갈고닦은 스크리밍 실력이라도 들려줘?

때마침 문이 벌컥 열리고 경원이 들어섰다. 연아의 고막에는 무척 다행스러운 일이었다.

"대체 그게 무슨 소리야?"

초은도, 다민도 대답하지 않았다. 그저 그 둘의 얼굴만 보아도 모든 것이 파악되는 상황이었다. 경원은 성큼성큼 걸어 집무실의 문을 열었다. 그러고는 이내 얼굴이 시뻘겋게 달아올랐다.

비서실 직원들에게 호통을 쳐야 하나, 연아를 깨워야 하나. 잠시 망설이던 경원은 곧장 집무실로 걸어 들어갔다.

"신 팀장님, 팀장님."

"으음……."

몸을 낮춰 어깨를 살살 흔드는 데도, 연아는 한잠에 들었는지 낮은 신음만 낼 뿐이었다.

"신 팀장, 신연아, 일어나."

경원의 손길이 좀 더 거칠어졌다.

"으응…… 응?"

처음에 가늘게 떠졌던 눈이 휘둥그레지더니, 얼른 몸을 바로 세웠다.

"신 팀장님. 지금 이게 무슨 상황입니까."

"아…… 저, 그게 너무 피곤해서 나도 모르게……."

연아가 어색한 미소를 지으며 매무새를 가다듬었다. 그래도 경원의 굳은 표정은 변하지 않았다.

"대표님 부재 시, 집무실 출입은 직급 여하를 막론하고 금지되어 있다고 분명히 말씀드렸을 텐데요."

"아는데, 어젯밤에……."

"신 팀장님!"

전날 밤의 술자리는 어디까지나 사적인 영역이었다. 그 이야기를 꺼내려는 것이 기가 막혔다. 경원의 울컥한 목소리는 화기로 가득했다.

"어…… 무슨 일이야?"

마침 사무실로 들어서던 은현의 눈이 의아하게 커졌다. 잔뜩 정색한 얼굴로 서 있는 초은과 보윤. 그리고 활짝 열린 제 방문 안으로 들여다보이는 경원과 연아의 대치. 은현은 순식간에 상황을 파악했다.

신연아 저것이 또 사고를 쳤구나.

안 그래도 이런저런 일들로 골치 아픈 시기였다. 한숨이 나오지 않을 수 없었다.

"한 비서, 우 비서는 할 일들 해."

은현의 목소리가 음산하게 낮아졌다. 저벅저벅 걸어 집무실로 들어가는가 싶더니 문이 닫혔다.

"흥, 신 팀장. 대표님 친구라고 까부는데 아주 혼구멍이 나봐야지."

보윤이 고소하다는 듯 목소리를 높였다.

"대표님과 실장님이 아셨으니, 우린 이만 신경 끄고 일이나 하자. 혹시 회계팀에서 자료 넘어왔어?"

"아, 네네."

짐짓 담담하게 굴면서도 초은은 착잡했다. 은현과 경원이 나섰으니 그냥 없던 일로 넘어가지는 않을 것이다. 하지만 은현의 진심은 어떨지 확신할 수 없었다. 무엇보다 왜 자꾸 이런 트러블이 생기는지, 신경 거슬리는 상황이 피곤하기만 했다.

은현의 등 뒤로 문이 닫히자, 경원과 연아가 동시에 그를 돌아보았다. 답지 않게 잔뜩 화가 난 경원과 난처한 미소를 머금은 연아. 둘의 대비가 너무나 확연했다.

"박 실장, 신 팀장. 일단 앉아."

가라앉은 목소리가 거부할 수 없는 분위기를 뿜어냈다. 경원과 연아는 그의 목소리에 꽁꽁 묶이기라도 한 듯 잠자코 소파에 앉았다.

"어떻게 된 건지 박 실장이 먼저 이야기해 봐."

"음음……. 그게."

경원은 괜스레 잠기는 목을 가다듬었다. 늘 까탈스럽고 아무 말이나 거침없이 해대는 은현이지만, 이렇게 냉엄한 느낌은 잘 없는 일이었다.

"지난번 경고에도 불구하고 아트팀의 신연아 팀장이……."

경원은 애써 감정을 가라앉히고 최대한 담담히 사실만 설명했다.

애초에 대강의 사연을 짐작한 듯, 은현은 표정의 변화가 없었다.

"그럼 신 팀장이 설명해 보지."

"알다시피……. 아니 대표님도 아시겠지만, 최근 과중한 업무로 인한 야근이 잦았고……."

평소처럼 가볍게 입을 열었던 연아는 경원의 눈치를 흘깃 보고는 말투를 바꾸었다.

"그렇게 편하게 생각해서 그런 게 아니라, 쌓여 있던 피로로 인해 나도 모르게 실수한 것 같습니다."

"아니, 애초에 집무실에 들어온 것부터가 규정 위반이지 않습니까. 거기다 대표이사실 비서들의 업무도 방해했고."

"일부러 비서 업무를 방해하려거나 하는 의도는 없었는데."

"그렇다 해도 이번 일에 대한 책임은 피할 수 없을 겁니다. 정확한 사규는 확인해 봐야 하겠지만, 대표이사실에 관한 규정을 고의로 어긴 경우, 그로 인한 피해 사실이 없다 해도 정직이나 감봉, 또는 그에 준하는 패널티가 주어집니다."

"아니…… 알겠다고. 나도 앞으로 주의할 테니까, 그 정도로 매정하게 굴 필요까지 있어?"

상황의 심각성을 모르는 건지, 저는 예외라고 생각하는 건지. 연아는 오히려 억울한 표정이었다. 경원은 애써 가라앉혔던 화가 다시 솟구치는 것을 느꼈다.

"하…… 지금 상황의 심각성을 잘 모르는 것 같은데."

"알겠어. 내용은 다 알았으니까, 박 실장은 그만 나가 봐. 신 팀장의 행동이 원인제공을 하긴 했지만, 원래대로라면 비서실에도 책임을 물어야 하는 상황이야."

경원은 뭔가를 억눌러 참는 표정으로 방을 나갔다.

탁, 문 닫히는 소리가 나자, 은현은 연아를 얼굴을 곧장 응시했다.

"미안해……. 내 생각이 짧았어."

그 눈빛은 심장을 섬뜩하게 하는 뭔가가 있었다. 평소 티격태격하던 것을 다 받아 주던 은현이 아니었다. 연아는 눈치 빠르게도 금세 숙이고 나섰다.

"하아…… 신연아. 그냥 생각이 짧았다는 말로 설명이 안 된다는 거, 알 텐데."

"알잖아. 계속 무리하게 일한 데다, 어제 숙취까지 남아서…… 제대로 판단을 못 했어."

"너답지 않게 왜 이래? 난 믿었던 인간한테 뒤통수 맞는 거, 정말 지긋지긋한 사람이야. 신연아한테까지 실망하고 싶지 않은데."

"그냥…… 네가 너무 편하고 익숙해서 그래. 오랜만에 만나니까, 더 그렇고. 내가 너한테 특별한 사람이라는 걸 무의식중에 자꾸 확인하고 싶었나 봐."

연아의 한숨 섞인 하소연에 은현은 입을 다물었다. 몇 안 되는 마음을 털어놓을 수 있는 친구로 한 말일 수도 있지만, 어쩐지 조금 껄끄러운 기분이 들었다.

"이번 일은 그냥 넘어가진 않을 거야. 돌아가서 처분을 기다려."

"알았어. 그런데 정말 악의는 없었어."

"그래."

연아가 힘없이 걸어 나가자 은현은 한숨을 내쉬며 머리를 흐트러
뜨렸다. 대표이사실에 대한 연아의 개념은 둘째치고, 비서실에 끼친
민폐는 제가 수습할 수 없는 일이었다. 경원과 초은을 생각하니 가
슴이 더욱 답답했다.

그날 저녁.

사내 인트라넷에는 인사 공지가 올라왔다. 아트팀 신연아 팀장의
징계 공지였다. 신연아 팀장은 대표이사실에 관한 규정을 위반하여
시말서 제출과 1개월 감봉 조치한다는 내용이었다.

이제나저제나 결과만 기다리던 경원은 벌떡 일어나더니 은현의
집무실로 쫓아 들어갔다. 그 기세가 자못 사나웠다.

"어유…… 실장님 화 많이 나셨나 봐요."

"죄송합니다. 저만 자리에 있었어도……."

보윤은 조금 겁먹은 표정이었고, 사건 당시 자리를 비웠던 우신은
연신 사과를 했다.

"우신 씨 잘못만은 아니지. 책임을 져도 책임자가 지는 거니까, 업
무에 지장 없도록 합시다."

초은도 경원 못지않게 갑갑했지만, 안절부절못하는 후배들 앞에
서 의연한 척했다. 사실, 연아가 저지른 일치고, 징계가 너무 약했다.
처음이 아니라 재범이라 생각하면 더더욱.

연인인 저에게도 공과 사를 잘 구분하던 사람이었던 걸 생각하면
마음이 복잡했다. 연아가 그 정도로 은현에게 중요한 사람이라는 반
증인 것 같았다.

잠시 후 나온 경원은 기세가 한풀 꺾여 있었다.

"다들 잠시 모여 봐."

초은을 비롯해 보윤과 우신은 구석에 놓인 작은 회의 테이블에 앉았다.

"일단 오늘 일은 남 탓할 거 없이 우리 비서실이 책임을 다하지 못했어."

"네……."

억울했지만, 업무는 업무다. 다들 힘없이 고개를 끄덕였다.

"그리고 신 팀장에 대한 징계는…… 좀 수긍 못 할 수도 있을 거야. 하지만 인사팀과 대표이사님과 여러 간부의 논의 결과 정해진 거니까, 불만 없도록 해."

"……."

"지금 여러 프로젝트의 진행이 한창 절정이고, 아트팀에서 뽑아내는 결과가 매출에 얼마나 큰 영향을 주는지 잘 알 거야. 팀장의 역할이 클 수밖에 없어. 대의를 위해서니까, 우린 우리 일만 잘하면 돼."

"……네."

"그리고 혹시나 노파심에 하는 말인데. 이번 일로 다른 부서에 소문이 도는 일이 없도록 해. 괜히 말 새어 나갔다가 우리 비서실만 입장이 곤란해지니까."

대답 소리가 한층 더 기운 없어졌다. 하지만 애써 회사의 결정을 두둔해야 하는 경원만큼 속상할까. 제각각의 감정을 속으로 삼키며 자리로 돌아갔다.

초은은 자리에 앉아서도 한참 생각에 잠겼다. 은현과의 관계, 감정 같은 것을 배제하긴 쉽지 않았다. 하지만 그런 것들을 걷어내고 철저히 객관적인 시각으로 이번 일을 지켜보려고 했다.

제 가슴 속에 지글거리는 뜨겁고 아린 감정이 은현에 대한 사적인 관계에 기인한 것인지, 업무 처리의 부당함에서 오는 화인지. 이 섭섭함이 연인이 아니었다면 별거 아니었을 순간적인 감정인지, 그 고민은 퇴근하고 집에 돌아가서도 계속 이어졌다. 그리고 아침이 밝을 무렵에는 어느 정도 답을 얻을 수 있었다.

/

연아의 시말서는 다음 날 일찍 제출되었다.

연아는 그리 어둡지 않은 표정으로 결재판을 들고 은현의 집무실로 들어갔다. 그리고 다시 나왔을 때는 조금 더 환한 표정이었다.

한 번 실수는 병가지상사兵家之常事니 괘념치 말고 업무에 매진하라는 격려라도 들은 것일까.

사무실을 가로지르던 연아가 문득 초은의 앞에서 멈춰 섰다.

"한 비서."

"네, 팀장님."

"이번 일은 내가 조금 지나친 점이 있었으니, 사과할게요. 그런데 비서실에서도 별거 아닌 일로 침소봉대하는 일은 없었으면 좋겠어요."

"……."

"규정도 규정인데, 융통성이란 게 있잖아요. 기계가 잘 돌아가는 데는 기름칠도 필요하거든."

한결 더 상쾌해진 얼굴로, 연아는 사뿐사뿐 사무실에서 사라졌다. 초은은 동요하지 않았다. 이런 도발로 꿈틀대는 감정에 휩싸이는 것이 이제는 너무 성가셨다. 그리고 연아가 저렇게 기고만장한 데는 다 이유가 있으니까.

초은은 담담한 손길로 서랍을 열었다. 아침 일찍 출근해 준비한 서류가 단정히 들어앉아 있었다.

책꽂이에 꽂힌 결재판을 꺼내 서류를 단정하게 끼웠다.

또각또각. 은현의 방을 향해 걷는 발걸음은 평온했다.

똑똑. 들어오라는 은현의 대답이 들렸다.

"응? 한 비서. 무슨 일이야?"

은현은 경원과 뭔가를 의논하는 중이었다.

"드릴 말씀이 있어서요."

"아, 그럼 난 잠깐 나가 있을까?"

초은의 태도가 심상치 않았는지 경원이 쭈뼛거렸다.

"아닙니다. 실장님도 같이 들어주세요."

"그래. 무슨 일인데?"

은현의 나직한 목소리에 긴장이 서렸다. 초은은 둘에게 다가가 결재판을 내밀었다.

"이게 뭔데?"

결재판을 펴던 은현이 순식간에 뻣뻣하게 굳었다. '부서 이동 신청서'라고 적힌 까만 글자가 커다랗게 확대되어 눈에 박혔다. 곁에선 경원의 두 눈이 휘둥그레지며 히익, 하는 괴상한 소리를 냈다.

"한 비서, 대체 왜 이래? 지금 시위하는 거야?"

바짝 얼어붙은 채 아무 말도 못 하는 은현 대신, 경원이 목소리를 높였다.

"그런 거 아닙니다."

"그런 것도 아니면 왜 이러는데?"

초은은 입술을 깨물며 마음을 가다듬었다.

"이번 일, 모두 제 책임입니다. 아트팀과는 별개로 비서실 내부 조치도 필요하다고 생각했습니다."

"무슨 소리야? 그렇게 따지면 내가 책임져야지."

"아닙니다. 엄밀히 말하면, 박 실장님은 대표님 수행이 주 업무이시고, 사무실 실무 책임자는 저입니다."

"아니, 그때 한 비서는 현장에 있지도 않았잖아."

"네. 그래도 평소에 이런 일이 벌어졌을 때, 어떻게 대처해야 하는지 철저히 가르치지 못한 것에 제 과실도 있고요. 또 부하 직원의 잘못은 책임자가 지는 것이 맞으니까요."

"뭐? 무슨 말도 안 되는……. 아니, 그래서 한 비서가 비서실 말고 어디로 가겠다고? 한 비서가 프로그래밍을 할 거야? 디자인을 할 거야?"

안 그래도 징계 조치가 솜방망이라 열 받는데, 초은까지 이렇게 나오니 미치고 팔짝 뛸 노릇이었다.

경원의 목소리가 격해지자 은현이 퍼뜩 정신을 차렸다.

"박 실장은 좀 나가 있어. 내가 한 대리하고 얘기 좀 할게."

"저도 알고 있습니다. 제가 전문적인 업무는 할 수 없다는 거. 어디로 배치될지는 인사 발령에 따르겠습니다."

경원이 씩씩거리며 방을 나가는 동안에도, 초은은 차분히 제 의견을 피력했다.

탁, 문 닫히는 소리가 들리자마자 은현이 자리에서 일어섰다.

"초은아, 왜 이래? 마음 많이 상했어? 아니, 네 잘못 아닌 거 내가 다 알아. 이러지 마, 제발."

초은에게 바짝 다가와 주변을 맴도는 산만한 풋워크가 사뭇 애처로웠다.

"아닙니다. 누구의 잘못이든 문제가 생겼으면 책임지는 사람이 있어야 하고, 그게 바로 저라고 생각했습니다."

"한 비서, 지금 월권인 거 알아? 직원의 잘잘못과 거취 문제는 다 상사가 판단하는 거야. 왜 본인이 나서서 이러냐고."

"이렇게 그냥 넘어가는 것은 스스로 용납할 수가 없습니다."

"초은아…… 네 기분 충분히 이해해. 하지만 내 입장도 좀 생각해 주면 안 돼? 왜 그렇게 냉정하게 굴어. 신 팀장은…… 지금 진행하는 업무의 핵심 멤버이다 보니 징계 수위를 조절할 수밖에 없었어."

애원했다가 윽박질렀다가. 은현의 태도도 그의 마음속만큼이나 뒤죽박죽이었다.

"제 요구가 부당하다면, 어쩔 수 없네요."

"그래. 이건 인정할 수 없어. 한 비서가 마음 고쳐먹어. 한 비서 없이 대체 어떻게 일을 하라고……."

초은은 무표정하게 결재판에 끼워진 종이를 한 장 뽑아냈다.

그리고 나타난 또 다른 서류 한 장.

"히익!"

은현의 두 눈이 튀어나올 것처럼 커졌다.

"초, 초은아. 나한테 대체 왜 이래?"

하얀 종이 위에는 '사직서'라는 세 글자가 떡하니 찍혀 있었다.

"이, 이건 절대 안 돼!"

"이번 일을 겪으며, 저는 제 역량이 매우 부족하다는 것을 깨달았습니다. 규정된 업무에도 융통성을 발휘해야 하는 상황이 있는 모양인데, 제 좁은 소견으로는 그 적절한 대상과 상황을 판단할 수가 없었습니다. 그래서 더는 전담 비서 업무를 맡을 수가 없다고 판단했습니다."

"무슨 소리야? 한 비서만큼 업무를 잘 해내는 인재가 어디 있다고. 내가 얼마나 까탈스러운 줄 알잖아. 그런 내가 인정하는 사람이 어디 그리 흔한 줄 알아?"

그렇게 생각하시면 똑바로 좀 하시죠.

초은은 곁눈으로 은현을 흘겨보았다. 하지만 이쯤에서 어중간하게 그만둘 생각은 없었다. 은현 못지않게 완벽주의자인 초은은, 늘 끝을 보는 성격이었으니까.

"그렇다면…… 일신상의 이유라고 해두죠. 개인적인 사정으로 더 이상 비서 업무를 수행할 수 없게 되었으니, 사직서 수리 부탁드립니다."

"하아……."

은현이 제 자리에 다리 털썩 주저앉았다. 지금 이 순간, 무슨 말을 해도 초은을 달랠 수 없을 것 같았다.

"알았어. 진지하게 검토해 볼 테니, 이만 나가 봐."

"네. 후임자가 정해지면 업무 인수인계까지는 책임지겠습니다."

"후……."

대꾸할 기운도 없어, 은현은 힘 빠진 손짓만 했다. 초은은 나가는 순간까지 감정의 동요 한 점 없었다.

집무실에 혼자 남게 되자, 은현은 머리칼을 괴롭게 움켜쥐었다. 초은이 저러는 게 진심이면 어쩌나. 덜컥 두려운 생각이 들었다.

어디서부터 잘못됐나, 이제 나는 어디로 가나.

모든 것이 답답할 뿐이었다.

"이야, 너도 진짜 화끈하다."

야들야들 잘 익은 곱창을 한 점 질겅거리던 다민이 낄낄대며 웃었다.

"액션 아니고 진짜거든."

"뭐야. 강 대표하고 헤어지기라도 하겠다는 거야?"

"그건 그거고, 사직서는 사직서지. 별개의 일이다."

"강 대표도 과연 그렇게 생각할까."

초은의 울적한 기분은 퇴근할 때까지 풀리지 않았다. 일이 많다는 다민을 우격다짐으로 불러내, 벌써 소주를 몇 잔이나 비운 후였다.

초은은 술기운으로 달궈진 숨을 길게 뿜어냈다.

"너무 약이 올라."

"네 맘 이해한다."

"다른 사람이었으면 이렇게까지 기분 나쁘지 않았을 텐데."

술이 올라서인지, 다민 앞이라서인지. 스스로 인정하고 싶지 않았던 진심이 스르르 풀려나왔다.

"은현 씨가 다른 마음이 있는 게 아니라는 걸 알면서도, 신 팀장을 너무 특별하게 생각하는 것 같아서……. 그래서 내가 좀 과민한 건지도 몰라."

"아니야, 이년아. 어디 네가 회사일 하면서 제 감정에 휘둘리는 애냐? 강 대표가 그렇게 재수 없게 굴 때도 꼭 로봇처럼 일하던 애가."

"그땐…… 좋아지기 전이니까."

그래서 오히려 매사에 평정을 유지할 수 있었다.

초은의 중얼거림은 혼잣말 같았다. 다민이 잠시 움찔하더니, 다시 젓가락을 놀려 곱창을 집었다.

"그리고 사람이 감정 없이 어떻게 일하냐? 꼭 그런 쪽이 아니라도, 좋은 상사, 싫은 상사, 죽이고 싶은 상사, 재수 없는 동료, 가족 같은 동료. 결국, 다 감정으로 이어지는 관계야."

"사표 수리는 안 되겠지?"

"그래. 그게 되겠냐? 그러니까 이번엔 네가 한번 숙이고 들어가. 강 대표도 크게 데였을 거다."

"휴우……."

초은은 한숨을 내쉬며, 맑은 소주를 또 한잔 비웠다.

"그런데 너 계속 전화 울리는 것 같은데."

아까부터 어렴풋이 나는 진동 소리의 발원지는 초은의 가방인 모양이었다.

"응. 알아. 은현 씨야."

"안 받아도 돼? 보나 마나 똥 마려운 강아지처럼 낑낑대고 있을 것 같은데."

"오늘은 안 받을래."

"그래, 그래라."

너도 참 세게 삐졌나 보구나. 하긴 평소의 네 성격을 생각해 보면, 다 뒤집어엎고 뛰쳐나오지 않은 것만 해도 장하다.

다민은 굳이 마음속의 말을 내뱉지는 않았다. 괜히 심기 불편한, 성질 더러운 친구를 건드릴 필요는 없으니까.

어느새 테이블 위에 깨끗하게 비운 소주병이 몇 개나 늘어섰다. 계산을 치르고 가게를 나서자, 산뜻한 밤공기가 달아오른 뺨을 식혀 주었다.

"세상이 끝날 것처럼 푹푹 찌더니, 언제 이렇게 선선해졌을까."

"그러게. 벌써 추석이 코앞이야."

둘은 약속이라도 한 듯 나란히 걷기 시작했다. 살랑살랑 스치는 밤바람이 꽉 막혀 있던 마음을 솔솔 보듬어 주는 것 같았다. 바람을 맞으며 걷는 느긋한 발걸음이 기꺼웠다.

"어, 네. 박 실장님. 저는 초은이랑 가볍게 한잔하고 집에 들어가는 길이에요."

벨이 울리는가 싶더니 다민이 얼른 전화를 받았다.

이년이, 언제부터 박 실장하고 통화하는 사이가 된 거야?

초은은 다민을 지그시 흘겨보았다.

"네네. 얘기 들었어요. 괜찮으니까 걱정 마세요. 네, 실장님도 쉬세요."

통화는 길지 않았지만, 그 짧은 대화가 시사하는 바는 컸다. 다민은 초은의 시선을 느꼈는지 멋쩍게 뺨을 긁었다.

"박 실장님이야?"

"아? 으…… 응. 너 속상할까 봐 걱정된다고…."

오호, 그래? 그런데 그걸 왜 너한테 물어보실까.

천천히 걷다 보니 저편에 불을 밝힌 아담한 카페가 보였다. 다민은 문득 생각이 난 듯 발걸음을 멈췄다.

"그냥 넘어가기엔 우리 한초은이 속이 많이 상했지?"

"응. 대표님이 입으로 마음대로 꽈배기 제조할 때도 이렇게 기분 나빴던 적은 없는 것 같아."

"그럼 소중한 베프를 위해 이 언니가 약 좀 올려줄까?"

"응? 은현 씨를?"

"그래. 딱 기다려."

다민은 생각만 해도 즐거운지 어깨까지 들썩이며 키득거렸다. 그 웃음이 너무나 유쾌해, 고개를 갸웃했던 초은은 영문도 모르고 따라 웃어버렸다.

그래도 친구가 있어, 울적함을 덜어낼 수 있는 밤이었다.

다민의 실행력은 가히 놀라웠다.

바로 다음 날이 밝자마자, 다민의 계획을 알 수 있었으니 말이다.

"아, 한 대리. 좋은 아침이야. 간밤에 잠은 잘 잤어?"

"네. 덕분에 푹 잘 잤습니다."

"그, 그렇군. 어젯밤에 전화를 안 받던데……."

"핸드폰을 무음으로 해놓고 깜빡했는데, 혹시 급한 지시라도 있으셨나요?"

"아니, 아니야."

은현은 출근하는 순간부터 초은의 눈치를 살폈다. 팔다리도 어딘가 뻣뻣한 것이 부자연스럽기 짝이 없었다. 초은은 집무실로 들어가는 은현의 뒷모습을 보며 가볍게 콧방귀를 꼈다.

다민 덕분에 기분이 꽤 풀리긴 했다. 하지만 전날의 그 아수라장을 생각하면 순식간에 모든 것이 예전으로 돌아갈 수는 없는 일이었다.

"오늘 점심에는 특별한 일정이 없으시지만, 오후에 T1의 스트레스 테스트 결과 보고가 있으니 서둘러 식사를 끝내시는 게 좋을 것 같습니다."

"음……. 벌써 그렇게 됐나."

초은은 평소와 다름없이 차를 준비하고 일정 보고를 마쳤다. 초은의 목소리에 집중하는 척하면서 요리조리 살피는 은현의 눈빛은 모른척했다.

"다른 특별한 일은 없고."

"네."

"그래, 그럼……."

"사직서 수리 여부는 언제쯤 알 수 있을까요?"

시치미를 떼려는 은현의 태도가 못마땅했다.

"아, 진짜 좀!"

"네?"

아니나 다를까, 은현은 발작 버튼이 눌린 것처럼 자리에서 펄쩍 뛰어올랐다. 충분히 인상적인 리액션을 보니 기분이 조금은 풀리는 것 같았다.

"초은아……. 이러지 말자. 내가 진짜 어젯밤에 한숨도……."

인정에 호소하는 하소연이 시작되려는 찰나.

집무실의 문이 가만히 열리더니 보윤이 살짝 고개를 내밀었다.

"보윤 씨, 무슨 일이에요?"

"아…… 저, 그게……. 커피 배달이 와서요."

"응? 커피? 누구한테?"

초은만큼이나 은현도 어리둥절한 표정이었다. 커피 바를 갖추고 있는 레드핏의 사옥에 커피 배달이 올 일은 없었다.

"배달 온 커피 수는 대표이사실 직원 전체와 동일한데, 수신인은 한 대리님이라고 하더라고요."

도무지 영문을 알 수 없는 일이었다. 의아한 얼굴로 발걸음을 옮기는데, 어지간히 궁금했는지 은현도 뒤따라 나왔다.

집무실을 나오자마자, 초은은 단번에 상황을 알 수 있었다.

"안녕, 초은아. 커피 배달 왔는데."

양손 가득 테이크아웃용 캐리어를 들고 상큼하게 웃음 짓고 있는 훈남. 〈커피 살롱〉의 오너 두훈이었다.

"어, 선배."

"네 앞으로 커피 배달 주문이 들어왔더라고."

"배달도 해줘요? 직원 보내시지. 힘들게……."

"원래는 안 하지만, 다른 사람도 아니고 초은이가 마실 건데. 당연히 내가 와야지."

다정한 말에 세트로 따라오는 화사한 미소. 초은은 눈이 부셔 저도 모르게 눈을 비볐다. 저편에 선 보윤이 감격한 얼굴로 두 손을 맞잡는 것이 보였다.

"흠흠."

등 뒤에서 들리는 거친 헛기침 소리. 아차, 그가 따라 나왔지.

초은은 이왕 이렇게 된 것. 다민이 깔아 준 멍석 위에서 춤이라도 춰 보기로 했다.

"어머, 선배. 역시 선배밖에 없네요. 내가 선배 커피 제일 좋아하는 건 아시죠? 아침부터 기분 좋게 시작하겠다. 호호."

"그렇지? 일부러 더 신경 써서 맛있게 내렸어."

"와아, 고마워요."

보지 않아도 눈썹을 확 찡그린 은현의 표정이 선하다.

오, 정다민 매우 칭찬해. 이런 기분 꽤 괜찮은데?

"흠흠, 아침부터 누가 이런 걸 주문한 겁니까?"

"아, 깜짝 선물이라고 하서, 주문자의 성함은 비밀입니다."

두훈은 은현에게는 통하지 않을 다정한 웃음을 지어 보였다. 은현의 입꼬리가 불만스럽게 씰룩거렸다.

와, 정다민.

그 와중에 원활한 직장 생활을 위해 제 신변 보호는 철저하구나.

초은은 웃음이 터지려는 입술을 꼭 깨물었다.

"흥, 커피 맛이 다 거기서 거기지. 뭐가 그리 다르다고. 어디 한번 봅시다."

성큼 한 걸음 내디딘 은현이 책상 위에 올려 둔 캐리어에서 컵을 하나 꺼내 들었다.

"아, 잠깐. 그건 초은이 겁니다. 우리 초은이는 라테를 제일 좋아하거든요."

"우리 초은이?"

"네. 우리 초은이요."

와우, 선배.

그 멘트, 정다민에게 교육이라도 받고 온 건가요? 아주 좋아요.

붉으락푸르락. 고장 난 신호등 같은 은현의 얼굴을 보니, 어쩐지 십 년 묵은 체증이 쑥 내려가는 것 같았다.

"허, 초은이가 언제부터 그쪽 초은이가 된 겁니까? 뭔가 착각하는 모양인데……."

어이쿠, 이분. 어지간히 열 받으셨나 보네.

그냥 두면 큰일 날 것 같아, 초은은 이쯤에서 상황 종료하기로 했다.

"아하하, 선배. 정말 고마워요. 우리 비서실 직원들하고 맛있게 잘 마실게요. 바쁘실 텐데, 얼른 가보세요."

"그래. 초은아, 즐거운 하루 보내."

두훈의 미소는 마지막까지 눈부셨다. 잘 마시겠다는 보윤과 우신의 인사에 일일이 눈인사로 화답하며, 아련히 사라져 갔다.

두훈이 떠나자 사무실이 3럭스 정도 어두워진 것 같은 것은 그저 기분 탓이겠지.

"와, 저분 〈커피 살롱〉 사장님 맞으시죠? 완전 훈남이라고 사내에서도 소문이 자자해요."

"네네. 게다가 우리 한 대리님 대학 선배래요. 갈 때마다 엄청 잘 챙겨 주시더라고요. 저도 옆에서 케이크 여러 번 얻어먹었죠."

화기애애한 보윤과 우신의 대화마저 은현의 심기를 거스르는 것이 분명했다. 그 증거로 은현의 짙은 눈썹이 지렁이처럼 꿈틀대고 있었다.

"아, 대표님도 드셔 보세요. 여기 커피, 핸드드립으로 내려서 진짜 향도 좋거든요."

은현은 보윤이 해맑게 권하는 커피를 노려보며 입술을 꼭 깨물었다.

"대표님?"

"빨리빨리 마시고 일 시작하세요."

재촉하는 목소리에 결국 컵을 홱 낚아챘다. 제 방으로 쏙 들어가 버리는 뒷모습이 새초롬했다.

"아까 대표님이랑 〈커피 살롱〉 사장님이랑 마주 서 있을 때 봤어요? 와, 그 투 샷. 흑왕자와 백왕자 같지 않았어요?"

"하하, 보윤 씨 순정만화 좋아하는구나. 확실히 안구 정화되는 비주얼이긴 하더라고요."

보윤과 우신의 대화를 들으며, 초은은 웃음을 삼켰다. 어쩐지 오늘 아침의 카페라테는 평소보다 훨씬 더 맛있는 것 같았다.

은현은 제 책상에 올려놓은 커피를 사납게 노려보았다. 그의 뜨거운 눈빛에 커피가 좀처럼 식지 않을 정도였다.

초은의 첫사랑이라는 그 선배.

처음부터 마음에 들지 않았다. 저도 그 나이가 되도록 여자 한 번 안 만나고, 연애 한 번 안 했던 건 아니었다. 하지만 초은의 첫사랑은 의미가 다른 것 같았다.

얼마나 마음이 깊었으면 그녀의 삶의 방식을, 인생을 바꿔 놓게 된 것일까. 마치 저에게 초은이 그런 것처럼.

은현은 끼고 있던 팔짱을 풀고 키폰의 버튼을 눌렀다.

"박 실장 좀 들어오라고 해."

쪼잔하다 욕해도 상관없어. 내가 이 회사 사장이다.

"왜? 왜 불렀는데?"

곧장 들어온 경원의 목소리가 퉁명스럽다. 한초은이 저러는 것도 골치 아파 죽겠는데, 경원도 아주 대놓고 심통을 부리고 있었다.

"사내에 음식 배달 들어오는 거. 관리는 어떻게 하고 있어?"

"안 바쁘냐? 시험 기간에 책장 정리하는 거랑 비슷한 심경이야? 별걸 다 묻고 있어."

"어. 그 비슷한 거라 치자."

"사업자등록증 사본 제출한 업체만 배달자 신분증 확인하고 출입시킨다."

"흠…… 그래?"

그 정도라면 꽤 철저하게 관리하는 편이니 트집 잡기는 어렵겠다. 하지만 가만 놔두자니, 앞으로도 계속 드나들면서 초은에게 시시덕거리는 것을 두고 볼 자신이 없었다.

"아무리 확인을 철저히 해도, 사고는 한순간에 일어나는 법이지."

"뭐래."

"앞으로 배달 음식은 금지."

"뭐? 뭐라고? 야, 너 미쳤어?"

반발이 있을 수는 있겠지만, 이렇게까지 격한 반응일 줄은 몰랐다.

은현은 얼떨떨한 얼굴로 경원을 보았다.

"야근을 밥 먹듯 하는 회사에서 배달 금지하면, 뭐 쫄쫄 굶고 일하라는 거야? 나가서 밥 먹고 올 시간도 없이 일하는 사람들이야. 지금 시대가 어떤 시대인데, 복지사회에 역행하고 있어? 회사 말아먹으려고 그래?"

늘 그렇지만, 경원은 저에게 잔소리할 때마다 작두 탄 무당처럼 흥이 오르는 것 같았다.

하지만 듣고 보니 맞는 말이라 반박할 수가 없었다.

"흠⋯⋯. 그럼 직원 식당에서 석식을 운영하면?"

"휴⋯⋯ 머리도 좋은 놈이 왜 이래? 불과 재작년에 식당 이모한테 석식 운영하자고 했다가 그만두겠다고 난리 친 거 기억 안 나? 어렵게 모셔 온 이모, 놓치겠다며 포기했잖아. 그리고 직원들 취향도 존중 좀 해줘라. 어떤 날은 김밥에 컵라면, 어떤 날은 햄버거, 또 어떤 날은 된장찌개가 먹고 싶을 수도 있거든."

아, 맞다 그랬었지. 어떻게 모셔 온 식당 이모인데. 인근에 맛있다고 소문난 밥집에 삼고초려가 뭐야, 십고초려는 해서 겨우 모셔 온 이모님이 아닌가.

그래, 그렇다면 어쩔 수 없다. 쪼잔하고 비겁지만, 최후의 방법.

"좋아, 좋아. 다 좋아. 그럼 한 군데만 좀 금지하자. 〈커피 살롱〉이라고 요 옆에 코딱지만 한 커피숍 있거든. 거기 아니라도 커피 마실 수 있는 데는 널렸으니까.”

당장 사옥에 커피 바도 있고 말이야. 이건 어떻게 가능하겠지.

은현은 여유로운 표정으로 경원을 보았다. 어라, 하지만 경원의 반응은 뜻밖이었다.

“너…… 진짜. IT 업계 대표이사 맞냐? 요즘이 어떤 세상인데 그런 무서운 소릴 하고 있어? SNS 몰라? 거기 레드핏이 특정 업체 차별한다고 잘못 올라가기라도 해봐. 하룻밤 사이에 전 국민이 다 알게 되고, 주가는 반토막 나고, 직원들은 길거리로 나앉는다고. 얘가 진짜 회사 망해 먹으려고 별 방법을 다 쓰네.”

“……..”

이렇게 되니 은현도 더는 할 말이 없었다. 경원은 그렇게 퍼붓고도 분이 덜 풀렸는지 씩씩대며 은현을 노려보았다.

“뭐? 커피가 네 취향에 안 맞디? 너 그러는 거 아니다. 아까 마셔 보니까 맛만 좋더구만.”

경원은 은현의 책상 위에 놓인 컵을 보더니 마지막까지 잔소리를 아끼지 않았다.

아니, 커피가 아니라 그 카페 사장이 내 취향이 아니야.

꿀 먹은 벙어리처럼 아무 말도 못 하는 은현을 남기고, 경원은 매정하게 집무실을 떠났다.

“어디서 갑질이야.”

닫히는 방문 뒤로 억울한 타박만 맴돌다 사라졌다.

"맛이 어때? 마음에 들어?"

얼마 만에 함께하는 저녁 식사인가. 은현은 외부 요인은 둘째치고, 일단 초은의 기분을 풀어 줘야 한다는 중대한 사실을 깨달았다.

밀린 일을 미뤄두고 저녁 식사를 청했는데, 다행히 초은도 거절하지 않았다. 내키지 않았지만 다민에게 몰래 물어 메뉴도 선별했다.

다민은 아마 요즘 초은이 매운 음식을 먹고 싶어 할 거라 조언했다. 친절하게 인근 맛집까지 검색해서 알려 주었다. 그 결과 지금 둘은 보글보글 끓는 마라탕을 사이에 두고 마주 앉았다.

"네. 맛있어요. 이 집 한번 와 보고 싶었는데, 덕분에 먹어 보네요."

초은은 아무 일도 없었다는 듯 여상한 얼굴로 국물을 떠먹었다.

"아하하하, 오늘 내 촉이 적중했네. 많이 먹어."

"네, 은현 씨도 많이 드세요."

초은이 마음에 들어 하니 다행이지만, 많이 먹으라는 말은 들어줄 수 없을 것 같았다. 매운맛에 유독 약한 은현은, 국물 한 숟갈 떠먹은 것만으로 혓바닥이 불타고 식도가 쪼그라드는 것 같았다.

초은이 얇게 썬 양고기와 버섯, 청경채를 건져 호로록호로록 잘도 먹었다. 은현은 새우 완자에 묻은 국물을 꼼꼼히 털어 내며 흐뭇하게 웃었다.

초은이 맛있게 먹고 기분이 풀린다면, 제 혓바닥 따위 너덜너덜해져도 좋으리.

"소문 이상으로 맛있네요. 은현 씨, 다른 거 또 시켜도 돼요? 마라샹궈도 먹어 보고 싶은데."

내 혓바닥 따위……

"응, 그럼. 먹고 싶은 거 다 먹어."

"와, 맵게 해달라고 해야겠다. 그런데 왜 이렇게 못 먹어요? 요즘 너무 피곤해서 입맛이 없는 거 아니에요? 좀 팍팍 먹어 봐요."

"그…… 그래. 고마워."

챙겨 줘서 고마워. 내가 정말 최선을 다해서 먹어 볼게.

은현은 애써 활짝 웃었다. 한 숟갈 가득 떠 입에 넣은 마라탕의 국물이 입안에서 핵폭탄을 터뜨리는 것 같았다.

눈가에 뜨끈한 물기가 어리는 건, 절대 다른 이유 때문이 아니다. 이런 서걱서걱해진 상황에서도 저를 생각해 주는 초은의 마음이 고마워서였다.

화끈함과 뭉클함 사이에서 널을 뛰던 저녁 식사도 끝이 났다. 은현은 향긋한 허브티를 거듭 머금어 보았지만, 얼얼해진 혀는 쉽사리 정신을 차리지 못했다.

"은현 씨 덕분에 맛있게 잘 먹었지만, 한창 바쁠 텐데 괜히 시간 뺏은 건 아닌지 모르겠어요."

"아니야. 아무리 바빠도 저녁 먹을 시간은 있어야지. 우리 같이 시간 보낸 지도 꽤 됐고."

평소나 다름없이 담담한 목소리인데, 초은에게서는 알 수 없는 거리감이 느껴졌다. 은현은 불안함에 가슴이 죄어왔다.

"초은아, 이번 일로 마음 상한 거 알아."

은현은 어렵게 말을 시작했다.

"네. 하지만 업무 중에 일어난 일이니 제가 받아들여야죠."

눈을 살짝 내리깔고 찻잔을 입술에 대는 하얀 얼굴에서 감정을 읽을 수가 없었다.

"난 이런 일로 너와 어긋나고 싶지 않아. 내가 이기적일 수 있겠지만, 네가 날 좀 이해해 주면 안 될까?"

은현이 초은에게 더듬더듬 연아에 관한 이야기를 전했다.

대학 시절 만남부터, 성별만 다르지 함께 사우나 다니는 친구들과 다를 바 없는 사이라는 것. 악바리처럼 게임 개발에 매달리는 제 곁을 묵묵히 지켜줬다는 것. 믿었던 선배의 배신 앞에서 절망했을 때도 끝까지 저를 떠나지 않았다는 것. 그래서 그녀에게는 평생 흐려지지 않을 고마움과 믿음이 있다는 것도.

그리 길지 않은 이야기였고, 초은은 잠자코 경청했다.

연아에 관한 그의 감정이 순수하게 인간적인 부분인 것은 확실했다. 하지만 그녀 역시 그러하다는 것을 확신하냐는 의문은 굳이 꺼내지 않았다.

"내가 공정하지 않았다면 그런 이유야. 다시 시간을 되돌린대도 아마 난 또 같은 행동을 했을 거야. 하지만 그 일로 네가 멀어지는 건 정말 견딜 수가 없어."

초은은 나직이 한숨을 쉬었다. 그를 이해하지 못하는 것이 아니라서, 그래서 더 가슴이 아렸다. 감정의 종류가 어떤 것이든, 연아는 역시 그에게 특별한 존재였다.

"은현 씨. 부서를 이동하거나, 아니면 회사를 떠나더라도, 은현 씨에 대한 마음이 달라지는 건 아니에요. 난 여전히 은현 씨가 좋아요. 그래서 곁에 있을 거예요."

"……"

"하지만 길다면 긴 시간 동안 강은현 대표이사를 모셨던 비서로서, 혼란스러워요. 부당한데, 인간 한초은은 당신을 이해하니까. 그 모순이 피곤해요."

"그래서……. 그래서 결국 네가 원하는 대로 하겠다는 거야?"

"업무에서 거리를 두면, 오히려 우리 관계도 더 안정되지 않을까요."

은현은 갑갑함에 가슴이 뻥 터질 것 같았다.

초은의 이야기도 물론 이해는 갔다. 하지만 은현의 욕심은 좀 더 이기적이고 자기 본위적이었다.

분명 제 결정을 이해한다고 하지 않았던가. 그럼 한 번 정도는 눈 감고 넘어가 주면 될 텐데. 아무 일 없었던 것처럼, 이 일이 일어나기 전의 상황과 관계로. 그렇게 지낼 수는 없는 걸까.

해명도 설득도 효과가 없으니 은현도 어쩔 수가 없었다.

"아니. 그렇게는 안 되겠어. 부서 이동도, 사직도 절대 안 돼. 난 한초은이 없는 대표이사실은 상상할 수도 없어. 회사 무너뜨리고 싶지 않으면 네가 포기해."

"……."

"마음 추스를 시간이 필요하다면 휴가를 줄게. 하지만 어디로도 멀어지는 건 절대 안 돼."

결국, 모든 것이 원점이었다.

/

주말을 끼고 길어진 황금연휴가 레드핏의 직원들에게 딱히 좋기만 한 것은 아니었다. 넘어야 할 언덕이 겹겹이 늘어섰는데, 강제로 발이 묶인 심정이었다.

초은은 추석을 맞는 심경이 한층 더 복잡했다. 이번 명절에는 부모님이 잠들어 계신 곳에 함께 인사를 드리러 갈 수 있을 거라고 생각했다. 외삼촌 가족에게도 은현의 존재를 알릴 계획이기도 했다.

하지만 여러모로 그럴 상황이 아니었다. 창립 이래 쾌속 질주만 해 왔던 레드핏은, 지금 가장 어려운 시기를 지나고 있었다.

AG 프로젝트의 진행은 고글이 좀처럼 완성되지 않으면서 계획보다 더뎌졌다. 당연한 결과로 개발비는 예산을 초과했으며, 투자처에서도 신경을 곤두세우고 있는 참이었다.

은현은 도약을 위해 숨을 고르는 시기라고 했다. 이 지점을 지나면 그 어느 때보다 더 높이 비상할 거라 조회를 통해 격려했다. 하지만 그의 가팔라진 턱선은 경영자로서의 그의 고민을 감추지 못했다.

거기다 초은과 은현의 관계 역시 레드핏의 현재와 비슷한 형태였다. 물론 겉으로는 예전과 다름없었다. 신뢰하는 상사와 부하 직원으로, 진심을 담아 대하는 연인으로.

동시에 둘은 알면서도 모른 체하고 있었다. 초은은 은현에게 제 요청에 대한 답을 기다리고 있다는 것을, 또 은현은 그것을 애써 외면하려 한다는 것을. 그로 인해 제각각 서로에 대한 거리감을 숨기고 있다는 것도.

추모 공원의 널찍한 주차장은 빈자리가 드문드문 남아 있었다. 초은은 능숙하게 후진으로 차를 세우고, 옆자리에 올려 둔 작은 꽃다발을 꺼냈다.

이맘때쯤이면 한 뼘 더 키를 키운 하늘이 늘 야속했다. 원래도 손이 닿지 않는 곳인데, 더 멀게 느껴지는 것 같아서. 청량한 하늘빛은 초은에게는 시리게 느껴지기만 했다.

"후……. 여긴 여전하네."

초은은 햇볕을 피해 손날을 이마에 대고 하늘을 보았다. 맑고 드넓은 파랑, 온화한 햇살, 한갓지게 날아가는 잠자리. 모두 풍성한 한가위의 그림 같은 풍경인데, 어째서 제 마음은 늘 외로운 걸까.

초은은 봉안당을 향해 천천히 걸었다. 손에 든 꽃다발은 소국과 펜타스, 부바르디아로 엮은 가을 들꽃 다발이었다. 초은의 엄마는 화려하고 큰 꽃보다, 가을 들판에 지천으로 피어나는 들꽃을 더 좋아했었다. 아빠는 그런 엄마를 사랑했고.

추석 전날 외삼촌 댁에 들러, 명절 아침을 함께 보내고, 늘 혼자 이곳을 찾곤 했다. 가족들도 초은이 엄마, 아빠와 오롯이 함께 보내는 시간을 방해하려 하지 않았다.

엄마와 아빠는 추모관의 가장 안쪽, VIP를 모시는 곳에 안치되어 있었다. 젊은 나이에 세상을 떠난 여동생을 위한 외삼촌의 마지막 선물이었다.

오랜만에 부모님을 만나는 반가움과 어쩔 수 없이 되살아나는 슬픔. 초은이 그런 감정에 숨을 고르며 안으로 들어섰을 때였다. 늘 조용하던 그곳에 누군가 먼저 와 있었다.

검은 슈트를 입고 소담한 꽃다발을 든 키가 큰 남자.

"은현…… 씨?"

천천히 돌아보는 얼굴에는 잔잔한 미소를 머금고 있었다.

"왜 이렇게 늦었어? 한참 기다렸잖아."

"여긴 어떻게……."

"이리 와봐."

뜻밖의 그의 등장에 초은은 어리벙벙하기만 했다. 은현은 대답 대신 초은에게 손짓을 했다.

"먼저 꽃부터 드려."

우리 엄마, 아빠 계신 곳은 대체 어떻게 안 거야.

머릿속이 혼란스러워 아무 생각이 나지 않았다. 초은은 멍하게 은현이 시키는 대로 들고 온 꽃다발을 놓아드렸다. 유골함 옆 작은 액자 안에는 초은의 방에 놓인 것과 똑같은 사진이 들어 있었다.

"이제 내 소개해 드려야지."

"네?"

"원래 아가씨 쪽 부모님께 먼저 인사드리는 게 예의거든."

은현이 한쪽 눈을 찡긋하며 장난스럽게 말했다. 하지만 초은이 여전히 멍하게 은현을 보기만 했다. 안 되겠다 싶었는지 은현이 먼저 꾸벅 인사를 했다.

"아버님, 어머님. 처음 뵙겠습니다. 강은현이라고 합니다. 초은이보다 네 살 많고, 신체 건강하고 잘생기고 성실한 남자입니다. 나름 능력도 있습니다."

"……."

"예쁘고 착하고 똑똑하기까지 한 초은이를 세상에 보내 주셔서 감사합니다. 앞으로 제가 초은이 곁에서 지켜 주려고 합니다. 최선을 다해서 행복하게 해줄 테니…… 허락해 주십시오."

마지막 '허락해 주십시오'는 마치 확성기에 대고 말한 것처럼 우렁차기까지 했다.

"뭐야, 진짜……."

초은이 기어이 풋, 웃음을 터뜨렸다.

"나, 이 정도면 합격이겠지?"

"흠…… 글쎄요. 우리 아빠, 엄마가 나를 워낙 사랑하셔서."

"뭐? 쳇, 그럼 우리 엄마, 아빠한테도 한번 물어보자."

다 큰 남자가 부르는 '엄마, 아빠'는 어쩐지 가슴을 따끔하게 찌르는 가시 같았다. 애틋함에 눈시울이 찡했던 것도 잠시.

"네? 은현 씨 어머니, 아버지요?"

은현은 말없이 바로 옆에 안치된 유골함 앞에 들고 온 꽃다발을 놓았다.

"엄마, 아빠 보셨죠? 우리 초은이. 어딜 봐도 마음에 쏙 드시죠? 아들 눈이 이렇게 높습니다. 저 이제 초은이랑 평생 행복할 거니까, 딱 지켜보고 계세요."

"은현 씨 부모님이……."

은현은 하염없이 흔들리는 초은의 눈동자를 부드럽게 바라보았다.

"한초은, 그렇게 안 봤는데. 기억력이 나쁜 거야? 아니면 모른 척하는 건가?"

폭풍우가 몰아치는 바다처럼, 온통 사납게 출렁거리는 머릿속에 어렴풋한 장면이 단편으로 스쳐 갔다.

같은 날, 저와 똑같이 부모님을 잃었던 한 소년.

세상이 무너진 것처럼 엉엉 울던 울음소리. 창백하게 질린 하얀 얼굴. 절망에 잠겨 버릴 것 같던 그 까만 눈동자.

어쩐지 남 같지 않아 건네주었던 것이 고작 휴지 뭉치였다. 몸속 어딘가가 꽉 막혀 버린 것처럼 눈물 한 방울 흘릴 수 없었던 초은은 그를 만나고 난 후에야 비로소 울 수 있었다.

"그때…… 그 울보 오빠가……."

"그래. 나야."

"언제…… 알았어요?"

언제였을까?

네 방에서 활짝 웃는 소녀의 사진을 보았을 때?

아니다. 그녀의 이력서를 처음 보았을 때부터, 자각하지 못한 인연의 끈을 본능적으로 느꼈을지 모른다.

"나야 당연히 처음부터 알았지. 네 이력서 사진을 봤을 때, 드디어 찾았다! 그랬다니까."

"칫, 엉터리."

"진짜야. 봐, 우리 부모님들은 일찌감치 이웃사촌이었다고. 두 집안이 벌써 합의 다 끝내신 거 모르겠어?"

깔깔 웃고 싶은데, 울컥 가슴을 채우는 뜨겁고 몽글몽글한 덩어리 때문에 눈가가 달아올랐다. 초은은 차마 아무 말도 하지 못하고 은현의 손을 가만히 잡았다.

"이제 너도 부모님께 인사드려. 예쁜 딸, 많이 보고 싶으셨을 텐데."

초은은 고개를 끄덕이며 심호흡했다.

"아빠, 엄마. 두 분 함께라서 외롭지 않고 행복하시죠? 아빠는 여전히 시 쓰고, 엄마는 그림 그리고 계세요? 천국엔 예쁜 꽃도 많이 피어 있죠?"

사진 속 부모님의 행복한 웃음이 그렇다고 대답해 주는 것 같았다.

"전……. 전 잘 있어요. 외삼촌 가족들도 여전히 다정하고……. 부족한 것 없이 잘 지내고. 사람들 속에서 가끔 외로울 때도 있었지만……."

초은은 목이 꽉 메어 잠시 말을 잇지 못했다.

"지금은……. 지금은……."

"제가 있습니다."

"멋있게 보이려고 어필하는 거야."

툭 튀어나온 은현이 초은의 귓가에 작게 속삭였다. 기어이 눈가에 눈물이 맺혔다. 은현이 초은을 부드럽게 끌어당기자, 떨리는 어깨가 그의 품을 파고들었다.

"제가 초은이 곁에 딱 붙어서 매일 웃게 해주고 있으니까 걱정하지 마십시오."

초은을 안은 굳건한 두 팔이 믿음직스러웠다. 엄마, 아빠도 이젠 안심하고 웃어 주실 것 같았다.

"이제 우리 엄마, 아빠한테도 한마디 해."

"……."

아니, 무슨 인터뷰도 아니고 한마디라니. 게다가 처음 인사드리는 건데 이 자세로요?

"얼른."

아이처럼 보채는 은현의 말에 배시시 웃음이 났다. 이럴 때 그는 꼭 개구쟁이 소년 같았다.

초은은 은현의 품을 벗어나 자세를 바로 하고 흐트러진 머리도 정리했다. 두 손을 가지런히 모으고 목도 가다듬었다. 처음으로 인사드리는 시간이니, 예쁘게 보이고 싶은 것이 당연했다.

"음음……. 안녕하세요. 저는 강은현 대표이사의 전담 비서 한초은이라고 합니다."

"아니, 그게 아니잖아. 우리 부모님이 지금 내 비서 보고 싶으시겠어?"

"하하, 그리고 은현 씨 여자 친구예요. 은현 씨는 제가 잘 돌보고 있으니 너무 걱정 마세요. 가끔 심술도 부리고, 고집도 세지만 사실은 정말 따뜻하고 멋있는 사람이에요."

"또또, 계속해 봐."

"은현 씨 덕분에 저도 많이 웃어요. 은현 씨를 보내 주셔서 정말 감사합니다."

은현이 옆에서 흠흠, 멋쩍은 헛기침을 했다. 옆구리 쿡쿡 찔려 시작한 덕담이긴 하지만, 시작한 김에 마무리 지어야지.

"저희 오래오래 사이좋게 행복하게 잘 지낼 테니 지켜봐 주세요."

초은이 말을 마치자, 은현은 다시 초은을 꼭 끌어안았다.

"우린 처음부터 벗어날 수 없는 운명이었다고. 이제 알겠지?"

초은은 가만히 고개를 끄덕였다.

"그러니까 이제 화해하자. 내가 미안해. 너와 멀어지는 건 정말 못 견디겠어. 어디 가겠다고도 하지 마. 항상 곁에 있어 줘. 다신 속상하게 하지 않을 테니 이제 마음 풀어 줘."

작은 끄덕임이 조금 더 분명해졌다.

슬며시 새어 나온 안도의 한숨이 초은의 정수리에 따뜻하게 닿았다. 초은의 허리와 등을 휘감은 팔에 조금 더 힘이 들어갔다. 은현은 그렇게 한참 초은을 품에 안고 있었다.

택시를 타고 왔다는 은현을 옆에 태우고, 집으로 돌아오는 길.

"밥은 먹었어요?"

"그럼. 부모님 제사를 모시는 절이 있어. 거기서 차례 지내고, 먹고 내려왔지."

"절…… 이요?"

"그래. 혹시 절밥 먹어 본 적 있어? 고기반찬은 하나도 없는데도 신기하게 절에서 먹으면 그렇게 맛있단 말이야."

초은이야 외삼촌 댁에서 차례도 지내고 푸짐하게 차려낸 명절 음식도 먹었다. 문득 은현은 명절을 어떻게 지내나 싶어 물어본 것이었다. 그러나 그의 대답은 괜히 물었다 싶은 생각이 들 정도로 속이 상했다.

"잠깐 마트 좀 들렀다 갈게요. 집에 아무것도 없어서."

"그래."

은현의 대답은 심상했다. 운전대를 돌리는 손길이 저도 모르게 조금 거칠어졌다.

/

꺼내 온 카트를 밀며 마트 안을 낯설게 둘러보았다.

초은은 바쁜 직장인이다 보니, 마트에서 장 보는 생활이 그리 익숙하지 않았다. 그건 은현도 마찬가지인지, 주변을 살피는 눈빛이 초롱초롱했다.

"나, 이런 거 처음 해 봐."

"네?"

"이렇게 마트에서 같이 장 보는 거 말이야. 드라마 보면 부부끼리 장 보는 그런 장면 꼭 나오잖아."

아아. 그래서 그렇게 흥분하셨나요.

살짝 상기된 뺨과 가빠진 호흡을 보니 슬쩍 웃음이 났다. 그러고 보니 길쭉하고 단단한 체격이 돋보이는 슈트를 빼입고, 카트를 밀고 있는 모습이 제법 그럴싸했다. 명절이라 마트가 한산해, 보는 눈이 별로 없는 것이 아쉬울 지경이었다.

내 남자가 이렇게 멋있는데 말이야.

초은은 은현에게 살포시 팔짱을 껴보았다. 멈칫했던 은현의 발걸음이 흥겨운 리듬을 타기 시작했다. 안 그래도 널찍한 어깨가 한 뼘쯤 솟아오른 것 같기도 했다.

"은현 씨는 뭐 좋아해요?"

"뭐? 난 뭐든 잘 먹어. 남자는 반찬 투정하는 거 아니랬어."

그리고 네가 해주는 거라면 묻지도 따지지도 않고 잘 먹을 자신이
있어.

은현은 초은의 물음에 한순간 가슴이 들떴다. 날 위해 요리해 주는
상대가 있다는 것은 누구에게라도 감격스러운 일이다.

"사실…… 집에서 밥해 먹는 일이 거의 없어서, 할 수 있는 게 별
로 없어요."

"혼자 살면 다 그렇지, 뭐. 그래도 지난번에 나 아플 때 해줬던 밥
도 무척 맛있었다고. 그리고 요즘은 즉석식품도 잘 나와서 진짜 편
하더군."

"잠깐, 감자 좀 살까요."

둘은 채소 코너에서 멈춰서 신중하게 감자를 골랐다. 각자 하나씩
들고 요리조리 살펴보아도 사실 아무 소용 없었다. 둘 다 식재료 고
르는 데는 젬병이었으니 말이다.

"맛있는 감자 고르기. 감자는 흙이 묻어 있는 것이 국내산이며, 표
면이 단단하고 묵직한 것, 또 흠집이 없고 매끄러운 것이 좋다. 싹이
났거나 초록빛이 도는 것은 피한다."

은현이 핸드폰으로 검색한 결과를 줄줄 읽었다. 둘은 정보의 바다
가 알려주는 대로 고심하여 감자를 골라 담았다. 매장을 돌다 보니
어느새 감자, 달걀, 두부, 파 같은 재료들이 카트에 담겼다.

둘은 맥주 취향도 비슷했다. 향이 좋은 벨기에산 에일 맥주 한 팩
도 실었다. 맥주가 있으니 안주도 필요했기에, 짭짤한 새우 맛 과자

한 봉지와 구워 먹는 쥐치포도 필수 선택이었다.

"마트에서 이렇게 많이 사 본 건 처음이에요."

"난 감자랑 파를 돈 주고 사는 게 처음이야."

둘은 어색하면서도 신기한 기분에 연신 키득키득 웃어댔다. 계산을 마친 후에는 무료로 비치된 박스를 접어 구매한 것들을 차곡차곡 담았다. 남들에게는 일상일지도 모르는 평범한 행동이었다. 하지만 초은과 은현에게는 좀 더 깊은 의미로 다가왔다.

전 국민이 가족과 함께 보내는 명절.

외로웠던 두 사람이 함께 장을 보고, 밥을 먹고, 시간을 보내는 것. 이제껏 느껴본 적 없었던 포근하고 따뜻한 담요를 함께 덮은, 그런 기분이었다.

집으로 돌아와선 일단 편한 옷으로 갈아입었다. 은현에게도 지난 번 내 주었던 티셔츠와 반바지를 주었다.

"조금만 쉬고 있어요. 얼른 준비할 테니까."

은현이 슈트를 벗어 걸어 놓는 사이 초은은 서둘러 쌀을 안쳤다. 그가 작은 티셔츠를 껴입고 반바지를 입어야 하나, 말아야 하나 망설이는 동안 감자를 씻기 시작했다.

멸치육수를 올리고, 감자를 썰고 있는데 은현이 슬그머니 허리에 팔을 감아왔다.

"앞치마는 안 입어? 앞치마 입은 모습 보고 싶은데."

반바지는 포기하기로 한 것이 확실했다. 엉덩이에 와 닿는 감촉은 분명 얇은 천 한 겹뿐이었다.

은현이 강아지처럼 목덜미에 코끝을 문질렀다. 이런 순간이라면 제아무리 초은이라도 로맨틱하게 느끼지 않을 수 없었다.

"나 지금 칼 들고 있어요."

그런 느낌이 어쩐지 멋쩍어 짐짓 털털하게 대꾸했다.

히잉, 하는 개소리, 아니 강아지 소리가 돌아왔다.

"아웃……. 다친다고요."

"잘 잡고 있으면 되잖아."

배를 감싼 손이 야릇하게 움직이고, 어깨에 닿은 입술이 갈 곳을 찾지 못해 헤맸다. 덩달아 엉덩이에 닿아 있는 뭔가가 점점 고개를 쳐드는 것 같기도 했다.

초은은 점점 숨이 가빠지며 눈앞이 아득해졌다.

"으윽!"

"얌전히 앉아서 TV나 보고 있어욧!"

은현은 결국 팔꿈치로 복부를 찔리고 나서야 시무룩하게 소파로 돌아갔다. 몸 좋은 남자가 무릎을 세워 앉아 샐쭉거리는 것도 꽤 볼 만했다. 더구나 그가 쫄티에 드로즈만 입고 있다면 더더욱.

초은은 흐뭇하게 감자를 썰던 손을 재촉했다. 이윽고 호박과 두부를 썰어 넣은 된장찌개가 보글보글 끓고, 머핀처럼 부풀어 오른 달걀찜이 완성되었다. 잘 익힌 감자볶음도 윤기가 자르르 흘렀다.

초은은 밑반찬 몇 가지를 더 꺼내 상을 차렸다.

"식사하세요."

은현은 초은의 말이 끝나기가 무섭게 쪼르르 달려왔다. 안 그래도 리모컨으로 이리저리 채널을 돌리면서도 부엌만 힐긋대던 차였다.

"우와, 완전 진수성찬인데."

"별로 차린 것도 없는데, 민망하게 왜 그래요."

"아니야, 요즘 이런 집밥 먹기가 얼마나 힘든데."

은현은 호들갑을 떨며 자리에 앉았다. 지난번 간단하게 밥을 차려 주었을 때는 막 앓고 난 뒤라 제대로 먹지 못하더니, 오늘은 푸드 파이터가 따로 없었다.

뜨끈한 된장찌개를 밥그릇에 떠넣고 쓱쓱 비비는가 하면, 감자볶음을 크게 한 젓가락 집어 맛있게 씹었다. 계란찜 한 숟가락을 입에 넣었다가 후후거리며 물을 찾기도 했다.

"와, 우리 초은이는 정말 못 하는 게 없어."

"'더도 말고 한가위만 같아라'더니, 오늘 그걸 실감하는군."

그러는 중간중간 엄지손가락을 추켜세우며 추임새를 넣는 것도 잊지 않았다.

"그동안은 명절에 어떻게 보낸 거예요?"

"늘 비슷하지 뭐. 절에 갔다가 집에서 여유롭게 보내며, TV에서 방영하는 명절 특집 영화와 함께."

"……."

"너도 알다시피, 내가 워낙 바빠서 명절 아니면 이렇게 여유롭게 쉴 수 있는 날도 잘 없다고."

혼자인 것이 제 옷인 것처럼 익숙한 사람.

고독이 그에게 더는 상처가 되지 않는다는 사실이 더 가슴 아팠다. 꼭꼭 씹던 밥알이 목구멍을 턱, 틀어막는 기분이었다.

초은은 애써 내색 없이 물 한 모금을 삼켰다.

"다음 명절에는 저도 절에 데려가 줘요."

"절…… 에?"

뜻밖의 말이었는지, 은현의 목소리에 가늘게 균열이 갔다.

"나도 그 맛있다는 절밥 먹어 보고 싶단 말이에요. 부모님 차례도 같이 모셔요."

"그래……. 산속이라 설에는 조금 추워. 눈이 오면 길이 험하기도
하고. 그래도 눈 내린 풍경이 무척 예뻐. 공기도 맑고. 알지? 그……
피톤치드 뿜뿜."

일부러 과장되게 어깨를 으쓱하면서도 떨리는 목소리를 감출 수
없었다.

"기대돼요. 무척."

초은도 그를 따라 과장되게 고개를 끄덕였다.

그새 그릇을 다 비운 은현은 설거지는 제가 하겠다고 고집을 부리
며 개수대로 향했다. 드로즈 차림의 남자가 설거지하는 모습은 그야
말로 혼자 보기 아까운 절경이었다.

쫄티의 반소매를 뚫고 나온 아름다운 팔근육과 한껏 업된 볼록한
힙선. 드로즈 아래로 쭉 뻗은 우람하고 단단한 허벅지.

초은은 이 모습을 찍어 핸드폰 대기 화면으로 남기고 싶은 충동을
느꼈다. 하지만 그의 사회적 위치와 제 품위 유지를 위해 꼭꼭 억눌
러 참아 냈다.

식사 후의 포만감과 샤워 후의 개운함.

느긋하고 너그러워졌다. 초은은 소파에 은현의 허벅지를 베고 누
워 예능 프로그램을 보며 키득거렸다. 은현은 그런 초은의 머리칼을
만지작거리며 만족스러운 눈빛을 했다.

여느 집이라면 별다를 것 없는 평범한 저녁 풍경일지도 모른다. 하
지만 두 사람에게는 지금 이 순간은 그들의 생에 잘 찾아오지 않는
보드랍고 따사로운 시간이었다. 그래서 가슴 벅차도록 특별하고 소
중했다.

"오늘, 너와 함께 보내니 정말 좋았어. 밥도 무척 맛있었고 말이야."

"은현 씨는 이제 좀 잘 챙겨 먹어야 해요. 요즘 신경을 많이 써서 그런지 얼굴이 너무 핼쑥해졌어요."

"그래, 그럴게. 그렇다고 설마 안 멋있다는 건 아니지?"

초은은 못 말리겠다는 듯 웃으며 고개를 저었다.

"내일은 출근하시나요?"

"음, 연휴가 남긴 했지만, 나가 봐야지. 정리해야 할 일들도 있고."

"아침 챙겨 먹고 천천히 나가요. 일찍 나간다고 칭찬해주는 사람도 없어요."

"아침도 챙겨 주려고?"

"얼른 다시 멋있는 모습 되찾으려면 여친의 노력이 필요한 법이죠. 그럼 좀 이르지만 잘까요?"

초은의 마지막 말에 은현의 눈이 반짝 빛나며, 입꼬리가 휘어졌다.

"자기 전에 마침 보여주고 싶은 게 있거든."

"그게 뭔데요?"

"기대하라고."

은현은 장난스럽게 웃는 초은의 이마에 촉, 입을 맞췄다.

잠시 후, 초은의 침대에서는 깔깔대는 웃음소리가 터져 나왔다. 은현이 의기양양하게 티셔츠를 벗고 보여 준 것은 배꼽 아래서 시작되어 점점 짙어지며 아래로 향하는 Happy trail이었다.

"아직 예전 같진 않지만 제법 자랐다고."

"정말이네요."

초은은 즐거운 표정으로 가지런히 줄지어 누운 수풀을 쓰다듬었다.

"어디까지 이어졌는지 궁금하지 않아?"

"궁금해요."

"특별히 너에게만 보여 줄게."

은현은 그 길을 따라 무성히 자라난 풀숲을 보여 주고, 그곳에서 무럭무럭 커지고 있는 우람한 기둥까지 인사 시켜 주었다.

"벌써 몇 번이나 만나서 충분히 친해진 것 같은데요."

"친한 친구와는 자주 어울려 놀아야 하는 법이야."

은현의 컨디션 조절을 위해 일찍 잠들겠다는 계획 자체가 사실 무모한 도전이었다. 초은은 그 기둥과 사이좋게 지내느라 밤이 깊어서야 겨우 기절하듯 잠들 수 있었다.

사귄 지 얼마 안 된 그 친구는 참 묘한 녀석이었다. 거칠고 제멋대로면서도 초은을 엄청나게 즐겁게 해줄 수 있는 재주가 있었다. 그런가 하면 또 체력은 놀라울 정도로 좋아, 좀처럼 지치지도 않았다.

게다가 겉으로는 이러니저러니 해도, 사실 초은은 그 망나니 같은 친구가 무척 좋았다.

/

"우신 씨, 숙소 예약 확인됐어요?"

"넵. 방금 마쳤습니다."

"보윤 씨는 서류 빠진 것 없나 한 번 더 체크하고."

"네네. 이제 곧 출발하시죠?"

"응. 30분 전."

은현과 경원이 울산으로 출장을 떠나려는 참이었다.

급하게 결정된 사안이었다. 준비를 서둘렀지만, 출발 직전까지 비서실은 거의 아수라장이었다.

추석을 지나고 보급형 AR 고글의 시제품이 드디어 완성되었다. 일정이 지연된 탓에 알파테스트는 짧고 굵었다. 게임 회사 직원 중에서도 게임 경력과 덕후력을 점검해 선별된 직원들이 밤낮없이 모든 타이틀을 번갈아 플레이했다. 이어서 비밀 유지 서약까지 한, 역시 선별된 베타 테스터들이 일주일간의 테스트를 수행했다.

한 치의 오류도 용납하지 않을 듯, 엄격하게 완성된 AG 프로젝트. 드디어 그 화룡점정이라 할 수 있는 고글 제작 결정이 떨어졌다. 그리하여 공장의 라인이 돌아가기 시작한 역사적인 순간.

고글 제작을 맡은 협력업체인 로운테크의 하청 공장이 울산에 있었고, 은현과 경원은 현장 확인을 떠나게 된 것이었다.

-한 비서, 잠깐 들어와.

안 그래도 정신없는 참인데, 은현까지 저를 찾았다. 초은은 분주하게 집무실로 들어섰다.

"헉…… 왜 이래요."

문에 들어서자마자 기다리고 있던 은현이 초은의 허리를 끌어안으며 문을 탁, 닫았다.

"아…… 가기 싫다, 진짜."

"왜 그래요. 얼마나 기다렸던 일인데."

"그렇긴 한데, 울산에는 한초은이 없잖아."

날이 갈수록 버터 생산에 능해지는 은현이었다. 초은은 웃으며 은현의 가슴을 밀어냈다.

"안타까운 현실이네요. 하지만 전 지금 너무 바빠서 이만……."

"잠깐만, 나 할 말이 있다고."

"그럼 용건만 간단히."

은현은 매정한 초은의 말에 잠시 입술을 삐죽였다. 그러다 방을 나가려는 초은을 재빨리 붙잡으며 다급히 말을 꺼냈다.

"나, 출장 갔다 오면."

"네, 대표님."

"그땐 공식 발표해."

"네? 아직 보도자료 내기엔 시기상조 아닐까요?"

"왜 이래, 한 비서. 자기 입으로 직접 말했잖아. T1 프로젝트 성공하면 밝히자고."

3초간 초은의 머릿속이 고속회전했다.

'우선 열과 성을 다해 T1을 런칭해, 모바일 RPG 업계를 쓸어 버리는 거죠. 사실 우리 레드핏이 PC게임 분야에서는 명실상부 최정상이지만, 모바일에서는 조금 약한 감이 있었잖아요. 이 기회에 모바일까지 완벽하게 장악해버리고.'

'오호……'

'엄청난 수익을 쓸어 담은 후에, 고생한 직원들에게 아낌없이 인센티브를 뿌립니다. 그리고 모든 직원이 축제 분위기에 흠뻑 물든 그때.'

'그때?'

'네, 바로 그때. 우리 관계도 슬쩍 오픈하기 딱 좋은 타이밍인 거죠. 사람들이란 물질과 육체의 여유가 생겼을 때, 한없이 너그러워지게 마련이거든요.'

그랬다.

급해서 그랬는지, 어쨌는지 모르겠지만 제가 그런 말을 했었다.

T1 프로젝트로 불렸던 'Take the time'은 출시 후 폭발적인 반응

이 있었던 것은 아니었다. 하지만 모바일 게임 차트에 장기간 순위권을 지키며 수익을 벌어들이고 있었다.

엄밀히 말하자면 '성공'인 셈이다. 그러나 그 후 AG 프로젝트로 난항을 겪는 바람에, 일명 'TTT'의 성공을 마음 놓고 기뻐하지도 못하는 애매한 상황이던 것이다.

"출장 다녀오면, 'TTT' 출시와 고글 생산 착수 기념으로 인센티브 지급할 거야."

"AG 때문에 자금 상황이 그리 좋지 않은 편인데……."

"그래도 노력한 만큼 보상이 주어지는 것이 게임의 세계 아냐?"

"그렇긴 하죠."

게임에 대해서는 아는 바가 없는 초은이라도, 그런 게임의 철학만큼은 충분히 매력적이었다.

"그러니까 한초은도 약속 지켜."

사실 초은도 거부하고 싶지 않았다. 이젠 더 숨길 이유도, 꺼리는 마음도 없으니. 초은은 늘 가슴에 얹혀있던 어떤 무게를 내려놓는 기분으로 고개를 끄덕였다.

"알겠으니까, 출장 무사히 잘 다녀와요."

"걱정 마. 내가 나서서 안 되는 게 뭐가 있다고."

은현은 만족스럽게 입꼬리를 휘며 초은의 얼굴에 입술을 내렸다. 산뜻하면서도 깊은 입맞춤이 한동안 이어졌다.

초은은 저도 모르게 비서의 본분에서 벗어나 진심을 말해 버렸다.

"빨리 돌아오세요."

"금방 올게."

은현이 더없이 반갑게 웃었다.

생산 현장 참관은 순조로웠다.

제품 개발을 담당한 로운테크의 정상건 대표를 비롯해, 설계를 맡은 연구팀 책임자들까지 함께 내려왔다. 공장 라인은 활기찼고, 관계자들은 감격에 찼다.

일정 후 회식은 당연한 수순이었다. 밤바다가 내려다보이는 횟집에서 푸짐한 회와 소주를 넉넉하게 주문했다.

"이제부터는 모든 것이 공장장님께 달렸습니다. 아무쪼록 잘 부탁드립니다."

은현은 가장 먼저 공장장에게 술을 따라주었다. 공장장은 공손하게 술잔을 받으며 어쩔 줄 몰라 했다.

"아이고, 저야 뭐 라인 차질 없이 돌아가게 하고, 공장직원들 문제없도록 하는 거. 그게 다다 아입니까."

"그게 제일 어렵기도 하고, 제일 중요합니다."

은현도 겸손하게 고개를 숙였다.

"제가 다른 건 몰라도, 불량 없이 생산 기한은 칼같이 맞출 테니까, 걱정 마이소."

"네. 정말 잘 부탁드립니다. 그리고 정 대표님, 연구팀 여러분도 수고 많으셨습니다."

이번엔 로운테크 정 대표에게 술잔을 기울였다.

"아이고, 나보다 강 대표님이 더 속이 탔을 텐데."

"제가 게임 개발만 해봤지, 하드웨어 쪽으로는 쥐뿔도 모르는데. 무식한 놈이 말도 안 되는 소릴 해도 다 받아 주시고, 애써 주신 덕분입니다."

"무슨 그런 말씀을. 강 대표가 철저하게 따지고 확인한 덕에, 우리도 오히려 배운 게 많습니다. 그래도 이렇게 무사히 생산 들어가니 얼마나 좋은지. 내가 진짜 춤이라도 추고 싶은 심정이라니까요."

정 대표는 그간 마음고생이 심했는지 눈시울이 붉어졌다. 고글의 완성이 지연되면서 출시 기한이며 투자금 손실에 대한 압박감이 컸을 터였다.

은현도 괜히 코끝이 찡해져, 정 대표의 손등을 도닥였다.

"자, 이제 어려운 고비는 다 넘었으니 성공할 일만 남았습니다. 그때까지 힘내서 마무리 잘해주시길 부탁드리고, 그동안 노고에 정말 감사드립니다."

은현의 선창으로 다들 경쾌하게 잔을 부딪쳤다. 맑은 소주가 꿀물처럼 술술 넘어갔다. 그간의 회포를 풀고, 앞으로의 선전을 다짐하는 시간은 밤이 늦도록 이어졌다.

"1차 물량 생산까지 한 달 정도 걸린다고 했나?"

"그렇지. 그동안 출시일 확정하고, 보도자료도 뿌려야지. 마케팅팀에서 벌써 보도자료랑 이벤트 준비해 놓고 다리 달달 떨면서 기다리고 있잖아."

호텔의 트윈룸. 침대에 멍하게 누워있던 은현이 문득 물었다. 맞은편 침대에 누웠던 경원이도 멍하니 대답했다. 둘의 머릿속은 앞으로의 일정이 빠르게 맴돌았다.

잠시 정적이 흘렀다.

"경원아."

"왜?"

"너도 그동안 수고 많았다."

"미쳤냐? 너 어디 가냐? 죽을병 걸렸냐?"

"……."

애가 왜 갑자기 안 하던 소릴 하고 지랄.

평소답지 않은 은현의 말에, 경원이 짐짓 불만스럽게 중얼거렸다.

"경원아."

"왜 또?"

"나 지금 행복한 것 같다."

"취했냐? 지금 나한테 자랑하냐?"

퉁명스럽게 대꾸하면서도 경원은 가슴이 짠했다.

몇 년을 곁에서 지켜본 친구인가. 늘 돌진하는 황소처럼 살아가는 은현에게 항상 드리워 있던 외로움의 그림자를 모를 리 없었다.

"나 초은이와 결혼할 거다."

"얼씨구, 해라 해. 누가 말린다고."

"프러포즈도 엄청 멋지게 하고, 회사 옥상에서 화려하게 결혼식도 하고. 너도 알겠지만, 또 우리 커플이 비주얼 커플이잖아. 완전 세기의 결혼이라니까. 일단 언론에는 비공개로 하기로 하자. 우리 초은이 괜히 언론 탔다가 유명해지기라도 하면 내가 곤란해."

무슨 영국 왕실도 아니고 세기의 결혼식은 개뿔.

야야, 언론을 타긴 왜 타냐? 그냥 해도 저절로 비공개야.

경원은 하고 싶은 말이 너무 많으니 오히려 말문이 막히는 신기한 경험을 했다.

"우리 레드핏 가족들이 기뻐하면서 축하해 주면 충분하지 뭐. 생각만 해도 끝내주지?"

그냥 두고 봤더니 혼자서 북 치고 장구 치고를 넘어 거의 고막 테러 수준으로 떠들어 대고 있다.

그 게임 좀비들이 네 결혼식에 관심이나 있겠냐, 흥.

배알이 꼴려 나오는 대로 꿍얼대던 경원이 멈칫했다.

"잠깐…… 너 지금. 그거 프러포즈 어떻게 해야 하냐고 물어보려고 그랬지!"

전적이 있어서인지, 경원이 누웠던 자리에서 벌떡 일어났다.

"야, 양심이 있으면 프러포즈만큼은 네가 좀 고민해서 해라. 사람이 연구하고 노력을 해야지. 맨날 거저 먹으려고……."

"걱정 마라. 그런 결정적인 이벤트를 널 뭘 믿고 맡기냐."

"우와, 이 배은망덕한 새끼."

찌르면 찌르는 대로 펄쩍펄쩍 뛰는 반응이 재미있었다. 은현은 낄낄거리며 웃었다.

"어쨌든, 그동안 네가 애쓴 것도 있으니 정장 한 벌은 해줄게."

"아르마니."

"그래. 아르마니든 뭐든."

그제야 경원은 만족한 표정으로 다시 누웠다.

"그런데 다민 씨는 초은이 덕에 만난 거 알지? 그러니까 우리한테도 옷 한 벌씩은 해줘야 한다."

"우와, 이 새끼, 돈도 많은 새끼가 날강도가 따로 없네. 네가 하도 부려먹어서 다민 씨 얼굴 보기도 힘들거든. 말이 나와서 말인데, 아트팀 인원 보강 좀 해. 다민 씨 승진도 좀 시켜 주고."

은현이 다시 낄낄거렸다.

이 자식이 예전에도 이렇게 웃기도 했었나?

친구의 경박한 웃음이 한겨울 찬바람처럼 가슴을 시리게 했다.

그래, 잘 됐다, 친구야. 너도 이제 행복해야지.

그 누구보다 열심히 살아온 네 놈, 이젠 그 누구보다 행복해라.

하지만 이런 낯간지러운 소리는 절대 입 밖에 내어 말해 주지 않는 것이 경원의 수많은 매력 중 하나였다.

#11

꼼짝 말고 딱 기다려

생산 라인은 순조롭게 돌아갔다.

완성품이 물류 창고에 차곡차곡 쌓이는 사이, 바람은 점점 가슴 속 깊은 곳까지 불어오고, 떨어지는 나뭇잎 하나에도 문득 발길을 멈추게 되는 계절이 되었다.

그러는 동안 레드핏도 바쁘게 움직였다. 실탄이 장전된 총과 같았다. 당장에라도 방아쇠를 당기면 그 어떤 목표라도 백발백중으로 맞출 수 있을 것 같은 상태. 홍보, 유통, 판매, 이벤트까지. 모든 것이 완벽히 준비되어 대기 중이었다.

광고 대행사에서 제작한 영화관 광고의 최종본과 상영관, 송출 시간 등의 확정 사항을 확인하고 돌아오는 길이었다. 대형 광고사에 맡긴 보람이 있는지, 전국 상영관 500개 이상의 스크린을 확보할 수 있었다. 그것도 영화 상영 직전의 프리미엄 타임이었다.

영화관 광고는 채널을 돌릴 수도 없고, 영화가 끝날 때까지 대부분 자리를 지키는 영화관 관객을 대상으로 한다. 아마 그들은 꼼짝없이 자리에 앉아 레드핏의 획기적인 신제품을 접하고, 빠져들게 될 것이었다.

"구글 플레이 광고 심사 결과는 내일 나온다고 했나?"

"응. 아마 기대해도 될걸."

"무조건 첫 화면이어야 돼."

"그렇게 될 거야."

운전대를 잡은 경원이 덤덤하게 대꾸했다. 그런 무심한 대답이 더 믿음직스러웠다. 은현은 만족스럽게 시트에 몸을 기댔다.

"참. 들어가는 길에 거기 좀 들르자."

"뭐? 어디?"

"어디긴 어디야, 티파나 말이지. 이제 눈 감고도 찾아갈 수 있지 않나?"

뻔뻔한 대답에 경원은 찌릿, 은현을 노려보았다.

물론이다. 그뿐인가. 목 베인 김유신의 말도 아닌데, 운전하면서 졸아도 거기에 도착해 있을 것 같은 기분이었다.

"야, 진짜. 무슨 출석 도장 한 달 찍으면 반지 하나 공짜로 준대? 거기 파는 것들 다 외웠겠다."

"아직 다 외우진 못했지만, 이제 결정은 했지."

"뭐? 진짜야?"

은현은 경쾌하게 고개를 끄덕였다.

여성들이 프러포즈 링의 로망으로 생각한다는 브랜드 '티파나'.

경원이 은현에게 세트처럼 딸려서 울며 겨자 먹기로 드나든 것이 도대체 몇 번인가. 셀 수 없는 것을 넘어, 매장 입구가 은현과 경원의 발자국으로 반질반질하게 닳을 지경이었다.

경원에게는 그렇게 의미 없는 일이 없었다. 영화 같은 프러포즈를 꿈꾸는 은현에게는 그 과정은 즐거움이었을지 몰라도 말이다.

"아쉽겠지만 여기도 오늘로 마지막이야. 금방 사서 나올 테니까, 잠시만 기다려."

"야! 아쉽기는 개뿔."

아니, 하나도 안 아쉬워.

아주 속이 다 시원해서 발가벗고 춤추는 기분이야.

그런데 왜 마지막 순간에 나는 안 데리고 들어가니? 너도 다 똑같아. 필요할 때는 절대 떨어지지 않을 것처럼 끼고 다니더니, 마지막엔 결국……

그런 생각이 드니 갑자기 버림받은 강아지처럼 서러워졌다.

경원의 생각을 다 알기라도 하듯, 은현은 싱긋 웃으며 차에서 내렸다. 한동안 경원을 귀찮게 한 것은 사실이었다. 언제 이런 걸 골라본 적이 있어야 말이지.

혼자서는 도저히 자신이 없어, 경원을 끌고 다니긴 했다. 하지만 똑같은 무경험자 둘이 합쳐 놓아도 역시 경험치, 능력치는 0이라는 진리만 깨달았을 뿐이었다.

그리고 그것을 발견한 순간 알게 되었다. 영원을 약속하는 반지를 고르는 것은 경험과 안목이 아니라는 것을. 영원의 상대를 만났을 때처럼 영혼이 사로잡히는 운명을 느끼게 된다는 것을.

세 장의 잎이 달린 오픈 링이었다. 가느다란 링과 꽃잎 모양을 따라 작은 다이아몬드가 촘촘히 박혀 있고, 잎이 모이는 한가운데서 빛나는 조금 더 큰 라운드형 다이아몬드가 로맨틱했다.

캐럿이 더 크고, 더 화려하고, 훨씬 비싼 반지들도 많았다. 하지만 은현은 이 아기자기하고 사랑스러운 반지를 보는 순간 운명을 느꼈다. 클로버를 떠올리게 하는 디자인 때문이었다.

은현의 인생에서 가장 큰 행운, 그리고 영원히 곁에 머물며 느끼게 될 행복. 그 반지는 마치 은현이 느끼는 초은을 반짝이는 형태로 형상화한 것 같았다.

은현은 앙증맞은 리본을 묶은 민트색 상자를 품에 넣고 숍을 나왔다. 그 작은 상자에 마치 온열 기능이라도 있는 것처럼 심장 부근이 따끈따끈 달아올랐다.

"야, 뭔데? 보여 줘! 어떤 건데? 나도 볼 자격 있지 않냐?"

입을 삐죽이고 있던 경원이 득달같이 달려들었다. 가만히 생각해 보려니 퍽 억울했던 모양이었다.

은현은 입꼬리를 얄밉게 휘었다.

"초은이 손가락에 낀 거나 구경해."

"우와, 이 치사빤스야. 확 차여버려라."

마지막 말은 홧김인 것이 분명했다. 제가 뱉어 놓고도 제가 흠칫 놀라는 경원과 달리 은현은 여유롭게 피식 웃었다.

"미안하지만, 그건 영원히 이루어지지 않을 소망이 될 거야. 뭐해? 가자."

"쳇……."

아니꼽지만 부정할 수 없었다. 강은현은 한번 목표로 한 것을 놓치는 일은 없으니까. 오로지 성공밖에 모르던 친구의 눈에서 꿀물이 줄줄 흘러넘치는 꼴을 보게 될 줄이야.

부럽다, 젠장.

"야, 반지만 산다고 다 됐다고 생각하지 마라. 뭘 주느냐가 아니라, 어떻게 주느냐가 중요한 거거든. 결승선에 멋지게 두 팔 들고 뛰어 들어가느냐, 바닥에 쓰러져서 다리 질질 끌면서 기어들어 가느냐. 그게 평생을 좌우하는 엄청난 차이거든."

"오, 그래?"

"그래, 그러니까 벌써 다 이룬 것처럼 그렇게 뿌듯해하지 말라는 거지. 진짜는 이제부터 시작이거든."

"우리 박경원이는 그런 걸 어쩜 그렇게 잘 알까?"

"뭐, 내가 모르는 게 뭐 있냐?"

"한 번도 해본 적도 없으면서."

"······."

경원은 조용히 입을 다물었다. 괜히 욱했네. 잔소리할 땐 신나지만, 은현이 마음만 먹으면 한 번도 이겨 먹어 본 적이 없었다.

"아, 저기 잠깐 들렀다 갈까?"

"뭐? 이번엔 또 어딘데?"

회사 근처에 왔을 때였다. 은현은 조금 들떠 보였다.

그가 가리킨 곳은 사옥 근처의 자그마한 커피숍이었다.

"저긴 왜? 회사 안에 멀쩡한 커피 바 두고, 왜 사 먹으려고 그래?"

"집밥이 아무리 맛있어도 가끔은 외식하고 싶을 때도 있지."

"잠깐, 여기 저번에 네가 배달 금지하자던 데 아냐? 왜 사람이 오락가락해?"

경원은 불만스럽게 쫑알거리면서도 은현을 따라 내렸다. 은현은 그러거나 말거나 성큼성큼 가게로 들어섰다.

"어서 오세요."

"안녕하십니까. 테이크아웃 주문 좀 하려고 하는데요."

"네, 말씀하십시오."

경원은 화사하게 웃는 두훈의 미소에 멈칫했다가, 급하게 은현의 곁으로 다가왔다. 눈치 없는 경원이라지만 뭔가 미심쩍은 기운이 느껴졌다. 마주 보는 두 남자를 유심히 번갈아 보았다.

저쪽은 여유롭고 해사한 눈빛, 그리고 이쪽은 의기양양하면서도 도전적인 눈빛.

흠, 분명 뭔가 있구만.

"음……. 어디 보자, 카페라테 두 잔 하고, 아메리카노 둘, 경원이 넌 뭐 할래? 나랑 초은이는 카페라테. 우리 초은이가 라테를 제일 좋아하거든."

"미친……."

경원은 저도 모르게 중얼거렸다.

우리 초은이? 굳이 여기서? 뜬금없이?

놀랍게도 카페의 남자는 아무렇지도 않게 슬쩍 웃었다.

"네. 초은이가 좋아할 겁니다. 제가 만든 라테를 좋아하거든요."

뭐, 뭐라? 이건 또 무슨 상황이지?

경원이 어리둥절할 새도 없이 은현은 한 삽 더 깊이 파는 소릴 했다.

"하하하, 글쎄요. 초은이도 점점 입맛이 고급스러워져서……. 경원이 너도 들었나 모르겠지만, 얼마 전에 그러던데 내가 내려 준 커피가 제일 맛있대."

"지랄……."

야, 사장이 비서한테 커피 내려 주는 회사가 어딨냐? 이 정도면 지랄도 풍년이다.

경원의 표정은 썩어들어가는데, 카페 남은 만만치 않았다.

"하하. 전 초은이가 유학 간 후에 몇 년 만에 다시 만난 건데, 그 동안 꽤 어른스러워졌더라고요. 상대에 따라 인사치레 말도 잘하고……."

은현의 얼굴에 그린 듯 꾸며 냈던 웃음이 싹 가셨다.

"초은이가 그쪽한테는 그렇게 대하나 보죠? 나한텐 늘 너무 솔직해서 탈인데. 하하하. 어쨌든 좀 서둘러 주시겠습니까? 우리 초은이가 기다리고 있어서."

"네, 손님. 결제 먼저 도와드리겠습니다."

정색한 은현이 무색하게, 남자의 얼굴에 떠오른 환한 미소는 변함이 없었다. 경원이 보기엔 은현보다 한 수 위였다. 유 원.

"야, 너 뭐 했냐? 진짜 내가 다 부끄럽네."

"시끄러워."

커피가 담긴 캐리어를 양손에 들고, 은현은 뒤도 돌아보지 않고 가게를 빠져나갔다.

이 기회를 놓칠세라. 경원은 끈질기게 따라붙으며 깐족거렸다.

"왜? 아주 보는 앞에서 프러포즈까지 하시지."

"뭐?"

아니, 잠깐. 이 친구야, 이 상황에 귀가 쫑긋거리면 안 되지.

"흥, 뭐하러 그런 쓸데없는 짓을……."

"설마…… 그러지 마라."

"됐어. 빨리 오기나 해."

잠깐 멈칫했던 은현이 다시 성큼성큼 발걸음을 옮겼다. 경원은 아무래도 미덥지 않은지, 종종거리며 은현을 쫓아갔다.

／

신기한 일이지만 경원이 옳은 소리를 할 때가 간혹 있었다.

이번에도 그랬다. 반지까지 준비해 놓고, 은현은 도저히 어떻게 해야 할지 알 수가 없었다.

무엇을 주느냐보다, 어떻게 주는가.

태어나서 이렇게 풀기 어려운 문제는 처음이었다.

"야, 내가 좀 알아봤는데."

어디서 알아봤는지 미심쩍었지만, 경원은 이번에도 훈수를 빼먹지 않았다.

"여자들은 막 사람들 우르르 모여있는 데서 보란 듯이 이벤트 하는 거 사실 질색한대."

"야야, 요즘 누가 그렇게 요란하게 한다고."

잠깐 회사 로비를 떠올려 보았던 은현은 뜨끔했다. 하지만 아무렇지도 않게 큰소리를 쳤다.

"그리고 다민 씨가 그러는데, 한 대리는 너무 거창한 것도 싫어할 거래."

"한초은은 내가 제일 잘 알거든."

"그래, 네가 그렇다니 나는 닥치고 있을게."

"아, 아니. 내가 제일 잘 알지만, 너의 발언권까지 막지는 않을게. 나는 융통성 있는 사람이니까."

은현의 스타일을 누구보다도 잘 아는 경원은 픽 웃었다.

"뭘 하든 중요한 건 그 의미와 진심 아니겠어?"

"의미와 진심……."

경원을 알아 온 그 긴 세월 동안, 그가 한 제일 멋진 말인 것 같았다. 진심이야 늘 넘쳐나는 은현이었다.

그러니까 의미를 담아야지. 의미······.

경원 덕분에 뭔가 가닥이 잡히는 것 같았다.

"야, 우리 영화관 광고 첫 송출일이 언제지?"

그녀와 함께 고민하고 연구하고 결정하고 달려온 나날.

우리가 만나고 열정을 불태우고 서로를 사랑하게 된 곳, 레드핏의 거대한 도약이 시작되는 날. 그날을 우리의 새 출발일로 정하자.

물론 제품 출시일이 있긴 하지만, 그때까진 못 기다릴 것 같아. 반지에 녹슬면 어떡하라고.

"한 비서, 이번 주 목요일에 퇴근하고 일정이 있나?"

"목요일이요? 특별한 일은 없습니다."

"그럼 영화나 한 편 볼까?"

"네? 영화요?"

AG 프로젝트의 완성체인 '레베로 세트'의 출시를 앞두고 마무리 박차가 한창인 요즘이다. 영화라니, 웬 느긋한 소리인가.

"바쁠 때일수록 한숨 돌리는 시간도 필요하잖아. 우리 요즘 데이트도 통 못했는데."

은현의 말도 일리가 있었다. 잠깐의 기분 전환이 열정 에너지를 고속 충전하는 기회가 되는 법.

잠시 망설이던 초은은 고개를 끄덕였다.

좋았어. 은현은 책상 아래로 주먹을 불끈 쥐었다.

그날 깜깜한 영화관에서 우린 커플석 중에서도 가장 좋은 자리에 앉을 거야. 본편이 시작되기 직전, 우리의 피와 땀이 모인 작품의 광고가 화려하게 흘러나오겠지.

감격한 너는 손가락에 슬며시 끼워진 반지를 알까? 아마 눈치채지 못할지도 몰라. 내가 귓가에 이렇게 속삭일 때까지는.

"초은아, 난 네가 곁에 있어서 뭐든 할 수 있어. 그러니까 이제부터 영원히 곁에 있어 줘."

조금 오글거리지만, 뭐 어때. 프러포즈라는 게 원래 그런 거지.

가슴이 벅차올라 울어도 좋아. 내 넓은 어깨가 대기 중이니까.

아마 함께 보는 영화는 내용을 알 수 없을 거야. 맞잡은 손에서 빛나는 반지만 들여다보고 있어도 시간이 절로 흐를 테니까.

은현의 계획은 이토록 완벽했다.

그리고 고대하던 그날이 왔다.

예상했던 대로 완벽한 아침이었다.

은현은 평소보다 훨씬 더 일찍 눈을 떴다. 전날 야근으로 퇴근이 늦었던 것에 비해 이상하리만치 몸이 가뿐했다. 아마도 은현에게 생의 전환점이 될 하루에 대한 기대감 때문이었을 것이다.

순조롭게 출근 준비를 마치고 밖으로 나온 은현은 깊게 심호흡했다. 무르익은 계절의 깊은 향취가 폐부를 가득 채우고, 맑고 높은 하늘이 기분 좋은 떨림과 흥분을 북돋웠다.

그 어느 날보다 좋은 예감이 들었다. 무엇이라도 다 이루어질 것 같은 자신감이 차올랐다.

"완벽해."

나직하게 중얼거린 은현은 경쾌한 걸음으로 차에 올랐다.

[강은현, 너 지금 어디야?]

경원에게 전화가 걸려 온 것은 회사 주차장 입구에 막 들어설 때였다.

"이제 주차장 들어가는 길. 왜?"

[야, 지금! 아, 아니다. 일단 빨리 올라와.]

"무슨 일인데?"

[들어와서 얘기하자.]

전화가 뚝 끊어졌다.

차 안에는 불길한 정적만 남았다. 경원의 목소리는 오랜 시간 함께 해온 은현도 처음 들어보는 종류의 것이었다. 말로 표현할 수 없는 감정이 거대한 벽처럼 쌓여 있고, 그 무게를 못 이겨 거미줄처럼 뻗어 나가는 균열 사이로 새어 나오는 무시무시한 불안감.

평소보다 조금 더 높은 온도와 속도로 몸을 돌던 혈류가 갑자기 싸늘하게 식는 기분이었다. 손끝이 차가워졌다.

은현은 서둘러 주차를 마치고 엘리베이터에 올랐다.

"강은현, 일단 정신 차리고 앉아봐."

경원은 사무실 앞에서 대기 중이었다. 집무실에 들어갈 겨를도 없이 은현을 끌어당겨 아무 의자에 앉혔다.

"정신은 네가 차려야 될 것 같은데. 대체 무슨 일인데 그래?"

은현은 경원의 흐트러진 머리와 느슨한 넥타이를 흔들리는 시선으로 보았다.

"너, 진짜⋯⋯."

경원은 하려던 말을 삼키고, 은현의 앞에 서너 대의 태블릿을 주르륵 놓았다.

"이게 뭔⋯⋯."

태블릿을 눈으로 훑던 은현이 갑자기 얼어붙어 버렸다. 안 그래도 흰 얼굴이 푸른 기가 돌도록 창백해졌다.

『LM전자 티엔소프트와 합작으로 AR 게임 출시』
『재미있는 데다, 예쁘기까지. LM전자와 티엔 소프트 게임
  유저들을 사로잡는다.』
『전 세계를 사로잡을 놀라운 AR 게임의 혁명』

각 매체에서 일제히 보도한 기사와 사진이 태블릿 화면을 가득 채
웠다. 은현은 깊은 물에 잠긴 것처럼 머릿속이 멍해졌다. 문장과 글
자들이 흐느적거리며 흔들려 보였다.
　흥분된 어조로 설명하는 제품의 세부 스펙, 첨부된 제품의 사진.
　모든 것이 너무도 익숙해, 은현을 더욱 혼란스럽게 했다.
　"……현아, 은현아, 강은현."
　삐, 귓속을 날카롭게 찌르던 이명이 어느 순간 딱 멎었다.
　"정신 차리라니까."
　까맣던 시야가 그제야 트였다. 새파랗게 질린 보윤이 제 곁에 물잔
을 놓는 것이 보였다.
　"LM에서 뿌린 보도자료 입수하고, 로운테크 정 대표님 들어오시
라고 해. 올 때 특허 관련 사항 확인해서 가져오시라고 하고."
　"공장은 그냥 놔둬?"
　"일단 오늘은 라인 좀 세우시라고……."
　자리에서 일어나던 은현은 순간 현기증이 일어 테이블 모서리를
붙들었다. 저편에 곧 울음을 터뜨릴 것 같은 표정의 초은이 보였다.
이제까지 초은을 보아오며, 저런 얼굴은 처음이었다. 쓰린 통증이

가슴을 스쳤다.

"그리고…… 나가기로 했던 광고들 잠정 중단해."

은현은 왼쪽 가슴을 손으로 짚었다. 작고 단단한 상자가 아프게 만져졌다.

"지금 중단하면 언제 다시 스케줄 잡힐지 모르는데."

"법무팀, 마케팅팀 호출하고, 박 실장은 따라 들어와. 한 비서, 오늘 일정 다 취소하고."

집무실로 걷는 몇 걸음, 바닥이 지진이라도 난 것처럼 흔들렸다. 조금 전까지만 해도 모든 것이 완벽한 아침이었는데, 지금은 마구 흔들린 케이크 상자처럼 엉망진창이었다.

그 몇 분 사이에.

"절대 우연이 아니야."

은현이 어금니를 으득 깨물었다. 경원도 무겁게 고개를 끄덕였다.

아무리 사람 생각이 다 거기서 거기라지만, 이렇게까지 비슷할 수는 없었다. 인체 공학적인 설계, 경량화를 위한 신소재 접목, 휴대성을 높이기 위한 무선 블루투스 기능, 하다못해 트렌디한 레트로풍 디자인과 휴대용 파우치까지.

"고글뿐만이 아니야. 출시 타이틀 봤어?"

"그래…… 로운테크 쪽에서만 새어 나간 게 아니야. 아주 작정을 했어."

고글과 함께 출시된 타이틀도 장르와 콘셉트, 개수까지 동일했다.

"이렇게 되면 여러 가지로 골치 아파지는데. 법정 분쟁에 들어가면 돈과 시간 싸움에, 나중에 결론이 어떻게 되더라도 아류 소리 듣기 딱 좋군."

"그래도 손 놓고 있을 수는 없잖아. 그동안 들어간 개발비, 시간, 노력…… 일단 특허 침해 여부부터 차근차근 챙겨보자. 응?"

"젠장…… 뭐 같군……."

은현이 씹어뱉듯 중얼거렸다. 이거야말로 기껏 죽 쒀서 개 주는 꼴이 되었다. 단순한 기분상의 문제가 아니었다. 그동안 들어간 막대한 투자금, 밤잠 설쳐가며 개발에 매달린 직원들의 노고, 협력업체인 로운테크와 생산 공장까지.

대학 시절 선배에게 맞은 뒤통수는 제 개인의 좌절이었다. 하지만 지금은 여기 걸려 있는 인생이 대체 몇 명인가. 그리고 그 모든 책임은 은현의 몫이었다.

은현은 거칠게 마른세수를 하던 손을 떼어 내며, 몸을 바로 세웠다.

"급한 수습은 놔두고, 경원이 넌 누가, 언제부터, 왜, 어디까지 저지른 건지 샅샅이 알아봐."

"휴…… 왜 그런 건지는 빤하지 않아?"

그렇다. 다른 곁가지 이유야 뭐가 됐든, 결론은 돈일 것이다.

그 지긋지긋한 돈.

"작은 거 하나라도 빼놓지 말고, 최대한 서둘러."

"그래, 알았다."

똑똑.

경원이 방을 나가려는데, 마침 작은 노크 소리가 나더니, 문이 열렸다. 초은의 작은 얼굴이 창백했다.

"오늘 일정은 다 정리되었습니다. 그리고 로운테크에서 2시간 내로 특허 사항 확인해서 방문하기로 했습니다."

서둘러 나간 경원을 대신해, 초은이 은현의 곁으로 다가왔다. 걱정스레 저를 살피는 눈빛이 조심스러웠다.

"……미안해."

"왜…… 저한테 사과…… 하세요?"

초은의 목소리가 떨렸다. 천하의 한 비서가 저런 목소리를 내는 것은 처음이었다. 은현은 초은에게 그런 목소리를 내게 한 것이, 그런 표정을 짓게 한 것이 미안했다. 그리고…….

"오늘 영화는 취소해야겠군."

"지금 그게 중요해요? 영화야 언제든지 볼 수 있잖아요."

어이없다는 듯 웃는 목소리가 울먹이는 것 같았다.

은현은 제 왼쪽 가슴에 다시 한번 손을 얹었다. 작고 단단한 상자의 감촉. 처음 샀을 땐 발열 기능이라도 있는 것처럼 온몸을 따스하게 데워주더니, 지금은 마치 차가운 돌덩이처럼 느껴졌다.

가진 것 하나 없었던 과거나 까칠한 성격, 삐뚤어진 입. 제 부족했던 모든 것이 초은 앞에서 초라했던 적은 없었다. 하지만 저를 이 자리에 있게 한, 단 하나의 자부심. 열정과 능력이 무너질지도 모르는 위기에서, 은현은 너무 자존심이 상하고 부끄럽고 미안했다.

"젠장, 정말 바보 천치가 따로 없군."

"괜찮을 거예요."

"……."

그녀에게 위로를 받는다는 것이 화가 났다. 은현과 초은이 함께할 평생에 있어, 가장 의미 깊은 날이 될 예정이었다. 제 부주의함과 부족함이 모든 것을 무너뜨렸다는 생각에, 은현은 괴로웠다.

-대표님, 법무팀과 마케팅팀 팀장 도착했습니다.

"들여보내."

보윤의 키폰에 바로 대답한 은현은 손바닥으로 얼굴을 쓸어내리며 자리에서 일어났다.

"신속 정확하게 수습해 보자. 한 비서는 나가서 오늘 사내 인트라넷에 올릴 공지문 초안 작성해봐."

"네, 알겠습니다."

집무실 문이 성급하게 열리더니, 법무팀과 마케팅팀 팀장이 뛰다시피 들어왔다.

초은은 그들에게 목례를 하고 방을 나섰다. 회사에 닥친 위기보다 그 모든 것을 어깨에 얹은 은현이 걱정되었다. 하지만 지금은 발만 동동 구르고 있을 시간이 없었다. 부지런히 움직여야 할 때였다.

팀장들과의 논의는 기약 없이 길어졌다. 실무진과 함께 들어온 로운테크의 정 대표가 합류하고도 뾰족한 결론은 나지 않는 듯싶었다.

교묘하게 허점을 파고들어 미꾸라지처럼 빠져나간 특허법. 이런저런 기업에서 잔뼈가 굵은 법무팀 공 변호사도 고개를 절레절레 흔들 정도였다.

게다가 상대인 LM전자는 국내에서 손가락에 꼽히는 거대 기업이다. 법정 분쟁에 들어간다 해도 어려운 싸움이 될 것이 빤했다. 한마디로 다윗과 골리앗이었다. 더군다나 레드핏도 로운테크도 정보와 기술이 빠져나간 경로를 짐작조차 하지 못하고 있었다.

초은은 몇 번이나 자료와 차를 준비해 집무실을 드나들었다. 그리고 그때마다 사람들의 얼굴에서 본 것은 오직 막막함과 피로감뿐이었다.

뾰족한 결론도 없이 시간이 흘렀다. 오후가 되자 레드핏 각 팀의 책임자들이 모두 모인 긴급회의가 열렸다. 앞으로의 대처와 행보를

정하기 위해서였다.

밤늦도록 이어진 회의에서 나올 결정은 뻔했다. 그 어떤 실마리도 잡지 못했으니, 제품 출시의 모든 절차는 잠정 연기되었다. 지친 얼굴로 회의실을 나서는 팀장들은 그 어떤 사담도 나누지 못할 정도로 경직되어 있었다.

"대리님, 어떻게 되는 거예요? ……회사가 잘못되지는 않겠죠?"

은현이 집무실에서 여기저기 통화를 하는 모양이었다. 키폰에 쉴 새 없이 들어와 있는 불빛을 보며 보윤이 울상을 지었다.

"설마요. 우리 대표님이 어떤 분인데……. 사태가 심각하긴 하지만, 어떻게든 해결될 거예요."

"아니…… 이번에 워낙 개발비도 오버해서 많이 들어가고, 제품 출시도 늦어지고 해서……."

보윤과 우신의 대화를 들으면서도, 초은은 아무런 예측도 해줄 수 없었다.

"오늘 더 할 수 있는 일은 없는 것 같으니까, 보윤 씨랑 우신 씨는 일단 퇴근해요."

"네? 그래도 어떻게……."

"집에 가서 쉬고, 내일 좀 일찍 나와요. 내일은 더 바빠질지도 모르니까."

"네……."

보윤과 우신은 미적거리는 태도로 가방을 챙겨 사무실을 나섰다.

불안한 한숨을 내쉬던 초은은 이내 표정을 정리했다. 탕비실에서 미리 사 두었던 죽을 데우고, 물잔과 수저를 챙겼다.

"대표님, 들어가겠습니다."

"아, 한 비서. 박 실장은 아직 연락 없고?"

책상에 팔꿈치를 대고 이마를 짚고 있던 은현이 몸을 바로 했다. 흐트러진 머리칼, 그늘이 진 눈가, 메마른 입술. 하루 새 지치고 상한 그의 모습.

초은은 가슴 한중간에 돌멩이가 덜컥 걸린 것 같은 통증을 애써 억눌렀다.

"제가 나가서 연락해 보겠습니다."

"그래."

"그리고, 이거 좀 드세요."

은현은 초은이 내려놓는 트레이를 물끄러미 내려다보았다.

"별로 입맛이 없는데."

"오늘……."

초은은 울컥 치미는 응어리를 가라앉히느라 잠깐 말을 멈췄다.

"아무것도 드시지 않았어요."

"그랬나?"

"네. 일이 수습될 때까지 당분간 정신없으실 텐데, 식사는 챙겨 드셔야 일을 하시죠."

"한 비서는 뭐 좀 먹었어?"

"네. 저는 다 챙겨 먹었으니, 걱정 마시고요."

은현은 내키지 않는 표정으로 숟가락을 들었다.

"내가 환자도 아닌데 웬 죽이야? 얼빠진 놈처럼 내 거 도둑질당했다고 몸도 아픈 사람 취급이야? 안타깝게도 하는 짓은 등신 같아도, 체력은 남아돌고 몸은 멀쩡하다고."

"오늘 온종일 굶어서 빈속인 데다, 신경이 곤두선 상태라 혹시라도 위가 부대낄까 봐 일부러 준비했어요. 내키지 않더라도 그냥 드세요."

오랜만에 튀어나온 삐딱한 말에도 초은은 담담히 대꾸했다. 은현은 더는 다른 말 없이, 고분고분 죽을 떠서 입에 밀어 넣었다.

"밍밍하고 더럽게 맛없어."

"그래도 다 드세요. 드시고, 말씀해 주시면 치우러 오겠습니다."

"초은아."

뒤돌아 문을 나서려던 초은이 멈칫하며 다시 돌아보았다.

"나, 이 정도로 무너지지 않아. 알지?"

"그럼요. 은현 씨가 어떤 사람인데요."

초은은 빙긋 웃어 보이며 방을 나섰다. 하지만 문을 닫자마자 웃음기는 씻은 듯이 사라졌다.

초은은 문에 등을 기댔다. 은현을 잘 알지만, 이번 일에는 복잡하게 얽혀 있는 사람들이 너무 많았다. 그가 이대로 주저앉을 사람은 아니었지만, 어떤 식으로든 회복하기까지 쉽지는 않을 것이다. 그리고 그 과정에서 힘들어할 은현을 생각하면, 가슴이 먹먹해지는 것이었다.

다음 날이 되어도 상황은 그리 변하지 않았다.

이른 아침부터 전 부서의 팀장들이 모여 릴레이 회의를 이어갔다. 전날 밤늦게 지친 얼굴로 돌아왔던 경원은 오늘도 계속 외부에 나가 있었다. 다른 것이 있다면, 이번 프로젝트에 투자한 투자처에서 연락이 오기 시작했다는 것이었다.

비서실 직원들도 회의실에서 요구하는 자료를 준비하고, 도시락을 주문하는 등 바쁘게 움직였다. 점심은 교대로 다녀오기로 했다.

비상사태이기 때문에 최대한 짧은 시간에 식사를 마치고 돌아와야 했다.

초은은 기운 없는 발걸음으로 직원 식당에 들어섰다. 평소와 다름 없이 동그란 안경을 쓰고 머리를 똘똘 말아 올린 다민이 기다리고 있었다.

"야, 좀 푹푹 떠먹어라. 보는 사람 심란하게."

깨작깨작 국물을 떠먹는 초은을 다민이 타박했다.

"너무 신경을 써서 그런가, 입맛이 없네."

"그럴수록 잘 먹어야지. 그리고 지금 레드핏 직원들이 지켜보고 있다."

초은은 정신이 번뜩 들었다. 눈동자를 데구루루 굴려보았다. 식당 에 있는 직원들이 제 쪽을 힐긋거리는 것이 여실히 느껴졌다. 그러 고 보니 평소에도 시끌벅적한 직원 식당의 소음이 어째 낯설게 들리 는 것 같았다.

초은은 힘없이 늘어져 있던 몸을 바로 세우고 밥을 한 숟갈 푹 떠서 입에 넣었다. 누가 뭐래도 초은은 대표이사의 전담 비서였고, 사람들은 그녀의 태도로 지금의 상황을 판단할 테니까.

"너네 팀 사람들은 뭐래?"

"어제부터 분위기가 좀 그랬는데, 오늘 아침에 인트라넷 공지문 보고는 다들 어수선하지 뭐."

"이상한 말 도는 건 없고?"

"아직 그런 건 없는데, 벌써 이직 얘기 꺼내는 사람도 있고. 그런 데 대부분은 좀 두고 보자는 쪽이야."

"휴……."

어쩌면 당연한 일일지도 모른다. 평균 이직률이 그 어디보다 높은 업계였다. 레드핏의 평균 근무 연수가 오히려 특이한 케이스였다. 근무 여건이나 복지가 남다른 것은 부차적인 이유였다. 무엇보다 개개인의 작업이 성공적인 결과로 이어진다는 성취감이 크게 작용한 것이었다.

AG 프로젝트가 뜻밖의 위기에 직면하긴 했지만, 그것 말고도 진행 중인 프로젝트가 몇 개인가. 연쇄적인 위기를 막기 위해서라도 인력의 유출은 최대한 막아야 했다.

"야, 정다민. 넌 어쩔 건데?"

"응? 뭘?"

달걀말이를 한입에 쏙 집어넣던 다민이 뚱한 표정을 지었다.

"직장 말이야. 너 정도면 맘만 먹으면 어디든 갈 수 있는 거 아냐?"

"야야, 됐어. 만사 다 귀찮아. 그리고 여기만큼 근무 여건 좋은 데가 어딨다고."

"그렇지?"

"야근이 좀 심하게 많아서 그렇지."

"……."

"프로젝트가 끊이지 않아서 좀 더 그렇긴 하지만."

"……."

"농담이야. 인상 좀 펴라. 다들 너 지켜보고 있다니까."

이년이, 안 그래도 울적한 친구를 들었다 놨다 하고 있어.

초은은 국물을 떠먹으며 다민을 흘겨보았다.

"어쨌든, 나는 회사 망하기 전까지는 그냥 있으련다."

"야, 망하다니. 빨리 퉤퉤퉤 안 해?"

"얘가, 왜 이렇게 소심해졌어. 그나저나 상황은 어떻게 되는 거니? 신 팀장은 회의 핑계로 자리에 잘 들어오지도 않고. 이러다간 온갖 악성 루머 도는 것도 시간문제겠어."

궁금한 것이 당연했다. 오전, 사내 인트라넷에 올린 공지문에는 세부적인 내용은 언급되지 않았으니.

"나도 모르겠다. 쉽게 수습될 것 같진 않아."

초은의 한숨이 길어졌다. 수습은커녕, 어쩌면 막대한 돈과 시간이 들어간 프로젝트 자체를 폐기해야 할지도 몰랐다.

"어, 나 호출 들어온다. 가 볼게."

초은이 핸드폰을 들여다보더니, 다급하게 자리에서 일어났다.

"그래, 친구야. 힘내고. 밥 꼭 챙겨 먹고 다녀."

다민은 착잡한 심정을 감추고, 초은에게 손을 흔들어 보였다.

레드핏 직원이라면 누구라도 불안한 것이 당연했다. 하지만 지금 가장 괴로운 사람은 회사의 대표인 은현과 그를 곁에서 지켜봐야 하는 초은일 것이다.

종종걸음으로 사라지는 초은의 뒷모습을, 다민은 안쓰럽게 바라보았다.

/

어쩌면 결말은 정해져 있었는지도 모른다.

금요일 퇴근 무렵. 대표이사실을 찾아온 연아를 보며, 초은은 문득 그런 생각이 들었다.

"대표님 계시죠?"

"네."

"박 실장한테도 들어오라고 연락 좀 해줘요."

연아는 비장한 표정을 지으며 은현의 방으로 향했다. 이번엔 연아의 도를 넘은 지시가 기분 나쁘지 않았다. 개인적인 감정이야 어떻든 그녀 역시 한배를 탄 공동운명체였으니까.

초은의 연락을 받은 경원은 안 그래도 회사로 들어오던 길이라고 했다. 경원이 도착하고, 세 사람은 은현의 집무실에서 한동안 나오지 않았다.

"예전에 같이 일하던 동료와 우연히 연락이 닿았는데, 지금 토론토 '굿바이킹'에서 프로그래머로 근무해."

"그런데?"

은현은 피로가 쌓인 얼굴로 소파에 기댔다. 굳이 찾아와 이야기를 꺼내는 걸 보면 아주 생뚱맞은 내용은 아닐 것이다. 경원도 심각한 얼굴로 연아의 말에 귀를 기울였다.

"얼마 전에 한국인 아티스트가 입사했나 봐. 얘기를 들어보니 아무래도 홍 팀장 같았어."

"뭐? 홍 팀장은 미국에 공부하러 간다고 하지 않았어?"

경원이 대뜸 외치자 연아도 고개를 끄덕였다.

"그래서 이상해서 좀 알아봤는데, 홍 팀장 남편이 영현산업이라는 곳에 근무했었대. 그런데 거긴……."

연아는 말을 끊었지만, 그 자리에 있던 사람들은 모두 굳어버렸다. 긴 시간을 함께한 이들이기에, 영현산업과 은현의 관계도 알고 있었다.

"그냥 단순한 우연일 수도 있고, 이게 무슨 연관이 있는지 아직은 모르겠지만……."

"충분히 의심스럽군."

은현이 무겁게 입을 열었다.

모든 연결 고리가 드러난 것은 아니지만, 은현에게도 감이 있었다. 겨우 잡힌 실마리를 잡아당기면, 딸려 올 사실들. 제각각 어떤 의도와 목적을 가지고 어떻게 움직였는지. 흐릿하게나마 형태가 보이기 시작했다.

"박경원. 움직여."

"알았어."

경원은 핸드폰을 꺼내 들며 자리에서 일어섰다. 이제까지는 사막에서 바늘 찾기에 가까운 일이라 갈피를 잡지 못하고 있었다. 이젠 어디서부터 캐고 들어가야 할지 감이 잡히기 시작했다.

"뭐든 나오는 대로 연락할게."

경원의 등 뒤로 재빠르게 문이 닫혔다. 연아는 은현을 지그시 바라보았다. 정상을 눈앞에 두고 매번 좌절을 겪는 그가 너무도 안타까웠다. 그래서 늘 곁에 있어 주는 존재가 되고 싶었는지도 몰랐다.

"은현아."

"그래, 신연아. 네 덕분에 이제 뭔가 좀 감이 잡힌다."

둘은 잠시 말이 없었다. 서로가 같은 생각을 하고 있다는 것을 알고 있었다. 진실이 밝혀진다 해도, 결과가 크게 달라지지 않으리라는 것을. 이미 빼앗긴 것을 되찾을 방법은 없다는 것을.

"머릿속이 복잡하겠지만, 최대한 손실을 줄이는 쪽으로 하자. 불필요한 낭비는 하지 않는 게 좋겠어."

"불필요한 낭비라……."

"네 마음 다 알아. 하지만 지금 중요한 건 위기를 어떻게 극복하느냐잖아."

아니, 연아는 알 수 없었다. 이 프로젝트가 완성되기까지 얼마나 많은 노력과 열정을 쏟아부었는지.

돈과 시간의 문제가 아니었다. 레드핏 직원 한 사람, 한 사람의 무게가 어느 정도인지. 그걸 오롯이 짊어지고 있는 은현의 마음이 어떤지. 연아는 결코 알 수 없었다.

"선택과 집중. 현실적으로 판단해."

"……."

은현은 괴롭게 얼굴을 쓸어내렸다. 알지만, 그 짐을 덜렁 내려놓는 것도 쉬운 일은 아니었다.

"은현아, 누가 뭐래도 난 네 편이야. 항상 그랬잖아."

"그래. 알고 있어. 고맙게 생각해."

"이번에도 그래. 경원이도, 나도 이대로 무너지도록 두고 보지는 않을 거야. 우리가 힘이 될 테니까."

"……."

"그러니까 잘 선택하자."

며칠 새 날렵해진 목선에서 도드라진 울대가 힘겹게 오르내렸다. 은현은 겨우 고개를 끄덕였다.

모든 것을 책임지는 위치에서, 자신이 내리는 선택이 어떤 의미인지 누구보다 잘 알고 있었다.

"그래. 그럼 나도 좀 더 알아볼게."

"그래, 수고해."

연아는 은현의 어깨를 두드리고는 방을 나섰다.

이틀 새 생긴 습관처럼, 은현은 팔꿈치는 무릎에 대고 손으로 이마를 받쳤다. 재킷의 왼쪽 가슴께에 들어 있을 작은 상자가 자갈처럼 덜그럭거리는 느낌이었다.

이것을 초은에게 건네줄 행복한 순간은 언제 다시 찾아오는 걸까. 사실 저에게 그런 행복이 오기나 할지, 이젠 조금은 지치는 것 같았다.

하지만 이대로 포기할 순 없지. 외모도 능력도, 누구보다 뛰어나지만, 무엇보다 뛰어난 것은 강은현의 근성 아닌가.

은현은 에너지를 풀로 충전한 것처럼 자리에서 벌떡 일어났다. 지금은 그 어느 때보다 힘차게 움직일 때였다.

드러난 진실은 의외로 단순했다.

연아의 말대로 홍 팀장은 남편과 함께 토론토로 이주했다. 경원이 모든 인맥과 정보를 총동원해 알아낸 사실은 그랬다.

홍 팀장의 남편인 진해민은 영현산업에서 부장급으로 근무하고 있었고, 그의 남동생이 로운테크의 연구원이었다.

진해민은 영현산업 대표인 동완과 대학 선후배 사이기도 했다. 이 연결 고리가 사건을 가능하게 한 핵심 관계였다.

"대체 영현은 이 일에서 얻는 게 뭐야? 나한테 엿 먹이는 게 유일한 목적은 아니었을 거 아냐."

"고글 생산 라인……. 정동완이 맡았대."

"하……."

"영현이야 너희 아버님 때부터 LM전자에 쌓아 온 신뢰가 있고, LM에서는 그냥 앉아서 굿도 보고 떡도 먹고 한 거지. 알아서 움직여 주니까."

대기업의 그런 더러운 습성은 은현도 익히 아는 일이었다. 하지만 동완이 그렇게까지 저를 궁지에 몰아넣을 줄은 몰랐다. 그저 저는 저대로, 그는 그대로. 남남처럼 서로에게 관심을 두지 않고 살면 된다고 생각했다.

상상하지 못했던 지독한 악의에, 은현은 충격을 받았다.

"그래. 다 좋아. 도대체 어디, 누구부터 시작된 거야?"

"놀라겠지만……."

"……."

"홍 팀장 부부."

은현은 숨이 멎는 것 같았다. 제각각 얻는 이득이 있었지만, 다름 아닌 제가 데리고 있던 직원이라니. 그것도 무척 믿고 든든하게 여겼던 그녀라니.

"대체 왜!"

은현은 꽉 막힌 목에서 겨우 비틀린 쇳소리를 뱉어 냈다. 사람에게 뒤통수 맞는 일은 익숙하다고 여겼는데, 여전히 가슴을 찌르는 거친 쇠꼬챙이 같았다.

"후……."

"……."

"홍 팀장 아이가 희귀병이래. 들어가는 돈도 돈이지만, 여기서는 치료 자체가 어려운가 봐."

"하……."

"캐나다 정착과 치료를 놓고 LM과 딜한 모양이더라."

그래서 뭐? 목숨보다 소중한 아이를 위해 선택한 일이다? 그걸 이해하고 용서해야 하나?

제 가슴에 박힌 못이 아프다고 함께 동고동락했던 동료 수백을 외면하다니. 어떻게 그렇게 비겁하고 냉혹할 수가.

펄펄 끓는 용암이 순식간에 머리끝까지 차오른 것 같았다. 꽉 말아쥔 두 주먹이 부들부들 떨렸다.

"법무팀 소집해."

일이 터지고 벌써 며칠째.

토요일이었지만, 아마 레드핏의 직원들은 쉬어도 쉬는 것 같지 않은 주말일 터였다.

"알았어."

경원은 침착하게 고개를 끄덕였다.

피해액 검토, 책임 소재, 증거 확보, 법정 공방의 방향……. 법무팀과의 회의는 주말 내내 이어졌다. 그러는 사이에도 새치기당한 LM전자의 신제품은 게임 유저들 사이에서 이슈가 되었다. 각 SNS에는 비밀리에 모집했던 체험단의 후기가 속속 올라오기 시작했다.

흐르는 시간은 레드핏에게는 맹독이었다. 멈출 수 없는 자연의 섭리가 원망스러울 뿐. 은현과 부서장들의 회의는 격론의 연속이었다. 주말 내내 자리를 지킨 초은은 이따금 회의실 밖으로 삐져나오는 고성에 흠칫 몸을 떨기도 했다.

기획과 프로그래밍을 담당한 실무 부서는 격분했다. 그도 그럴 것이 그들의 피와 땀, 눈물로 이루어진 작품을 한순간에 빼앗긴 것이다. 책임을 지고 벌을 받을 대상이 분명 필요했다. 그들은 모든 증거를 확보해 가장 강력하게 대처하고, 잃어버린 부와 명예를 되찾을 것을 요구했다.

한편 마케팅을 비롯한 스태프 부서와 법무팀은 조금 냉정한 입장이었다. 물론 개발팀의 심정을 헤아려, 의견을 강하게 내지는 않았지만. 이쪽의 의견은 객관적으로 판단해 피해와 낭비를 최소화하자는 것이었다.

선택은 은현의 몫이었다. 그 어느 쪽의 의견도 틀렸다고 할 수는 없었다. 섣불리 결정할 수 없는 일이었다. 일에 있어서는 늘 거침없이 판단하고 행동했던 은현이라도.

"넌 어떻게 생각해?"

심란한 눈으로 은현이 불쑥 물었다. 위스키가 든 잔을 뱅글뱅글 돌리는 손이 위태로웠다.

합의가 이루어지지 않은 토론이 흐지부지된 것은 늦은 밤이었다. 그때까지 제 업무에 충실했던 초은을 집으로 보내고, 은현과 경원은 단골 바에 나란히 앉았다.

"글쎄……. 쉽지 않은 문제지."

"너한테 결정하라고 하지 않을 테니까, 편하게 말해 봐."

"흠……."

경원은 주먹을 턱에 고이며 잠시 고민하는 척했다.

"넌 개발자 출신이니까, 어떻게 생각할지 몰라도."

"……."

"사실 자존심 생각 안 하고 회사만 생각하면 법무팀 말이 맞지."

대기업 경영기획실 출신의 의견이다. 회사를 책임진 사람이라면 그의 말을 잘 새겨야 할 것이다.

"너도 신연아랑 같은 생각이네. 둘 다 똑똑한 놈들이야."

"신연아가 그래? 걘 개발부서면서 별일이네."

"그러게……."

"하지만 이쪽 선택에도 리스크는 있어. 우리 업계가 직원의 능력이 가장 큰 재산이잖아. 특히 개발부서에는."

"그렇지. 그리고 우리 레드핏만큼 인재들이 모인 곳도 드물지."

"그러니까. 안정적인 선택을 했을 때, 직원들이 받을 정신적인 상처를 어떻게 케어할 것인지, 인력 손실은 어떻게 최소화할 것인지."

"음……."

"사실, 그건 그동안 너와 회사가 직원들에게 쌓았던 신뢰에 달려 있다고 생각한다."

은현은 무겁게 고개를 끄덕였다. 크든 작든, 이직 사태를 아예 피할 수는 없을 것이었다.

그와 직원들 사이의 신뢰라. 능력과 성취에 늘 자신만만했던 은현이다. 그것도 이번 사건으로 무너져버렸지만.

직원들에게 어떻게 대했던가. 그들이 저에게 가지는 감정은 어떠할까. 아무리 생각해 봐도 늘 제멋대로 비아냥거렸던 제 삐딱한 주둥이밖에 떠오르지 않았다.

인사팀장의 책상에 가득 쌓인 사직서가—물론 현실은 전자결재로 처리되겠지만—절로 떠올랐다.

"휴……. 자업자득인가."

"뭔 소리야. 어떻게 다 네 책임이냐? 너무 자책하지 마라. 건강에 안 좋다."

잘못 짚었지만, 오랜 친구의 위로는 따스했다.

"이럴 때일수록 건강 잘 챙겨야 끝까지 책임질 거 아냐."

그래. 고맙다, 이 자식아.

끝까지 책임을 지우려는 그 마음도 고맙고.

"그래서. 넌 결정은 한 거야?"

"그래. 양쪽 의견은 충분히 듣고 이해했고, 판단했어. 더 시간만 끌어 봐야 뾰족한 수가 나오는 것도 아니고."

"네 말이 맞다."

은현을 보는 경원의 눈에 희미한 감탄이 서렸다. 오랫동안 함께해 온 친구였지만, 새삼 대단하다는 생각이 들었다. 이런 절체절명의 상황에서도 감정에 휘둘리지 않고 단호한 결정을 해낸다는 것이.

아마도 그가 이제까지 겪어온 많은 고난이 그를 단단하게 한 것이 분명했다.

"네가 어떤 결정을 하든, 난 네 편이다. 알지?"

"그것도 신연이랑 똑같은 소리네. 둘이 짰냐?"

"야, 이 자식아. 이럴 땐 좀 감동도 하고 그러는 거 아냐?"

"……고마워. 항상."

아니, 뭐 이래. 시킨다고 또 고분고분 감격해주니까 기분이 더 찜찜하잖아.

경원은 어쩐지 코끝이 매워지는 것 같아, 짐짓 은현의 어깨를 탕탕 두들겼다. 손바닥에 느껴지는 근육이 무척이나 단단해서 한결 안심되었다.

사상 초유의 제품 유출 사태. 채 일주일도 되지 않아 레드핏은 모든 대처 방향을 결정했다. 회사가 뿌리째 흔들린 충격임을 생각하면 무척이나 신속했다.

"볼품없이 꼬리를 내리고 포기하는 것이 아닙니다."

새파랗게, 새하얗게, 또는 시뻘겋게 변한 색색의 팀장들 앞. 은현은 한 마디, 한 마디에 무게를 담았다.

"레드핏의 창립 이래 가장 심각한 위기 상황이라는 것을 겸허히 인정합니다. 하지만 지금의 결정은 회사가 좀 더 안정적으로 지속되기 위한 최선의 선택입니다."

분하고 억울하기로 따지자면 은현만 한 사람이 있을까. 미치고 팔짝 뛸 정도였다. 하지만 대기업의 돈과 권력을 상대로 기약 없는 싸움이었다. 레드핏이 그 시간과 비용을 감당하기에는 출혈이 컸다.

게다가 이긴다고 한들, 얻어 낼 것이 없었다. 뒤늦은 명예 회복은 대중들의 관심 밖일 것이고, 그들에게 남는 것은 상처뿐인 영광이겠지. 개발부서에서도 그 사실을 모르는 것은 아니었다. 단지 울분을 풀 계기가 필요했던 것뿐.

"이해는 하지만 받아들이기 힘든 부분, 또는 수긍하기 어려운 부분이 있을 것입니다. 하지만 고심하여 판단한 것이라 이해해 주길 바랍니다. 이제부터는 향후 대책에 대해 말씀드리겠습니다."

은현은 재빨리 설명을 이어갔다.

"우선 이번 개발에 투자된 비용과 관련된 부분입니다. 아시다시피 유례없는 막대한 개발비가 들어갔고, 고스란히 허공에 날린 꼴이 되었습니다."

은현의 포장 없는 표현은 스스로를 향한 자조이기도 했다.

"로운테크에 기술이 빠져나간 책임을 물어, 고글 제작 비용 일체를 부담하기로 협의했으며, 상대 업체에 대한 대응과는 별개로 우리 게임 콘셉트를 유출한 홍미현 팀장에 대해서도 법적 조치를 취할 것입니다."

이 부분에서 은현은 가슴이 아팠다. 홍 팀장의 상황 때문이 아니었다. 그녀의 상황을 이해하지만, 공감하고 받아들일 정도로 은현은 마음이 넓지 않았다.

한때 믿고 함께 간다 생각했던 동료의 배신이 뼈아팠고, 어쨌든 그녀에게 죄를 묻게 된 상황이 씁쓸했을 뿐.

"그리고 가장 큰 문제는 이 프로젝트에 투자한 투자처의 대응입니다."

안 그래도 가라앉아 있던 회의장의 공기가 검은 물감을 푼 것처럼 탁해졌다.

"완성되지 못한 프로젝트를 이유로, 아마도 투자금 반환을 요구하는 곳이 대부분일 것입니다. 투자된 비용에 대해서는 다음 프로젝트를 통해 수익을 창출하도록 설득하는 것이 제 역할입니다."

멍청히 앉아서 이런 등신 같은 일을 당한 제가 할 수 있는 최선의 일이었다.

"회계팀에서는 현재의 재무 상황에 대한 정리 자료를, 마케팅팀에서는 지금 진행 중인 프로젝트에 대한 설득력 있는 프레젠테이션을 준비해 주시기 바랍니다. 이번 일로 대표인 저에 대한 불신이 생겼을지 모릅니다. 여러분들의 신뢰를 회복할 수 있도록 최선을 다하겠습니다."

잠시 말을 끊은 은현은 망설였다. 마지막으로 할 말은, 쉽사리 소리가 되어 나오지 않았다.

사람에게 당한 상처를 깊었고, 그래서 누구도 쉽게 믿을 수 없다고 생각했다. 그의 마음속 울타리에 들여놓은 사람은 극소수라 여겼다. 하지만 이렇게 되고 보니 다 틀린 말이었다.

그와 함께 레드핏을 이루고 있는 직원 하나하나가 모두 제 뼈와 살을 이루고 있는 느낌이었다. 그래서 마지막 말은 핏물을 뱉어 내는 것 같았다.

"혹시나 이번 일로 저와 회사를 더는 믿지 못하게 된 직원이 있다면, 우선을 최선을 다해 설득하겠습니다. 그래도 그 결심이 확고하다면…… 이직이든, 연구든, 제가 도울 수 있는 모든 방법으로 도울 것을 약속드립니다. 급여나 복지에 있어서 아무것도 변하지 않을 것 또한 약속드립니다."

회의가 끝나고도 침울한 정적은 한동안 이어졌다. 복잡한 심경은 오히려 어떤 말도 할 수 없게 만들었다. 불안함과 원통함, 결연함 따위의 감정이 뒤섞인 얼굴들이 하나둘 자리를 떴다.

"잘 결정했어. 힘내자."

마지막으로 연아가 은현의 등을 두드리고 나갔다. 은현은 한참 자리에서 일어나지 못했다.

"대표님."

초은이 들어오고서야 은현은 겨우 고개를 들었다.

"아, 한 비서."

"수고하셨어요. 합리적인 결정이었습니다."

"……이제부터가 문제야. 이제부터 외부 일정으로 바빠질 텐데."

"언제는 안 바쁘셨나요. 대표님이라면 잘 해결하실 거예요. 그러니까……."

은현은 알고 있었다.

초은의 목소리가 담담한 것은 최선을 다한 노력의 결과인 것을. 평소와 다름없는 단아한 목소리 뒷면의 가는 떨림을.

은현은 곁에 선 초은의 가슴께에 가만히 이마를 댔다. 며칠간 겪은 압박감은 무쇠와 같은 그의 신경을 야금야금 갉아먹었다. 그는 무척이나 지쳤고, 잠시라도 안식과 위로를 얻고 싶었다.

"그러니까 지금은 조금 쉬어요. 그래도 괜찮아요."

제 머리를 안아 주는 초은의 품이, 낮은 심장 소리가 포근했다.

언제나 그랬듯, 초은은 제가 원하는 것을, 제게 필요한 것을 모두 알고 있었다.

/

네 번째 투자자와의 미팅은 몇 시간이나 이어졌다. 개인으로 이루어진 투자였고, 따라서 개인의 의사로 모든 것이 결정되는 상황. 모 아니면 도인, 그래서 더 다루기 까다로운 상황이었다.

투자자는 도무지 속을 알 수 없는 표정으로 은현의 프레젠테이션을 지켜보았다. 그리고 소개된 프로젝트에 대해 몇 가지 질문을 던졌다. 어떤 생각을 하고 있는지, 어떤 불안 요소를 고려하고 있는지. 제 생각은 한 마디도 비추지 않은 채, 생각을 해보겠다고 했다.

너무 집요하게 구는 것도 마이너스였다. 절박해 보이는 것은 상대방의 불신을 키울 뿐이니까.

은현은 경원과 눈빛을 한 번 교환한 후, 자리를 정리했다. 큰 미련 없이 시크해 보이는 것이 중요했다.

"그럼 이른 시일 내 결정한 후 연락 드리겠습니다."

"처음의 의도에서는 의도치 않게 벗어났지만, 오히려 더 좋은 기회가 될 것을 약속드립니다. 답변 기다리겠습니다."

투자자가 내민 손을 가볍게 잡았다. 손바닥에 땀이 배지는 않았는지 걱정스러웠다.

건물을 나오며 팔에 걸치고 있던 트렌치코트에 팔을 꿰었다. 거리에 부는 스산한 바람이 옷깃을 파고드는 것 같았다.

"어우, 언제 이렇게 쌀쌀해졌어. 금방 겨울이겠네."

경원이 팔을 문지르며 진저리를 쳤다.

"어떤 깃 같아?"

"글쎄. 도무지 속을 알 수가 없네. 나이도 많지 않던데 능구렁이 같아."

경원도 은현과 같은 생각인지, 아리송하게 고개를 갸웃했다.

앞서 만난 세 투자처 중 한 곳은 투자금 회수를 결정했고, 다른 한 곳은 다음 프로젝트까지 지켜보기로 결정했다. 그리고 또 한 곳은 결정 유보.

"1승 1패 1무인가."

"그러게, 승률이 좋지 않네."

"오늘 건은 확실히 잡아야겠어."

호들갑 떨진 않았지만, 둘 다 가슴이 타들어 가고 있는 것을 알고 있었다. 아직 만나야 할 투자처가 몇 군데 더 있었지만, 그리 전망이 밝지만은 않았다.

은현은 그저 한순간, 한순간 최선을 다하는 수밖에 없었다.

회사로 들어오는 사이 차에서 중요한 전화가 한 통 걸려왔고, 대표 이사실 앞에는 침울한 표정의 인사팀장이 대기 중이었다. 인사팀장은 두툼한 서류철을 옆구리에 끼고 굳은 표정으로 은현과 함께 집무실로 들어갔다.

한 시간 정도 흘렀을까. 여전히 먹구름이 낀 얼굴의 인사팀장은 인사도 하는 둥 마는 둥 하며 사무실을 나섰다.

초은이 따뜻한 허브티를 준비해 은현의 집무실로 들어갔을 때. 은현은 책상에 앉아 두 손에 얼굴을 묻고 있었다. 그가 겪고 있는 좌절이 가시가 다닥다닥 박힌 선인장처럼 초은의 가슴속에서 뿌리 박은 기분이었다.

"대표님. 밖에 날씨가 꽤 쌀쌀해졌죠? 차를 준비했습니다."

목소리가 어둡진 않았을까. 이젠 그에게 건네는 한 마디에도 신경을 쓰게 되었다.

"아, 차…… 좋지. 고마워."

은현은 손바닥으로 얼굴을 몇 번이나 비볐다. 메마른 얼굴과 마찰하며 나는 버석거리는 소리가 스산하게 울렸다.

초은은 고개를 든 은현의 얼굴을 유심히 들여다보았다. 핏발이 서붉게 충혈된 눈, 거칠게 거스러미가 일어난 입술, 갸름하게 날이 선 턱선. 이제까지 한 번도 본 적 없었던 초췌한 모습에 심장이 죄어들었다.

은현의 입꼬리가 꿈틀대다 멈췄다. 초은을 향해 애써 웃어 보이려던 것을 포기한 은현은, 어금니를 사리물었다.

"인사팀장이 퇴사 희망자 명단을 가지고 왔어."

"……많…… 나요?"

"음……. 적진 않지. 하지만 생각보다는 적다고 해야 하나."

"……."

"들어오는 길에 '포스티즈'에서 연락이 왔어. 투자금 회수로 결정이 났다더군."

"……대표님."

"……이렇게 앞일에 자신이 없는 건 처음이야."

'포스티즈'는 결정을 유보했던 투자처였다. 결국 투자 철회로 결정이 난 모양이었다. 가장 큰 금액을 투자했던 곳이라 회사에서 받을 타격이 컸다.

이 순간만큼은 초은도 은현의 심정을 다 헤아릴 수 없었다. 옆도 돌아보지 않고 숨 가쁘게 쌓아 올린 거대한 탑. 그곳에 서서히 균열이 가고 틈이 벌어지는 모습을 속수무책으로 지켜봐야 하는 그 마음.

차마 아무 말도 할 수 없었다. 찻잔을 쥔 은현의 손이 잘게 떨렸다. 그 모습을 물끄러미 보던 초은은 아랫입술을 깨물었다. 몇 번이나 망설이던 일이었지만, 그냥 그를 두고 볼 수는 없었다.

"대표님. 오늘은 좀 일찍 퇴근해도 될까요?"

"응? 아…… 그렇지. 그동안 계속 퇴근이 늦어서 힘들었을 텐데. 오늘은 일찍 들어가 봐."

"별로 피곤하지 않습니다. 오늘 볼 일이 있어, 일 보고 내일은 일찍 나올게요."

"초은아, 천천히 나와도 돼. 너까지 무리할 거 없어."

"무리 안 해요. 은현 씨도 오늘은 아무 생각하지 말고 좀 쉬어요. 안색이 안 좋아요."

저도 모르게 은현의 야윈 뺨을 향하던 손을 멈췄다. 그를 동정한다는 인상을 주고 싶지 않았다.

동정이 아니었다. 초은은 세상 그 누구보다 그의 재기를 믿었다. 그저 사랑하는 그가 힘든 것이 견디기 힘들 뿐.

자리로 돌아와 퇴근 준비를 했다. 서랍에서 꺼낸 USB를 들고 잠시 망설이던 초은은, 이내 가방 안에 챙겨 넣었다.

"보윤 씨, 우신 씨. 나 오늘 좀 일찍 들어가 볼게. 마무리 잘 부탁해."

"네, 대리님. 수고하셨습니다."

"들어가세요."

보윤과 우신의 배웅을 받으며 사무실 밖으로 한 걸음 내디뎠다.

여느 때나 다름없는 그 발걸음이 유독 무겁게 느껴졌다.

/

"어머, 한초은. 그렇게 얼굴 보기 힘들더니, 연락도 없이 웬일이야?"

외숙모 은숙이 호들갑스럽게 초은을 맞았다.

"외삼촌 계시죠?"

"얘는 다짜고짜 삼촌만 찾고 있어. 퇴근하고 오는 길이야? 저녁은 먹었니?"

회사에서 평창동까지는 꽤 먼 거리였다. 게다가 퇴근 무렵이 되니 쏟아져 나온 차들이 길을 꽉 메우고 있었다.

겨우 외삼촌 댁에 도착했을 땐 꽤 시간이 흐른 후였다. 평소 별다른 일정이 없으면 꼬박꼬박 퇴근하는 외삼촌이다. 집에 도착해 있을 가능성이 컸다.

"저녁은 대충 해결했고요, 외삼촌 좀 뵈러 왔어요."

"지금 2층 서재에 있어. 뭐 중요한 얘기야? 나도 들으면 안 돼?"

"일 이야기라 외숙모는 재미없으실 거예요."

"뭘 집에 와서까지 일 얘기야. 얘기 끝나면 나랑도 좀 놀고, 시현이 오면 얼굴도 보고 그래. 온 김에 자고 가라, 얘."

"하하, 일단 외삼촌 뵙고 내려올게요."

급한 마음에 뛰듯이 계단을 올랐다.

"외삼촌!"

노크도 없이 문을 벌컥 열었는데도 상혁은 놀라는 기색도 없었다.

"이게 누구야? 한초은이! 그 비싼 얼굴을 어쩐 일로 다 보여 주니? 오늘 계 탔네."

돋보기안경을 코끝에 걸친 폼이 서류를 보고 있던 모양이었다. 혈색 좋은 얼굴과 턱과 이어지는 두툼한 목선이 그대로였다.

"외삼촌, 좋아 보이시네요."

"안 좋을 건 또 뭐 있냐. 그래, 우리 바쁜 한초은이가 어쩐 일이야?"

초은이 슬금슬금 들어가 상혁의 맞은편에 앉았다. 상혁은 안경을 끌어 내리며 씩 웃었다.

"오늘은 사업차 제안 드릴 일이 있어서 왔어요."

"어쩌나, 난 집에서는 거래 안 트는데."

"가족 찬스 좀 쓸게요."

상혁이 뭐라든, 초은은 가져온 가방에서 부지런히 노트북을 꺼내고 USB를 꽂았다. 상혁은 짓궂게 대답하면서도 초은이 실행한 프레젠테이션 자료에 눈길을 두었다.

"방에 불 좀 끌게요. 회장님도 아시겠지만, 국내 최고의 게임 회사인 '레드핏'의 투자 유치 제안서입니다."

"어이쿠, 무서워라. 무슨 배짱 좋은 회사가 투자사 회장을 상대로 프레젠테이션을 하나."

꽤 본격적으로 나서는 초은의 태도에, 상혁도 자세를 바로 세웠다. 초은이 외삼촌이 아닌, 회장님이라 부르며 나설 때는 다 이유가 있을 테니까.

초은이 꺼낸 것은 은현이 투자처를 설득하기 위해 만든 차기 프로젝트에 대한 자료였다. 초은은 차근차근 설명을 시작했다. 자료를 검토하고 수정하고 완성하는 데까지 옆에서 지켜봐 왔다. 은현만큼 능숙하진 않아도 핵심을 전달할 정도는 되었다. 진행하는 작품의 개요부터 제작비용, 타겟층과 판매방법, 마케팅계획, 예상 수익까지.

숨 한 번 깊이 쉴 새 없이 프레젠테이션이 이어졌다. 그리고 마지막 장이 끝났을 때, 상혁은 서재에 있는 소형 냉장고에서 생수를 한 병 꺼내 내밀었다.

다시 불이 켜졌다. 초은은 물 한 모금도 쉽사리 넘길 수 없었다. 상혁의 표정을 향해 온 신경이 곤두섰다.

"그런데 너, 사장 비서라면서."

"네. 대표이사 전담 비서입니다."

"너네 회사는 비서가 투자 유치도 하고 그러냐?"

초은은 잠시 말문이 막혔다.

"그렇지 않아요. 지금은 좀 특수한 상황이라……."

"그래. 내가 수많은 업체를 상대한다지만, 조카가 몸담은 회사에는 좀 더 관심이 있지. 얼마나 다급하면 네가 나를 다 찾아왔겠냐."

초은은 침을 꿀꺽 삼켰다. 가족에게는 한없이 너그러운 분이지만, 일에 있어서는 수단과 방법을 가리지 않는 사람이었다. 지금의 금융기업을 키워 낸 것도 대쪽같이 곧은 길만 걸어서 이룬 것이 아니었다.

"관심이 있으시다니 다행이네요. 그럼 제가 공들여 설명하지 않아도 아실 겁니다. 지금 상황이 조금 어렵게 돌아가고 있지만, IT 업계에서 '레드핏'만한 블루칩이 없어요. 삼한에도 좋은 기회가 될 거예요. 레드핏이 위기를 극복하도록 돕고, 그 대가를 충분히 얻어갈 수 있습니다."

"그런데, 초은아."

"네, 외삼촌."

상혁의 눈빛은 단단했지만, 표정은 부드러웠다. 초은은 그의 반응에 희망을 걸었다.

"넌 말 그대로 비서일 뿐인데 이렇게까지 하는 이유가 뭐냐?"

"그건······."

"우리 초은이가 애사심이 이렇게 뛰어난 직원이었나? 그렇다면 굉장히 탐나는 인재인데."

상혁은 이미 모든 것을 짐작하고 있었다. 원하는 것을 얻기 위해서는 가지고 있는 패를 솔직히 내보일 필요도 있었다.

"그것도 맞지만······."

"맞지만?"

"개인적인 감정 때문이라는 것을 부정할 수는 없네요."

"오호······ 개인적인 감정이라······."

"레드핏 대표이사 강은현."

"강은현 대표이사 말이냐?"

초은은 가만 고개를 끄덕였다.

"그래, 그 친구는 내가 좀 알아봤지. 우리 조카가 모시는 보스니까 말이다. 젊고 혈기왕성하고 능력 뛰어나고. 게다가 아주 미끈하게 잘생겼지. 그렇지?"

"······."

초은은 얼굴을 살짝 붉혔다. 이런 심각한 상황에서도 수줍은 마음이 드는 건 어쩔 수 없었다.

"좋다. 내일 승현이에게 방문하라고 일러둘 테니 필요한 여러 가지를 협의해 보렴."

"외삼촌……."

삼한그룹 중에서도 삼한투자를 맡은 사촌오빠 승현을 직접 보낸다니. 역시 상혁은 조카인 초은을 외면하지 않았다.

하지만 초은의 감격도 잠시였다.

"나도 조건이 있다."

상혁의 단호한 목소리가 이어졌다.

"조건…… 이요?"

"그래. 거래의 기본 아니냐. 가는 것이 있으면 오는 것도 있어야지. 내가 아무리 모험을 즐긴다고 해도, 이번 일은 너무 위험부담이 크잖니."

상혁의 말이 맞았다. 모든 거래의 성립이 그러했다. 서로 상대방의 원하는 바를 충족시켜줘야 이루어지는 법.

"네가 다 들어줄 수 있는 일이다."

"뭔데요?"

상혁이 요구하는 바가 뭔지 짐작도 되지 않았다. 초은은 눈을 동그랗게 떴다.

"첫 번째는."

"네."

"이제 슬슬 일 배우러 들어오너라."

"네?"

초은의 미간이 확 좁아졌다. 왜 그 생각을 못 했을까. 늘 초은을 회사로 데려오지 못해 호시탐탐 노리던 상혁이었다. 그에게 이런 좋은 기회가 또 있을까.

"언제까지 비서만 하면서 살 것도 아니잖니. 그 강 대표 때문에 그러냐? 눈에 좀 안 보인다고 마음까지 멀어지는 사이면 애초에 때려 치우는 게 낫지."

"……두 번째는 뭔데요?"

"대답부터."

"……."

초은은 심호흡했다.

알고 있었다. 언젠가는 닥칠 일이라는 것을. 초은이라고 언제까지고 은현과 알콩달콩 손발을 맞춰 레드핏에만 있을 수 없다는 것도.

"알겠어요."

마지못해 끌려가는 상황보다 낫지 않을까. 그 계기가 이 일이라면 명분은 충분했다.

"두 번째. 선봐라."

"삼촌!"

"아이고, 귀야."

초은이 빽 지른 소리가 방안에 짜랑짜랑 울렸다. 상혁은 짐짓 과장되게 귀를 막았다.

"누가 결혼하래? 그냥 만나기만 해. 몇 번 만나라, 결혼해라 소린 안 할 테니까. 남자도 이놈 저놈 만나봐야 장단점 파악도 할 수 있고, 시야도 넓어지는 법이다."

"싫어요. 그게 말이 돼요?"

"네 외숙모가 만들어 놓은 리스트가 조금 있으면 책 한 권이 될 판이야. 나도 이제 나이가 드니, 와이프 신나는 일도 좀 시켜 주고 싶고 그렇단 말이다."

"시현이 있잖아요."

"야야, 초은아. 내가 애비지만, 걔 상태 안 좋은 건 너도 알잖아."

"후⋯⋯."

초은은 그야말로 열이 올랐다. 아랫입술로 바람을 훅 불어내자, 앞머리가 펄럭 휘날렸다.

"그냥 면접 보는 거랑 똑같다고 생각해. 그중에서 꼭 뽑으라고 안 할게. 한 달에 한 번, 아니 이 주에 한 번으로 하자. 한 시간만 내라."

"⋯⋯."

"싫어? 정 싫으면 어쩔 수 없고. 뭐, 이번 거래는 없던 걸로 하자."

"와⋯⋯ 대박 악랄⋯⋯."

초은은 약이 올라 어쩔 줄을 몰랐다. 상혁은 금방 폭발할 것처럼 달아오른 초은의 얼굴을 보며 씩 웃었다.

"수단과 방법을 가리지 않고 원하는 것을 얻는다."

"⋯⋯."

"사업의 기본이지."

하지만 이 상황에서 초은은 철저히 '을'의 입장이었다. 그런 일은 도저히 할 수 없다고 자리를 박찰 상황이 아니었다. 그렇다고 고분고분 받아들이긴 또 억울하고 분했다.

"우와, 악덕 회장."

"내일 승현이가 그쪽으로 갈 거다. 직장은 최대한 빠르게 정리해라."

"⋯⋯."

"집에 들어오라고는 안 했으니까, 내가 많이 양보했다. 그치?"

상혁의 두툼한 입술이 긴 호선을 그리며 휘어졌다. 그 미소는 참으로 유쾌 상쾌해 보였다.

상혁은 성미가 급하기도 했다.

다음 날 오전, 하루 일과에 막 가속이 붙을 무렵. 승현은 실무 책임자 둘을 데리고 대표이사실에 들이닥쳤다.

"안녕하십니까. 어떻게 오셨습니까?"

딱 떨어지는 슈트핏이 내뿜는 위압감에 보윤은 당황했다.

"삼한투자 김승현 대표님입니다. 강은현 대표님을 뵈러 왔는데, 자리에 계십니까?"

"아…… 저, 약속은 하고 오셨나요?"

승현의 곁에 섰던 직원은 목소리마저도 근엄했다.

이상하다, 로비 보안팀에서 따로 연락도 없었는데.

보윤은 이 일을 어떻게 해야 하냐는 눈빛으로 초은을 보았다.

"잠시만 기다리시겠습니까?"

초은과 눈이 마주친 승현이 고개를 까닥했고, 초은은 은현의 집무실로 들어갔다가 이내 나왔다.

"안으로 안내해드리겠습니다."

삼한투자의 일행은 당연하다는 듯 방으로 들어섰다. 조용히 문을 닫은 초은이 깊은숨을 몰아쉬었다.

"이상하다. 오늘 약속된 분들 아니시죠?"

"아……. 좀 아까 보안팀에서 연락이 왔길래, 내가 안내했어."

"아, 그렇구나. 무슨 일일까요? 우리 회사 삼한에서도 투자받았었어요? 투자처 명단에 없었던 것 같은데."

"응. 그런 건 아니야."

초은은 의아해하는 보윤과 우신에게 대충 얼버무렸다.

워낙 혼란스러운 상황이라 보윤과 우신도 불안해하던 참이었다.
다행히 투자했던 곳은 아니라고 하니 자금 회수를 위해 방문한 것은
아니라고 판단한 모양이었다.

"차는 보윤 씨가 빨리 준비하고, 중요한 업무 같으니 방해 없도록
신경 써요."

괜히 제가 중간에 들어갔다가 난처한 분위기를 만들고 싶진 않았
다. 은현이 괜한 자존심을 부리진 않을까. 불안한 마음도 있었다.

아무쪼록 잘 해결되길. 그래서 그의 고난을 조금이라도 덜어줄 수
있길. 초은이 바라는 것은 그 한 가지뿐이었다.

승현이 은현의 집무실로 들어섰을 때, 은현은 급히 재킷의 단추를
채우고 있었다.

"안녕하십니까. 삼한투자 김승현이라고 합니다. 이렇게 불쑥 방문
해서 죄송합니다."

"아, 아닙니다. 레드핏 강은현입니다."

황망히 내미는 손을 맞잡으며, 승현은 은현을 훑었다.

아버지 상혁의 급작스러운 지시로 여기까지 오긴 했다. 사실 투자
협의에 제가 나설 군번도 아니었다. 대체 어디서 뭐 하던 청년이기에
아끼는 사촌 동생의 마음을 사로잡고, 아버지까지 나서게 한 건지.

우선 허우대 하나는 멀쩡했다. 훤칠하게 큰 키에, 단단한 체격. 뽀
얀 얼굴과 반듯한 이목구비가 과연 여심을 사로잡을 만했다. 경황없
는 와중에도 당당한 악력이 패기만만한 성품을 알리고 있었다. 윤기
나는 눈빛 또한 자신감이 느껴졌다.

다만 최근에 겪은 좌절 때문인지 조금 초췌해 보이는 안색이었다.

"일단 앉으십시오. 찾아오신 용건은 편하게 말씀해 주시면 됩니다."

이 젊은 대표는 당황한 기색을 숨기지는 않았지만, 무슨 일이라도 맞서겠다는 태도였다. 승현은 그 진솔함이 우선은 마음에 들었다.

일행과 함께 소파에 앉자, 타이밍 좋게 차가 들어왔다. 아까 대표 이사실을 들어올 때 인사했던 앳돼 보이는 비서였다. 좀 어색해하면서도 차분하게 찻잔을 놓고 나가는 모습이, 초은이 잘 가르친 것 같았다. 승현은 생뚱맞게도 뿌듯한 기분이 들었다.

저를 유심히 관찰하는 은현의 눈빛이 문득 느껴졌다. 이 순간은 저도 상대방에게 탐색의 대상이었다. 승현은 얼른 정신을 차리고 입을 열었다.

"강은현 대표님, 외람되지만 저희가 필요하지 않으십니까?"

"네?"

"성 부장, 그것 좀 줘 봐."

성 부장으로 불린 사람이 브리프케이스에서 두툼한 서류를 꺼내 건넸다.

"저희가 레드핏에 지원할 수 있는 여러 가지 조건들입니다. 찬찬히 살펴보십시오."

서류를 받아들면서도 은현은 여전히 혼란스러운 눈빛이었다. 깊어진 눈동자에는 왜? 어째서? 라는 의문만 가득했다. 그럼에도 서류를 검토하는 눈은 차분하고 매서웠다. 순식간에 몰입하는 그 집중력. 그것도 마음에 들었다.

예고 없이 들이닥친 세 사람을 앞에 앉혀 두고, 은현은 조금도 서두르지 않았다. 서류의 마지막 장까지 꼼꼼히 읽었다.

'배짱도 있고.'

승현은 슬쩍 웃었다. 어째 여기 들어오는 순간부터 상대방을 회사 대표가 아닌 남자 강은현을 평가하고 있었다.

"어떻게 생각하십니까?"

은현이 테이블에 서류를 내려놓고는 턱을 쓸었다.

"저희로서는 거절할 이유가 없는 제안입니다. 하지만……."

"이렇게 불쑥 찾아와 들이미는 이유가 궁금하시겠죠."

은현도 무슨 일이 벌어진 것인지 짐작하고 있었다. 삼한이라면 초은과 어떤 관계가 있는지 잘 알고 있었으니.

하지만 섣부른 예단은 금물이었다. 은현은 상대방에게 명확한 이유를 듣고 싶었다.

승현은 급할 것 없다는 듯 찻잔을 들어 한 모금 머금었다.

"저희 아버지는 저와는 다릅니다. 지금이야 연세가 있으시니 좀 덜하지만, 본능적으로 위험을 즐기는 분입니다."

"……."

"삼한이 사금융을 거쳐 커 온 것만 봐도 알 수 있는 일이지요. 말이 좋아 사금융이지, 그 당시 사금융이 어떤 건지는 강 대표님도 잘 아실 겁니다. High risk, High return이 몸에 밴 분입니다."

"레드핏에 투자하시는 이유가 단지 위험부담을 즐기시기 때문이라는 겁니까?"

"솔직히 지금 레드핏은 무너지기 일보 직전의 상태 아닙니까. 하지만 기회만 주어진다면 최고의 실적을 거둘 수 있는 능력 또한 있죠. 그 가능성을 높게 평가한 것뿐입니다. 저희는 자선사업가가 아닙니다. 투자하는 만큼 돌려받을 것이 있어야 할 겁니다. 그건 강 대표님에게 달린 거고."

은현은 입술을 깨물었다. 승현은 냉정하게 말하고 있었지만, 이 일이 있기까지 초은의 입김이 들어간 것은 자명했다.

삼한투자의 제안은 하늘에서 뚝 떨어진 튼튼한 동아줄이었다. 하지만 그걸 덥석 잡기엔, 은현의 자존심이 허락하지 않았다.

승현은 구겨진 은현의 미간에서 치열한 갈등을 읽어 냈다.

"혹시 기우일지 모르겠지만, 치기로 판단하지는 말기를 바랍니다."

"……."

"아버지는 어떨지 몰라도, 저는 데이터로 판단합니다. 아무리 가족들의 요청이 있었다 해도, 이런 거액을 덥석 떠안기지는 않습니다. 강 대표님도 경영에서 벗어난 감정보다, 회사를 먼저 생각할 때 아닙니까? 그리고 한 가지 더 아셔야 할 것이 있습니다."

"그게 뭡니까?"

"이번 일은 대외적으로는 레드핏에 대한 삼한의 투자지만, 사적으로는 강은현 대표님 개인에 대한 테스트가 될 수도 있다는 겁니다."

은현은 그러고도 한참이나 심사숙고했다.

이윽고 법무팀장이 불려 들어가고 몇 가지 서류가 더 오갔다. 한참 뒤 집무실 문이 다시 열렸을 때. 삼한에서 온 세 남자는 한결 홀가분해진 분위기였다. 대표이사실의 입구까지 함께 나온 은현은 승현을 비롯한 세 사람과 차례로 악수를 나눴다.

"그럼 조만간 다시 만나 세부 사항을 논의하기로 하죠."

"네. 오늘 어려운 걸음 해주셔서 감사합니다."

예의와 진심이 적절히 섞인 인사가 오갔다. 승현은 자리에 선 초은에게 고개를 끄덕이고는 사무실을 떠났다.

뒤늦게 상황을 듣고 대기 중이던 경원이 얼른 집무실로 뛰어 들어갔다.

"강은현, 뭐야? 우리 삼한에서 뭐 받은 것도 없잖아. 그 사람들 왜 온 거야? 투자사에서 투자받은 게 없으니, 올 일은 투자하겠다는 것밖에 없는데……."

"필요한 대로 다 준대."

"헐…… 살다 살다 거기서 제 발로 찾아와서 투자하겠다는 건 또 처음 보네. 대체 이유가 뭐래?"

"……."

"휴, 어쨌든 이제 숨통이 트이네. 잘됐다, 진짜. 이게 다 강 대표가 수고한 덕이야. 하늘이 복을 내려 주시려나 보다."

격렬한 기쁨의 댄스를 춰도 모자랄 마당이다. 하지만 정작 은현의 표정은 무겁기만 했다. 제자리에서 방방 뛸 듯 호들갑이던 경원도, 심상찮은 분위기를 느꼈다.

"야, 왜 그래? 표정이 뭐 그래? 투자하는 대신 너한테 뭐 무리한 요구라도 하던?"

궁금한 건 차고 넘치는데, 은현은 당장 대답해 줄 생각이 없어 보였다. 꽉 막혀 있던 길이 뻥 뚫린 것치고, 기분도 딱히 좋아 보이지도 않았다.

"대체 왜 그러는데? 아, 진짜 답답해 죽겠네."

"한 비서 좀 들어오라고 해."

이런 무정한 동문서답 같으니.

입을 삐죽거리던 경원은 딱딱하게 굳은 은현을 보고 입을 다물었다.

"한 대리, 대표님이 찾으시는데."

초은은 짐작한 바가 있는 듯 차분하게 결재판을 꺼내 들고 은현의 방에 가만히 노크했다. 아직도 이 순간이 실감이 나지 않아서인지,

생각보다 차분할 수 있었다.

책상에 앉은 은현이 초은을 똑바로 바라보고 있었다. 그의 강렬한 눈빛은 온갖 감정으로 뒤범벅되어 있었다. 초은은 점점 빨라지는 심상 박동을 억누르며, 은현의 책상에 결재판을 올려놓았다.

"이게 뭐야?"

"사직서입니다."

"하……."

은현은 어이없다는 듯 헛웃음을 뱉어냈다. 성의 없이 펼쳐본 결재판이 탁, 소리를 내며 도로 닫혔다.

"사유는?"

"저는…… 책임자의 허가 없이 회사의 정보를 타 업체에 공개했습니다."

"……그게 무슨 정본데?"

"투자 유치를 위한 차기 프로젝트 프레젠테이션 자료입니다."

"후우……."

결재판을 물끄러미 바라보는 은현의 눈썹이 꿈틀거렸다. 그도 제 감정이 어떤 상태인지 알 수 없었다. 초은에게 어떤 말을 해야 할지도.

"비서 주제에 매우 도 넘은 행동이었지만, 결과적으로 회사에 도움이 되었으니 없던 일로 해줄게."

"……."

짐짓 거만한 은현의 목소리가 가늘게 떨리고 있었다. 그는 이 순간을 두려워하고 있었다. 제 감정을 이기지 못해 행여 중요한 것이 망가지지나 않을지, 혹은 제 부족함으로 인한 실패로 소중한 것을 잃을 것 같은 예감에.

말하지 않아도 그의 감정은 고스란히 전해졌다. 초은은 눈가에 힘을 주었다. 피할 수 없는 결말이었고, 흘러내리는 감정을 보이고 싶지 않았다.

"그리고…… 개인적인 사유로 더는 근무할 수가 없게 되었습니다."

덜컹, 쿵.

자리에서 벌떡 일어나는 기세가 자못 사나웠다. 그 탓에 바퀴 달린 의자가 주르륵 밀려 벽에 거세게 부딪쳤다.

저벅저벅 다가온 덩치는 으르렁거리는 짐승처럼 위압적이었다. 분노가 아지랑이처럼 피어올랐다. 은현은 초은의 어깨를 거머쥐었다. 거친 숨결이 초은의 이마를 뒤덮었다.

"너무 화가 나. 화가 나서 미칠 것 같아."

낮게 가라앉은 목소리에서 핏물이 배어 나오는 상처가 느껴졌다. 초은은 두 눈을 질끈 감아버렸다.

"……"

"난 너에게 감정적으로 항상 을이었지. 하지만…… 항상 내 여자 앞에서는 세상에서 가장 능력 있고 멋진 남자고 싶었어."

"언제나…… 여전히 나에겐…… 제일 멋진 사람이에요."

초은의 어깨를 쥔 손에 더욱 힘이 들어갔다. 단단하게 굳어진 아래턱이 부들부들 떨리고, 눈 주위가 붉게 부풀어 올랐다. 그 손이 초은의 가슴을 꽉 움켜쥔 것처럼, 심장이 아프게 조여들었다.

오로지 자신의 힘으로 자신만만한 삶을 살아온 남자였다. 그 상처 입은 자부심은 사랑하는 여자 앞에서 화를 내지도, 고맙다고 말하지도 못하게 했다.

"한눈팔지 말고…… 기다리고 있어. 내가 네 앞에 다시 당당히 설

때까지 딱 기다려. 꼭 다시 찾으러 갈 테니까……."

그가 원하는 것이 이것이라면. 그가 이 괴로운 감정을 딛고 더 높이 비상할 수 있다면. 언제까지라도 기다릴 수 있었다.

초은은 은현을, 그의 진심을 믿었으므로.

"기다릴게요."

어깨를 움켜쥐었던 두 손이 이번엔 초은의 양 뺨을 감쌌다. 물기 어린 두 눈동자가 초은의 얼굴을 세심하게 더듬었다. 모든 것을 마음에 담아 두려는 듯.

처음엔 물어뜯을 것처럼 다가온 입술은 초은의 가장 여린 곳을 조심스레 머금었다. 그 거칠고 메마른 감촉이 선연해 초은은 가슴이 쓰라렸다. 애써 참았던 눈물이 기어이 흘러내렸다. 맞닿은 입술 새로 스며든 따뜻한 물기가 쌉싸름하게 달콤했다.

은현은 한참 동안 초은의 입술을 보듬고 어루만졌다. 부드럽게 탐색하고 더듬는 움직임. 초은의 것과 얽혀드는 상냥한 몸짓은 슬프도록 사랑스러웠다.

"한초은, 약속 잊지 마."

마치 절대 놓지 않을 것처럼 제 온몸을 꽉 끌어안는 그의 품에서, 초은은 아무 말도 하지 못하고 고개만 끄덕였다.

/

"지금 삼한 생명에서 마케팅 이사로 근무하신다고요. 얼마 전 삼한 생명 이미지 광고 잘 뽑았다고 칭찬이 자자하던데, 그거 초은 씨 작품이라면서요?"

"네. 그렇습니다. 하지만 제 작품은 아니죠. 저희 직원들 하나하나가 제 몫을 해내고, 광고를 맡은 광고 대행사에서도 최선을 다해주었기에 나올 수 있는 결과였습니다."

이건 또 무슨 면접 보는 것 같은 질의응답인가.

남자는 어색한 표정으로 웃었다.

그는 고급스러운 캐시미어 니트를 느슨하게 걸치고, 핏 좋은 면바지를 입은 다리를 맵시 좋게 꼬고 있었다. 머리칼을 쓸어 넘기는 팔목에서 티파니의 플래티넘 브레이슬릿이 반짝였다.

"초은 씨, 들은 거랑은 이미지가 많이 다르시네요. 전 좀 진취적이고 개방적인 분이라고 생각했는데. 그리고 오늘도 아버지가 그냥 편하게 만나보라고 하셔서⋯⋯."

남자의 눈이 초은의 차림새를 흘깃 훑었다. 초은은 단추를 꽉꽉 채운 클래식한 재킷의 매무새를 고치며 두 손을 다소곳이 모았다.

"전 남녀의 만남을 허투루 할 수는 없다고 생각합니다. 그리고 우리가 사는 세계는 단순한 남녀의 관계가 아니라 집안과 집안이 얽히는 좀 더 진중한 일이잖아요."

"그⋯⋯ 그건 그렇죠."

"그래서 말인데, 저희의 만남도 진지했으면 해요. 아무리 조건 맞춰 만나는 사이라도 상대방에게 진실하고 충실해야 한다는 것이 제 지론입니다."

"⋯⋯."

"우선 하루 세 번 자신의 일상을 서로에게 보고하는 것으로 시작하죠. 바빠서 만나지 못하더라도 일상을 공유하는 것으로 친근해질 수 있거든요. 아, 그리고 친구라는 이름의 이성과의 만남도 지양해주셨으면 좋겠습니다. 저는 이성 간에 순수한 우정은 없다고 생각하고, 또 작은 불신이라도 주지 않는 것이 상대방에 대한 예의라고 생각하거든요."

"아…… 네에……."

남자의 목소리가 점점 더 떨떠름해졌다.

"마지막으로 가장 중요한 부분인데요. 결혼식이 있는 날까지 육체적인 관계는 좀 참아주셔야겠어요. 혼전순결을 지켜야 한다는 신념이 있어서."

"네? 한초은 씨가요? 아니…… 나도 초은 씨에 대해서는 좀 들은 얘기가 있는데……."

너 소싯적에 좀 놀았다면서. 지킬 순결이 어디 있다고. 어디서 약을 팔고 있어.

남자는 어이없다는 표정으로 입매를 일그러뜨렸다.

"네. 저도 한때는 젊은 혈기에 즐거움을 좇았던 시절이 있었죠. 하지만 지금은 다시 태어난 것처럼 새사람이 되었답니다. 다시 태어나니 사라졌던 순결도 다시 생긴 거나 마찬가지죠. 모든 것은 마음의 문제잖아요?"

초은을 보는 눈빛에 글자가 새겨져 있는 것 같았다. 미, 친, 년. 남자는 기가 막힌다는 듯 피식피식 웃기만 하다 자리를 떠났다. 다시 만나자는 말은 예의상으로라도 남기지 않았다.

오늘은 37분만인가? 초은은 담담하게 손목시계를 들여다보았다. 메소드급 연기를 펼치고 나니 목이 타는 것 같았다. 테이블 위에 놓인 물잔을 들어 목을 축였다.

이 짓이 벌써 몇 번째인가. 하면 할수록 능숙해지는 것이, 이러다가 연기자 데뷔라도 할 판이었다.

"야, 정다민! 여기!"

초은은 마침 카페로 들어서던 다민에게 손을 번쩍 들었다.

"어우, 깜짝이야. 교수님인 줄."

"놀라긴······."

초은은 심상한 얼굴로 점잖은 재킷을 벗어 옆에 두고, 질끈 묶었던 머리를 풀어 내렸다.

"지난번엔 반듯한 도련님 상대하는 고스족이더니, 오늘은 꼰대 교수님이야. 어느 집안 개망나니라도 나왔나 보지?"

다민이 초은의 맞은편에 앉으며 킬킬거렸다.

"현신건설 차남. 문란한 건 아니고, 캘리포니아 출신이라 적당히 자유로운 영혼이라더라."

"너도 참 고생이다."

그냥 그날, 한번 만나기만 하라는 외삼촌의 말을 온전히 믿은 것은 아니었다. 하지만 거절이라는 것이 그렇게 어려울 줄은 몰랐다. 집안 관계를 생각해 냉정하게 내치지도 못하고, 예의를 차려 물리는 것도 무척 피곤한 일이었다.

그래서 생각한 것이 거절하지 말고, 거절당하자는 것이었다. 의문의 1패가 시무룩해지는 것도 처음 한두 번이었지. 이젠 상대방의 황당한 표정을 볼 때마다 알 수 없는 카타르시스까지 느껴질 정도였다.

새 직장, 새 업무에 적응하고 또 주말에는 선을 보고. 그렇게 정신없이 시간이 흘렀고, 어느새 계절이 두 번이나 바뀌어 나뭇가지에 꽃잎이 흐드러지는 시기가 되었다.

은현의 소식이 궁금해 밤마다 어둠 속에서 흐느끼는 일도 점점 뜸해졌다. 하지만 그에 대한 그리움은 영원히 해소되지 않는 독액처럼 초은의 핏속에 스며들어, 매 순간 온몸을 휘돌고 있었다.

"넌 한동안 야근 러시라더니."

"아, 당장 급한 건 이제 끝났어. 후후, 잠깐의 여유랄까."

"그럼 프로젝트가 아예 끝난 건 아니고? 어떤 건데? 잘 되어 가? 얼마나 진행됐어?"

아련한 표정으로 웃던 다민이 초은의 질문에 질색하며 펄쩍 뛰었다.

"야야, 아무리 전직 대표이사 비서라도, 넌 회사 버리고 떠난 외부인이다. 알려고 하지 마. 지금 회사에 정보 보안이 얼마나 철저한지 알아? 이러다 출근할 때마다 핸드폰 제출할지도 몰라. 난 엄하게 회사 잘리고 싶지 않거든."

"이년아, 내가 그 회사에 투자한 오너 가족이라고! 빨리 불지 못해?"

"웃기시네. 삼한 생명 마케팅 이사님. 왜 이러세요."

"에잇……."

다민은 호락호락 넘어가지 않았다. 분한 눈으로 다민을 흘겨보던 초은의 눈빛이 쓸쓸해졌다.

"박 실장님은 잘 계시지? 보윤 씨는 가끔 보여?"

"야, 박경원 씨야 어딜 갖다 놔도 마지막까지 살아남을 사람인데, 당연히 잘 지내지. 보윤 씨는 직원 식당에서 가끔 보는데 늘 바빠 보이더라."

그 사건으로 회사를 떠난 개발자들도 꽤 있었지만, 삼한이 투자에 나서며 더 이상의 이직 사태는 막을 수 있었다. 하지만 삼한의 투자와 별개로 '레드핏'의 조직 슬림화는 필연적이었다.

대표이사실에도 결국 경원과 보윤만 남았다. 회사를 그만두게 된 우신은 초은이 삼한 생명으로 옮기며 데려오게 되었다.

"은현…… 씨는……?"

담담하게 물어보려 했는데, 그의 이름을 떠올릴 때면 늘 어떤 뜨거운 덩어리가 목을 꽉 메웠다.

"잘 있어?"

"야! 어우 씨, 그 이름 꺼내지도 마!"

다민은 얼음이 달그락거리는 아이스티 잔을 쾅 내려놓았다.

"아, 깜짝이야. 왜 또 발작이야."

"어우, 진짜. 내가 더럽고 치사해서 회사를 때려치우든가."

"엄하게 회사 잘리기 싫다더니……."

"야! 잘리는 거랑 때려치우는 거랑 같냐?"

어지간히도 분하게 씩씩대던 다민이 겨우 숨을 가다듬었다.

"야, 강은현 대표. 진짜 미친 것 같아."

"이년이, 회사 대표님한테 불경하게 욕을 하고 난리야."

야야, 강은현은 내 거야. 까도 내가 깐다고.

초은은 눈알이 튀어나올 것처럼 다민을 째려보았다.

"휴……. 진짜, 네가 안 당해봐서 그렇지."

"은현 씨가 뭐가 어떻길래?"

"꽈배기 마이스터의 화려한 귀환. 한층 더 강렬해진 독설과 비아냥. 무엇을 상상하든 훨씬 더 지독하단다. 오죽하면 팀장들이 단체로 위장약을 복용하겠니."

다민은 그간의 울분을 나이아가라 폭포처럼 쏟아 냈다.

그가 게임기획팀 미팅에서 발표를 맡은 시나리오 담당을-심지어 남자였다-10분 만에 울린 일이라든가, 캐릭터 시안을 열 번이나 다시 만들게 해 아트팀의 원성을 샀던 일 따위가 성대하게 펼쳐졌다.

"게다가 요즘은 아예 회사에 살림을 차렸다던데? 아주 거기서 먹고, 자고. 그러니 팀장들이 거기 맞추느라 아주 죽어나는 거지. 머지 않아 가정 피탄을 겪는 직원들이 속속 등장할 것이다."

"대체…… 왜……."

초은의 목소리가 떨렸다. 왜 그렇게까지 절박하게 자신을 몰아붙이는 걸까. 그러라고 이렇게 고분고분 그와 떨어져 기다리고 있는 게 아닌데.

다민은 더 쏟아 내려던 말을 꿀꺽 삼켰다. 일을 못 해 죽은 귀신처럼 구는 강은현 옆에 신연아 팀장이 세트처럼 붙어 다닌다는 것 따위의 소식이었다.

물론 만사 귀찮은 은현이 연아를 그냥 내버려 두는 것에 가깝지만. 어쨌든 초은이 알아봐야 속만 상할 일이었다.

"왜겠어. 그 능력에, 그 자신감에. 제 실패가 얼마나 자존심 상하고 속상했겠어. 빨리 만회해서 자기 위치를 되찾고 싶겠지."

그리고 한초는 너와 한 약속도 있고.

그다음 말은 입 밖으로 꺼내지 않았다. 초은도 벌써 알고 있을 테니까. 하염없이 떨리는 눈망울이 애처로웠다.

"어쨌거나, 내가 직장 생활을 하면서 이렇게 프로젝트의 성공을 빌어보는 건 첨이다. 진짜 속리산 법주사 금동미륵입상 앞에서 백팔배라도 올리고 싶은 심정이야."

"건강은…… 괜찮은 거지?"

"에휴……. 좀 마르긴 했지만, 너무 걱정 마. 워낙 젊고 건강하잖아. 야야, 오히려 팀장님들과 그 밑에 시달리는 개발자들의 건강을 더 걱정해라, 이년아."

짐짓 장난스럽게 외쳤는데도, 초은의 걱정스러운 표정은 풀러지 않았다.

"괜찮아. 이번엔 진짜 감이 좋아. 보나 마나 대박이라니까. 너는 딱 기다리기만 해. 머지않았어."

"그래. 그래야지."

"그러니까 이사님, 나 맛있는 거 사 줘요. 좋은 거 먹고 힘내야 좋은 작품 만들 거 아냐."

"뭐? 뭐 사 주면 돼? 말만 해."

그제야 초은도 활짝 웃었다. 하지만 한껏 휘어진 입꼬리에 남은 쓸쓸한 여운을, 다민은 알고 있었다.

/

은현에게 무슨 말을 들었는지, 마케팅팀 송 팀장이 주먹을 입에 물고 울먹이며 나왔다. 경원은 고개를 절레절레 흔들며 은현의 방으로 들어섰다.

"고만 좀 작작 해라."

"뭘?"

은현의 눈빛은 무슨 일 있었냐는 듯 뻔뻔하기만 했다.

"오늘 갈 거지?"

"어딜?"

"최용호, 그 새끼 생일 파티 초대받았잖아."

"됐어. 한가한 소리 하고 있네. 그놈 돈 자랑하는 거 뭐 재미있다고 구경까지 가나. 그렇게 할 일이 없어? 뭐 업무 좀 더 줘? 오늘, 같이 밤이라도 새 볼까?"

물어보나 마나 빤한 대답이었다.

경원은 소파에 털썩 주저앉았다. 일에 미친 사람처럼 구는 친구도 이해는 갔다. 하지만 가슴이 답답했다.

"야, 그놈이 왜 굳이 널 불렀겠어. 잘난 네놈, 망해간다는데 그게 진짜인지 언제 망하는지 면상은 멀쩡한지. 그런 거 보려고 그러잖아. 그럴수록 멀쩡하고 잘 나가고 있다는 걸 보여 줘야 할 거 아냐."

"됐어, 관심 없어."

"넌 관심 없어도, 사업하면서 평판이 얼마나 중요한지는 알 거 아냐. 그리고 너도 너다. 그렇게 일만 하면 죽어. 기분 전환도 하고 스트레스도 풀고, 그래야 일도 하지."

"그런 거 필요 없고, 안 죽어."

"야!"

매일매일 세상 끝날 것처럼 사는 은현을 생각하니 울컥 화가 치밀었다. 하지만 지금 그 누구보다 속이 타는 건 본인일 것이다.

그런 생각을 하며 겨우 마음을 다스렸다.

"네가 뭐래도 오늘은 너 끌고 갈 거야. 그러니까 순순히 준비해라. 좀 이따 연아도 올라온다고 했으니까, 셋이 같이 가."

"신연아도?"

"그래. 도망갈 생각은 하지도 마라. 지옥까지라도 쫓아갈 거니까."

경원과 연아까지 나서면 제아무리 은현이라도 버티기 힘들었다. 은현은 귀찮음이 가득한 얼굴로 한숨을 내쉬었다.

/

돈 자랑이 유일한 취미인 최용호의 생일 파티다웠다. 통째로 빌린 호텔의 파티홀은 화려한 파티 음식이 늘어서 있었고, 샴페인과 와인이 놓인 쟁반을 든 웨이터들이 분주히 오가고 있었다. 무대에서는 재즈 콰르텟의 농염하고 끈적한 라이브가 흘렀다.

낯익은 얼굴들이 삼삼오오 모여 흥겹게 떠들고 있는 것을 보니, 유명인들도 꽤 참석한 모양이었다.

"최용호, 생일 축하한다."

그 나이가 되도록 요란하게 축하받을 정도로 아주 대단하신 인생인가. 비꼬아 줄 말이 수백 가지는 떠올랐지만, 은현은 어른스럽게 인사를 건넸다.

"오, 강은현. 왔구나. 경원이, 연아도 왔네. 다들 알지? 레드핏 대표이사. 이 자식 천재야."

생일이 무척 즐거운 모양이었다. 용호는 반갑게 은현의 손을 잡으며 주위에 선 사람들에게 신나게 소개했다.

"아, 그 레드핏! 나도 한동안 '언더어택'에 빠져 지냈는데. 강 대표님 반갑습니다."

"얼마 전에 뒤통수 거하게 맞았다던데, 회사 괜찮아요?"

샴페인 잔을 입술에 대고 기울이고 있던 남자가 삐딱하게 웃었다. 은현은 아무렇지도 않게 고개를 끄덕였다.

"걱정해 주신 덕분에 건재합니다."

"아…… 별로 걱정은 안 했는데. 진짜 괜찮은 거 맞아요? 소문으로는 아주 뿌리까지 휘청했다던데."

"하하, 그 소문을 낸 분하고는 가깝게 지내지 않는 게 좋겠네요.

제대로 된 정보는 참 중요한 거잖아요."

톡 튀어나온 연아에게 남자의 눈빛이 닿았다. 늘씬한 몸에 도도한 표정까지. 남자는 조금 누그러진 얼굴로 씩 웃었다.

"용호 친구 되십니까? 그럼 저와 좋은 정보 주고받는 사이가 되는 건 어떠세요?"

"그거 좋네요."

미끈하게 휘어지는 연아의 입술이 아주 작정한 듯 매혹적이었다.

"지금 바로 하나 알려드릴까요? 이건 정보라긴 뭣하고, 세상 사는 지혜인데. 퐁퐁 솟아나는 샘물에서 윗물 좀 훔쳐 간다고 샘이 마르지는 않아요. 정말 조심해야 할 건, 아무리 큰 독이라도 밑동에 구멍 내서 빨아먹는 일이죠. 보통은 못난 자식놈들이 그런다더라고요."

졸지에 험한 말이 오가는 생일이 된 용호를 뺀 나머지 사람들의 웃음이 터져 나왔다.

삐딱하게 굴던 남자의 얼굴이 벌겋게 달아올랐다.

"그럼 즐거운 시간 되세요."

"야, 너네도 즐겁게 보내. 좀 이따 또 보자."

돌아서는 세 사람 뒤로 용호가 다급한 멘트가 흩어졌다.

"흥, 찌질한 새끼들."

경원은 지인들에게 인사를 하러 떠나고, 여전히 분이 안 풀린 연아가 중얼거렸다. 곁에 있던 은현이 품, 웃음을 터뜨렸다.

"넌 속도 없냐? 웃음이 나와?"

"아니, 신연아는 여전히 쌈닭이네. 나이 먹고도 여전한 혈기가 신기해서."

"이 자식은 편을 들어줘도……."

"고맙다고."

은현의 순순한 말에 연아는 말문이 막혀 버렸다.

"항상 내 편이라서 늘 고맙게 생각해."

"……알면 잘하라고. 일도 좀 작작 시키고."

연아의 대꾸가 털털했다. 은현은 또 한 번 낄낄거리며 웃었다. 미묘하게 발개진 연아의 두 뺨을 눈치채지 못했다.

'그래, 항상 네 곁에 있어. 이제 떠난 여자 대신 나도 좀 봐줄 때가 됐잖아.'

그녀의 마음속 숨겨진 진심 역시도.

그런 그들을 멀리서 매섭게 지켜보는 눈초리가 있었으니.

'헐…… 저건 또 뭐 하는 개뼉다귀야.'

시현은 단숨에 들이킨 샴페인의 빈 잔을 마침 지나가던 웨이터의 쟁반에 탁 올려놓았다.

또각또각, 루부탱의 가느다란 킬힐이 경쾌한 소리를 냈다.

깊이 파인 오프숄더의 미니 원피스가 드러내는 글래머러스한 몸매. 곧게 뻗은 늘씬한 다리를 쭉쭉 내디딜 때마다 뭇 남성들의 시선이 모여들었다.

"어머, 이게 누구세요. 강은현 대표님 아니세요. 오랜만에 뵙네요."

늘 부르던 '형부' 대신 '대표님'이라는 호칭. 곁에 선 여자와 시시덕거리고 있는 행태에 대한 항의의 의미였다.

"어! 처제!"

하지만 은현의 반응은 조금도 거리낌이 없었다. 육이오 때 헤어진 동생을 상봉한 것처럼 감격스러워했다.

"처제, 여긴 어쩐 일이야? 최용호하고 아는 사이야? 어떻게 지냈어? 여기서 보니까…… 와, 진짜 너무 반가워."

"오호호호, 대표님. 처제라니……. 옆에 계신 숙녀분이 기분 나쁘시겠어요."

물론 심술이었다. 옆에 여자가 지난번 회사 로비에서도 은현에게 질척대던 그 팀장이라는 여자라는 것도 벌써 눈치챘다.

"뭐? 얘가? 얘가 왜? 아…… 처제, 오해하지 마. 얜 오래된 친구야."

"호호호호, 친구가 식구 되고 그런 거지 뭐……."

"뭐라고?"

시현이 중얼거리며 흘린 말을 못 들은 것이 분명했다. 하지만 곁에 선 여자의 눈빛은 예전처럼 심상치 않았다. 서로를 알아본 고수의 시선이 다시 한번 허공에서 격돌했다.

"어쨌거나 얼굴이 좋……."

얼굴이 좋아 보이네요.

이 짧은 문장이 차마 나오지 않았다. 오랜만에 만난 은현은 한눈에도 살이 빠져 날카롭게 변해 있었다. 물론 그 예민해 보이는 모습도 퇴폐적인 페로몬을 풀풀 풍기고 있었지만.

"처제는 잘 지내고 있어? 저……. 초은이…… 도 잘 있지?"

"형부! 형부 걱정이나 좀 하세요. 얼굴이 그게 뭐예요? 나중에 언니 만나도 알아보지도 못하겠어요."

언니가 처음으로 진심을 다해 좋아하는 남자라서가 아니었다. 시현은 은현이 마음에 들었었다. 자신만만하고 자기 본위로 살 것 같은 남자가 초은에게만 안절부절못하는 것이 우스우면서도 좋았다.

그래서 속상한 마음이 퉁명스러운 면박으로 튀어나왔다.

"아니야. 한동안 좀 바빠서 잠을 많이 못 잔 것뿐이지. 여전히 건

강하다고.”

“안 그래 보인단 말이에요.”

“진짜야. 밥도…… 밥도 얼마나 잘 챙겨 먹는데. 그러니까 초은이
한테는…… 잘 있다고…….”

“알겠으니까, 언니 찾아오기 전에 살부터 좀 찌워요.”

“그래그래. 걱정해 줘서 고마워. 하하, 보약이라도 한 제劑 지어야
하나.”

실없이 웃는 은현을 보며 시현은 입술을 깨물었다. 참 여러모로 신
경 쓰이는 커플이었다.

‘좀 서둘러요.’

초은이 격주로 선을 보는 것이 상혁과의 약속인 것을 안다. 그리고
상혁이나 은숙도 초은의 혼사에 본격적으로 나서진 않았다. 아직은.

매번 초은에게 맞선 상대에 대한 정보를 알려 주고, 그녀가 어떻게
든 차이려고 애쓰는 모습을 보는 것도 썩 유쾌한 일은 아니었다.

우리 언니가 어디서 그렇게 거절만 당할 사람이 아닌데 말이다. 그
리고 결정적으로 가끔 초은의 집에 들를 때면 늘 가슴이 아팠다. 깊
은 밤 어둠 속으로 스며드는 옅은 흐느낌을 애써 모른 척해야 한다
는 것이.

#12

Say, When will you return?

시간은 흘러 벌써 여름의 끝 무렵이었다.

주말을 앞두고 조금은 느슨해지는 금요일 오전. 초은은 월에 한 번 있는 대표이사 주재의 임원 회의를 마치고 나오는 길이었다.

때마침 핸드폰이 격렬히 진동했다.

"응, 시현아. 왜?"

[언니, 지금 뭐 해? 바빠?]

"아니. 지금 막 회의 마치고 나오는 길이야. 왜? 내일은 선보는 토요일도 아닌데?"

[그게 아니라 큰일 났어.]

"큰일? 너 또 무슨 사고 쳤어?"

[어우, 언닌 날 뭐로 보고. 일단 포털사이트 아무 데나 실시간 검색어 좀 봐.]

"갑자기 실시간 검색어는 왜? 회사에 무슨 일 터진 거야?"

시현의 목소리가 굉장히 다급하고 흥분된 기색이었다.

회사 문제면 회의 중에 벌써 소식이 전해졌을 텐데.

초은은 영문을 알 수 없어 고개를 갸웃했다.

[말로 설명하는 것보다 보는 게 더 빨라. 얼른 봐. 지금 당장.]

전화는 매정하게 뚝 끊어졌다. 마침 자리에 도착한 초은은 인터넷 브라우저를 실행했다. 시작 페이지로 설정해 둔 포털사이트가 화면에 나타나고, 실시간 검색어를 보는 순간. 차오르는 감정에 숨이 턱 막혔다. 초은은 두 손으로 입을 감싼 채 자리에 털썩 주저앉았다.

1. 레드핏
2. 절대갑 길들이기
3. 게임 회사 레드핏
4. 레드핏 모바일 게임

．
．
．

무려 10위 중 7개 순위가 레드핏과 관련된 검색어였다. 마우스를 잡은 손이 속절없이 떨려 몇 번이나 헛손질했다. 겨우 하나를 클릭하자, 연관 기사가 주르륵 나타났다.

『게임 회사 '레드핏'의 신규 모바일 게임 〈절대갑 길들이기〉,
초특급 대박 조짐』
『전 세계 여심을 사로잡은 〈절대갑 길들이기〉, 국내 게임 회사
'레드핏' 작품으로 밝혀져』
『게임으로 국위 선양, '레드핏'의 〈절대갑 길들이기〉 전 세계
앱스토어 동시 1위 석권』

드디어, 드디어…….

환성이라도 지르며 펄쩍펄쩍 뛰고 싶은데, 몸이 마비된 것처럼 움직이지 않았다. 기쁨과 감격과 환희의 감정이 파도처럼 밀려와, 넘실대는 물결에 휩쓸린 것처럼 현기증이 났다.

"한 이사님, 무슨 일 있으세요?"

지나가던 전 팀장이 흠칫 놀라며 물었다. 초은은 얼른 눈 주위를 손등으로 문지르고, 코를 들이마셨다.

"큼큼, 아니요. 아무 일도 없어요."

단지 제 남친이 대박을 쳤나 봐요. 지금 실검을 완전 장악했네요. 제가 남자 보는 눈이 좀 높아서요.

마이크라도 잡고 자랑하고 싶었지만, 외삼촌 상혁의 사회적 지위와 명예를 생각해서 겨우 참았다.

전 팀장이 지나가자마자 초은은 얼른 뉴스 기사 하나를 클릭했다.

『국내 게임 회사 '레드핏'에서 출시한 신작 '절대갑 길들이기'가 초특급 대박을 예고했다. 0일 0시를 기해 전 세계 동시 오픈된 '절대갑 길들이기'(수출명 'Oh My Boss')는 출시와 동시에 우리나라는 물론, 동남아와 북미까지, 양대 스토어의 매출 순위와 인기 순위에서 일제히 1위를 차지했다. '절대갑 길들이기'는 모바일용 연애 시뮬레이션 게임Dating Simulation Game으로 매력적인 비주얼과 탄탄한 스토리로 남녀를 불문한 전 세계 게이머들의 마음을 사로잡았다. 한편 '레드핏'은 기존 메가 히트작인 '언더어택'에 이어…….』

세상에……. 전 세계 동시 오픈도 놀라운 마당에, 출시하자마자 전

스토어 1위라니. 역시 은현은 보통 사람이 아니었다. 그 근성과 재능, 능력과 노력. 무엇 하나 어찌 사랑스럽지 않을 수가.

가만, 지금 이럴 때가 아니지.

이제 드디어 재회의 순간이 온 것인가.

'한눈팔지 말고…… 기다리고 있어. 내가 네 앞에 다시 당당히 설 때까지 딱 기다려. 꼭 다시 찾으러 갈 테니까…….'

마지막 순간, 은현이 했던 말을 다시 떠올리니 또 눈물이 날 것 같았다. 그를 기다리는 동안 세 번의 계절을 지나, 또다시 되돌아온 가을을 앞두고 있었다.

사랑하는 이와 함께일 때는 강물처럼 흘러가는 시간이, 혼자일 땐 어찌나 더디던지. 그때의 가을은 스산하고 외로운 날들로 기억에 남았지만, 다가올 가을은 낭만적이고 아름다운 추억이 넘쳐나겠지.

그는 언제쯤 찾아올까.

초은의 경험상, 신작의 출시는 끝이 아니라 시작이었다. 오픈과 함께 런칭 이벤트, 유저 반응, 다운로드 수, 유료결재율, 서버 관리, 해외 서비스 대행사와의 협업 등등. 점검하고 관리해야 할 일이 수두룩했다.

음…… 당장 이번 주말은 어렵겠구나. 한 2주 정도 기다리면 될까? 전화가 먼저 올까, 아니면 깜짝 놀라게 해주려고 불쑥 찾아올까.

더헙!

혼자서 가슴에 손을 얹었다가, 뺨을 감쌌다가. 원맨쇼를 펼치던 초은은 갑자기 흠칫 놀라며 서랍에서 손거울을 꺼내 들었다.

그동안 낯선 회사 일을 배우느라 다른 데 신경 쓸 겨를이 없었다. 게다가 주말에는 맞선 상대에 따라 거의 코스프레 수준의 차림을 하지 않았던가. 그러다 보니 이젠 제 본모습이 뭔지도 헷갈릴 지경이었다. 거울에 비친 자그마한 얼굴은 어쩐지 안색이 창백하고 뚱해 보였다. 1년도 채 안 되는 세월이었지만, 어쩐지 피부 탄력도 떨어진 것 같고.

일단 내일 당장 에스테틱을 예약하자. 이참에 필라테스 등록이라도 할까. 계절도 곧 바뀌는데 옷이라도 좀 사야겠다. 다민이는 런칭 직후라 시체 상태일 테니, 시현이를 불러내야지.

오랫동안 보지 못한 그리운 이를 다시 만나는 순간. 세상 그 누구보다 예뻐 보이고 싶은 것은 당연한 본능이었다. 초은은 가슴이 벅차올라 풍선처럼 둥둥 떠오를 지경이었다.

/

그렇게 한 달이 흘렀다.

또다시 돌아온 금요일. 초은은 자리에 앉아 다리를 덜덜 떨며, 잘 손질된 손톱을 또각또각 물어뜯었다.

"이 인간이 왜 소식이 없는 거야……."

그동안 받은 피부관리 덕에 반들반들 빛나는 얼굴이 머쓱할 지경이었다. 필라테스는 또 어떻고. 지금 당장 비키니 모델을 해도 부족하지 않을 정도다. 29년 인생 중 가장 완벽한 몸 상태란 말이다. 한 달이면 충분하잖아. 이번 주말에 만나려면, 적어도 오늘은 연락해야 할 거 아냐.

그런 초은의 열망에 답하듯 핸드폰이 부르르 진동했다.

"여, 여보세요."

[언니, 지금 뭐 해? 바빠?]

"응, 시현아. 왜?"

발신자도 제대로 보지 않고 다급하게 받았건만.

시현의 목소리가 들려오는 순간, 초은의 목소리는 자이로드롭을 탄 것처럼 급격히 낮아졌다.

[언니, 큰일 났어.]

"큰일? 그게 뭔데?"

지금 강은현이 안 나타나고 있는 것보다 더 큰 일이 있을까? 시현의 호들갑에도 초은은 심드렁했다.

[어우, 일단 포털사이트 아무 데나 실시간 검색어 좀 봐.]

"그래, 알았다."

어쩐지 기시감이 느껴지는 통화였다. 초은은 의욕 없는 손길로 딸깍딸깍 클릭했다.

이윽고 포털사이트의 화면이 뜨자, 초은의 손이 덜컥 멈췄다. 얼음처럼 굳어버린 얼굴에서 두 눈만 튀어나올 듯 커졌다.

1. 레드핏 강은현

2. 강은현 대표이사

3. 겜찢남

4. 한국국제게임컨퍼런스 강은현

5. 절대갑 강은현

.
.
.

아니, 이 인간이 왜 여기서 이러고 있어.

초은은 손 가는 대로 아무 기사나 일단 클릭했다.

『'레드핏'의 강은현 대표이사(사진)가 '겜찢남'으로 네티즌들에게 관심을 모으고 있다. 강은현 대표가 몸담은 '레드핏'은 최근 전 세계에 모바일 연애 시뮬레이션 게임의 열풍을 몰고 온 '절대갑 길들이기'의 제작사다. 지난 0일 한국 콘텐츠 진흥원에서 열린 '한국 국제 게임 컨퍼런스'의 기조연설자로 나선 강은현 대표의 사진이 뉴스 기사에 게재된 것이 이번 사건의 발단이었다. '절대갑 길들이기'의 남자 주인공과 꼭 빼닮은 수려한 외모로 '겜찢남'이라는 별명을 얻으며 일약 화제가 된 것이다. 일부에서는 '절대갑 길들이기'의 모델이 강은현 대표이사가 아니냐는 이야기까지 나올 정도. 한편 한 달째 전 세계의 모바일 양대 스토어에서 1위를 굳건히 지키고 있는 레드핏의 '절대갑 길들이기'는…….』

"허어……."

초은은 너무 기가 막혀 헛웃음만 나왔다. 첨부된 사진을 확대하여 보니, 과연 화제가 될 만했다. 못 본 사이 좀 더 날렵해진 몸매는 스마트한 인상을 강조했고, 갸름한 얼굴선이 날카로운 매력을 더했다. 아니나 다를까, 기사에 달린 댓글에도 호응 일색이었다.

'뇌섹남이 이렇게 몸까지 섹시해도 되나요.'
'저 회사 아트팀은 꿀보직. 눈에 보이는 대로 만들면 됨.'
'절대갑 길들이기=강은현 길들이기?'
'제가 한번 길들여 보겠습니다!'
'X발, 신은 X나 공평하다. 저 X끼, 분명 고자다.'

아닌데! 고자는커녕 얼마나…….

아니, 그게 아니라, 그러니까 왜 여기서 이러고 있냐고! 데리러 온다더니, 딱 기다리고 있으라더니…….

긴 기다림 끝에, 드디어 만날 수 있을 줄 알았다. 기대에 부풀었던 가슴은 푸시시 쪼그라들었다.

그를, 이렇게 인터넷 화면에서나 보게 될 줄이야.

게다가 몇몇 커뮤니티에 올라온 은현의 직찍 사진들은 더더욱 초은을 의기소침하게 했다.

직원 식당에서 경원, 연아와 점심을 먹는 모습. 어떤 행사에서 연아와 대화를 나누는 모습. 컨퍼런스에서 연설을 마치고 연아가 건네는 생수병을 받아드는 모습.

왜 사진마다 그 여자와 함께인 건데.

그것도 그렇게 활짝 웃으면서.

만나지 못했던 만큼의 시간이 그와 초은의 거리를 이토록 벌려 놓은 걸까. 가슴 한가운데가 불안하게 술렁였다.

/

맞선도 벌써 20회 달성을 앞두고 있었다. 이번 상대는 손이 귀한 집안의 5대 독자였다. 워낙 애지중지 귀하게 크신 도련님이라 어른스럽고 배려심 깊은 스타일을 원한다나 어쨌다나.

그럴 거면 결혼하지 말고 평생 엄마하고 살지 왜.

초은은 투덜거리며 외출 준비를 했다. 화사한 연노랑 블라우스 위에 깜찍한 오버롤 원피스를 입었다. 머리는 컬을 넣어 왼쪽으로 느슨하게 모아 묶었다. 제 나이가 민망할 정도로 발랄하고 귀여운 스타일이었다.

맞선은 20분도 채 되지 않아 끝이 났다.

"어머, 오빠 안녕하세요. 오빠라도 불러도 되죠?"

"음음……. 초코 무스도 먹고 싶고, 블랙슈가 밀크티도 먹고 싶고. 어뜩하지……. 음음, 오빠가 골라 주시면 안 돼요?"

"오빠, 제가 입은 옷 색깔 맘에 드세요? 노랑이를 입을지, 분홍이를 입을지 초은이가 너무너무 고민했는데 사촌 언니랑 오빠가 노랑이가 더 예쁘다고 골라 줬어요. 오빠도 분홍이보다 노랑이 더 좋아하면 좋겠다."

따위의 혀짧은 소리를 몇 번 해줬더니, 상대방은-심지어 초은보다 연하였다-점점 얼굴이 허옇게 질렸다. 결국 엄마에게 급한 연락이 왔다며 자리에서 먼저 일어나기에 초은은 그저 환하게 웃으며 손을 흔들어줬다.

홀로 남은 자리에서 멍하니 창밖을 보았다. 다음에 올 계절을 대비하듯 노랗게, 빨갛게, 따뜻한 색의 옷을 입었던 나무들이 무슨 변덕인지 그 잎을 하나둘 떨구는 시기. 점점 앙상해지는 나뭇가지들이 모든 것이 부질없다고 외치는 것 같았다.

아이고, 의미 없다.

오지도 않는 사람과의 약속을 지키겠다고, 매번 이렇게 다중이처럼 구는 것도. 대체 무엇을 위한 발악인가.

초은은 손등으로 코밑을 한번 쓱 문질렀다. 요즘은 이렇게 시도 때도 없이 뜨끈해지는 눈시울이 이내 가라앉곤 했다.

정말이지 권태로운 토요일 오후였다. 초은은 느릿하게 핸드폰을 꺼내 앱 버튼을 눌렀다. 이내, 귀엽게 깜빡거리는 타이틀이 화면에 떠올랐다.

〈절대갑 길들이기〉

화면으로나 구현 가능한 완벽한 미남 셋과 단정한 오피스룩을 입은 여자 하나의 일러스트가 화면을 가득 채웠다. 초은이 태어나 처음으로 해보는 모바일 게임이었다.

〈절대갑 길들이기〉는 대기업에 근무하는 비서가 여주인공이었다. 플레이어가 여주인공의 역할을 맡아, 상사로 모시는 세 명의 남주인공을 일과 연애에서 성공하도록 돕는, 혹은 조련하는 것이 주요 내용.

남주 1은 강하다는 까칠하고 삐딱한 회사 대표.

업무 능력은 뛰어나지만, 핀잔과 잔소리가 심해 남녀를 불문하고 적을 만드는 캐릭터였다.

흠…… 강은현 남주설이 사실인 것인가.

남주 2 백경호는 회사의 실세인 비서실의 실장.

훈훈한 용모와 철두철미한 업무 처리가 장점이나 말이 많고 가벼운 성품이 마이너스인 캐릭터.

흠…… 이쯤 되면 투명하다, 투명해.

마지막 남주3 엄근진은 법무팀장으로 능력 있는 변호사였다.

진중하고 박식하지만 근엄, 진지가 지나쳐 늘 여주를 꾸벅꾸벅 졸게 만드는 가공할 무재미의 남자.

서…… 설마, 공 변호사님?

처음 게임을 접했을 때, 기가 막혔던 것도 순간이었다. 초은은 처음 접해보는 게임에 곧 빠져들었다.

미션을 클리어할 때마다 주어지는 보상, 스토리가 진행되면서 조

금씩 진전되는 간질간질 달달한 썸, 플레이어의 선택에 따라 업무의
성패가 갈리는 다양한 상황 등등.

〈절대갑 길들이기〉는 전 세계의 호평이 무색하지 않게 충분히 중
독성이 있었다. 한 번도 안 해본 사람은 있어도, 한 번만 해본 사람은
없을 거라는 평가는 그야말로 찰떡같은 표현이었다.

초은이 이번에 수행할 미션은 무려 '첫 데이트'였다.

「오늘은 기대하던 첫 데이트 날.

날씨 좋은 주말을 맞아 나무와 호수가 어우러진 공원으로 떠나는
즐거운 소풍. 회사 대표인 '강하다' 님이 11:30분에 집 앞으로 데
리러 오기로 했습니다. '초은' 님이 약속 장소로 나갈 시간은?

1. 완벽한 비서는 뭐든 미리미리. 11:20

2. 시간은 정확히. 11:30

3. 여자라면 5분은 애교. 11:35」

잠시 고심하던 초은은 2번을 눌렀다. 업무가 아니라 데이트라는
팩트에 초점을 둔 결정이었다.

「설레는 소풍을 위해 '초은' 님은 '강하다' 님과 함께 먹을 도
시락을 준비했습니다. 두근두근 도시락의 메뉴는?

1. 소풍계의 스테디셀러, 김밥

2. 세련된 멋, 샌드위치

3. 엄마의 손맛, 유부초밥」

이건…….

기억이 채 떠오르기도 전에 뭉클한 감정이 먼저 가슴을 두드렸다.

'우리 엄마는 유부초밥을 잘 만드셨어.'

담담해서 더 애잔했던 그의 나직한 목소리.

'그래. 그럼 기대해 보지.'

싱긋 웃던 그 단정한 입매.

초은은 3번을 눌렀다. 언젠가 유부초밥을 만들어 주겠다던 초은의 약속을, 그도 여전히 기억하고 있는 걸까.

「집 앞에 나오자, 완벽하게 화창한 날씨가 '초은' 님을 반깁니다.

"안녕? 오늘 예쁜데."

'강하다' 님이 어쩐 일로 칭찬을 다 하네요.

"하다 씨도 오늘 멋있어요."

'초은' 님도 활짝 웃으며 대답합니다.

"이제 슬슬 출발해야겠어."

'강하다' 님이 자동차의 조수석 문을 열어줍니다.

들고 온 도시락은 어디에 둘까요?

1. 정성을 들인 소중한 도시락, 내 무릎 위에

2. 모든 일에는 TPO, 짐은 트렁크에

3. 차 주인이 결정하세요. '강하다' 님에게 맡긴다.」

남주 '강하다'에 자꾸 은현을 대입해 생각하다 보니, 선택지도 은현의 비서 입장에서 판단하게 되는 것.

이것이 게임 유저 한초은의 딜레마였다.

초은은 고심 끝에 2번을 선택했다.

한 손에 도시락을 든 '초은' 님이 트렁크를 여는 순간. 수십 개의 풍선이 우르르 튀어나와 파란 하늘을 향해 날아가 버렸다.

「저런, '강하다' 님이 정성껏 준비한 멋진 이벤트가 실패로 돌아갔네요. '강하다' 님이 무척 실망했습니다.」

"풉······. 이게 뭐야."

그때 그 풍선이······.

트렁크에 대롱대롱 끼어 있던 분홍 풍선이 떠올라 초은은 그만 웃음을 터뜨려 버렸다.

또 불쑥 눈 주위가 뜨거워졌다. 요즘 자꾸 이러는 게, 우울증이라도 온 게 아닌가 걱정되었다. 습관처럼 손등으로 코 밑을 쓱 문질렀다. 하지만 이번엔 아무 소용이 없었다. 발갛게 달아오른 눈시울에 결국 그렁그렁 눈물이 맺혔다.

"바보."

카페에 흐르는 힌디 자흐라의 목소리가 초은의 마음을 애잔하게 읊조리고 있었다.

말해 줘요, 언제 돌아올 건가요.
말해 줘요, 당신은 알고는 있나요.
결코 되돌릴 수 없는 지니가는 모든 시간들,
모든 잃어버린 시간을 다시 되돌릴 수 없어요.

초은은 그만 두 손에 얼굴을 묻어버렸다.

카페에서 시간이 얼마나 흘렀는지도 몰랐다. 그동안 참아왔던 눈물을 다 쏟아 내고 나니 후련하긴 했다. 단지 얼굴을 뒤덮었던 검은 폭포의 흔적과 헝클어져 늘어진 머리칼, 어울리지 않게 여전히 깜찍한 의상이 잘 수습되지 않았을 뿐.

낙엽이 굴러다니는 거리에는 이미 어둠이 내려 있었다.

길 가다 저를 보고 흠칫흠칫 놀라는 사람들을 헤치고, 목적 없는 발길이 도착한 곳. 언젠가 은현과도 함께 왔었던 초은의 스트레스 해소용 비어 하우스였다.

"어, 초은 씨. 오랜만에 왔네요."

초은의 얼굴을 보고 역시 흠칫했던 주인은 이내 반갑게 인사했다.

"오늘은 혼자예요? 아니면 일행은 나중에 오시나?"

"안 와요, 아무도……."

"흠……."

주인은 하고 싶은 말이 많은 눈치였지만, 잠자코 자리로 안내했다.

"늘 먹는 걸로…… 부탁드려요."

"네. 조금만 기다려요."

그러고 보니 은현과 함께 온 것은 그의 사촌 형을 만나 기분을 망친 날이었다.

그 시베리아 쌍화차 십장생 후레지아 사발면 쌍쌍바 신발 샛길 호랑말코 같은 새끼. 처음 봤을 때부터 아주 싹수가 노랗더니, 결국 그렇게 은현의 뒤통수를 치다니.

저를 찾아왔을 때, 은현에게 얘기했더라면 그 사태까지 벌어지지 않았을까. 그의 헛소리를 흘려들었던 것을 후회하기도 했었다. 뭐, 세상이 떠들썩하게 내놓은 도둑질한 신제품은 결국 큰 반응을 얻지 못하고 접었지만 말이다.

동완이 맡았던 생산 라인도 결국 설비비도 다 뽑기 전에 축소했다는 소식도 들었다.

흥, 세상만사 사필귀정이지.

초은은 주인이 가져다준 맥주와 소주를 콸콸 섞어 숟가락을 탁 꽂아 넣었다.

"캬아!"

오랜만에 마시는 소맥이 찌르르하게 식도를 타고 흘렀다.

은현과 함께했던 그날. 그날은 세상 그 누구보다 그를 가깝게 느낄 수 있었다. 그가 자라면서 겪어야 했던 아픔과 외로움, 그걸 이겨낸 의지와 노력을 선연히 느꼈었다.

하지만 지금은 어떤가. 그의 기약 없는 약속에만 매달려 먼저 연락조차 할 수 없는 처지가 아닌가.

그가 기다리라고 했으니까. 꼭 다시 찾으러 온다고 했으니까.

그러니까 대체 언제 오냐고.

초은은 대충 제조한 소맥을 또 한잔 원샷했다. 빈속에 들이부은 알코올이 혈관을 타고 거침없이 전신을 휘돌았다.

"초은 씨, 치킨도 좀 드세요. 오늘 아주 바삭바삭 잘 튀겨졌네요."

주인이 조심스럽게 웃으며 치킨 접시를 내려놓았다. 초은은 대충 고개를 끄덕였다.

갑자기 울분이 치솟는 것 같았다.

치킨! 치킨 따위가 무슨 소용이란 말인가. 제아무리 바삭바삭 잘 튀겨졌어도, 강은현이 코빼기도 안 보이는데.

초은은 결연히 핸드폰을 꺼내 들었다. 비록 은현에게 연락할 순 없지만, 전화할 수 있는 곳은 많았다.

"야! 정다민!"

[어, 어어. 초은아. 어쩐 일이야?]

"어쩐 일? 너야말로 어쩐 일이냐. 거기 뭐야? 뭔데 그렇게 시끄러워?"

[이년이 취했나. 느닷없이 화는 내고 난리야. 야, 나 지금 회식 중이야.]

"회식? 회시익? 야! 무슨 망할 놈의 회사가 토요일에 회식이야?"

세상에, 그렇게 직원들을 혹사시키면서 심지어 토요일에 회식이라니. 초은의 분노는 더더욱 끓어올랐다.

[보통 회식이 아니고, 이번에 〈절대갑〉이 대박 돈벼락 맞았잖아. 성공 기념으로 클럽 하나를 통째로 빌렸어. 연예인들도 부르고, 돔 페리뇽을 수백 병 땄다. 완전 신나.]

"뭐라? 클럽? 클러어어업? 연예인? 돔 페리뇽?"

온통 초은의 정수리로만 향해 달음박질치던 성난 혈류가 마침내 화산처럼 뻥 터져 나오는 것 같았다.

클럽이라니! 회식이라니!

찾으러 온다더니, 딱 기다리라더니. 그 애절한 약속은 헌신짝처럼 버리고, 연예인들이랑 부비부비 흥청망청 즐기고 있다, 이거지!

"야! 정다민!"

[아, 깜짝이야.]

초은은 온 가게에 쩌렁쩌렁 울리도록 빽 소리를 질렀다.

"너, 당장 여기로 튀어와. 회식이고 뭐고 다 필요 없어. 너 10분 안에 안 오면 나랑 연 끊는 거로 알고 당장 거기 뒤집어엎으러 간다. 알지? 한때 내가 장안의 클럽을 다 휘어잡던 클럽 퀸이야!"

그리 자랑스러운 과거는 아니었지만, 이 순간만큼은 자부심을 느꼈다. 초은은 손가락이 부러져라, 종료 버튼을 눌렀다. 씩씩거리는 화가 도무지 풀리지 않아, 다시 소맥을 한 잔 들이켰다.

이 배신자들. 오기만 해봐라.

사실 일개 사원에 불과한 다민이다. 클럽 회식에 무슨 관여를 했겠는가. 하지만 분노와 취기에 휩싸인 초은은 그런 인과관계를 판단할 정신 또한 없었다.

"어흐흐흑, 이년. 오기만 해봐라."

초은은 닭 다리를 하나 집어 들어 사납게 물어뜯었다. 주인의 장담대로 유독 바삭바삭, 야들야들 잘 튀겨지긴 했다.

"으흐흑, 맛있긴 맛있네."

그때였다. 뒤에서 들리는 한 남자의 목소리에 바쁘게 움직이던 초은의 턱이 문득 멎었다.

"아니, 이 여자가. 어디서 혼자서 술을 마시고 난리야? 아주 그냥 세상이 만만하지? 아주 간이 배밖에 나왔지? 그 외모에, 그 자태에. 혼자 이러고 있는 것도 민폐라고."

초은의 두 눈이 번쩍 뜨이며, 얼굴이 확 펴졌다.

이 퉁명스럽고 재수 없는 말투는.

드디어 왔구나. 왜 하필 여기 있을 때, 아니 왜 이제야 온 거냐고.

게다가 뭔데 이렇게 당당해?

초은이 반갑게 몸을 확 돌렸을 때.

"칫, 귀찮다고 할 때는 언제고 뭐하러 굳이 여기까지 찾아왔어?"

"우리 자기가 집에 안 들어오는데 그럼 가만히 있어야 해? 강아지도 집 나가면 찾으러 가는 게 인지상정이라고. 이봐, 지금 자기 얼굴 보느라고 길가는 사람들이 제 갈 길도 못 찾아가는 거 보여? 이래서 민폐라니까."

"됐어. 상관하지 마. 자긴 내 얼굴보다 TV를 더 사랑하잖아."

"무슨 소리야, 이 여자야. 이 눈도, 코도, 입도 다 내 건데 남들이 봐서 닳으면 어쩌라고. 당장 일어나지 못해?"

부부싸움이라도 한 건지, 여자 혼자 소주잔을 기울이고 있는 테이블에 찾아온 남자였다.

아주 그냥 꽁냥꽁냥, 눈꼴시려 못 봐주겠네.

"이씨……. 왜 여기서 부부싸움을 하고 난리야."

순간 기대했던 마음이 식자, 더 큰 상실감이 찾아왔다. 울 만큼 울어서 다 내보낸 줄 알았는데. 강은현, 이 자식이 제 가슴속에 끊임없이 솟아나는 눈물샘을 심어 놓은 모양이다.

초은은 이번엔 글라스에 소주를 콸콸 쏟아부었다. 이걸 마시면 다 잊을 수 있을까. 이 아픔도, 이 괴로움도. 초은이 허겁지겁 글라스를 입에 댔을 때였다.

"야! 한초은!"

다민이 다급하게 가게로 뛰어 들어왔다.

"너 왜 그래? 무슨 일이야? 히익! 얼굴이 왜 이래."

"흑흑…… 다민아, 으앙."

초은은 그만 아이처럼 목놓아 울어버렸다.

"초, 초은아……. 대체 무슨 일이야? 누가 때렸어? 욕이라도 했어?"

물론 초은이 누가 때린다고 고분고분 맞을 리가 없다. 욕을 했다면 배로 돌려주고도 남았을 것이다. 하지만 오랫동안 알아 온 친구가 이렇게 내놓고 우는 모습은 처음이라, 다민도 두서가 없었다.

게다가…….

"야, 너 지금 완전 미친년 꽃다발이야."

검은 물기로 얼룩진 얼굴, 번져나간 립스틱, 헝클어진 머리. 그리고 그 옷은 대체 무슨 컨셉이니? 단체 미팅 나가는 중딩도 아니고.

"으흐흐흐흐흐흑, 다민아……."

"그래그래, 이게 대체 무슨 일이야?"

"어허헝, 크으으으음크음."

뭔가 말을 하려는 듯 입을 벙긋거리던 초은이 요란하게 코를 들이마셨다.

"그…… 그, 그 나쁜 놈이……."

"그게 누군데?"

"으흐흐흑, 찾으러…… 온다고, 딱…… 딱, 딱, 따악! 기다리라고……."

"……."

다민은 초은의 버퍼링 걸린 하소연을 묵묵히 들었다.

"기…… 기, 어흐흑, 기, 기다리라고 해놓고."

"……."

"클럽에서 샴페인이나 처마시고 연예인들이랑 부비부비나 해대면서…… 이 퇴폐적이고 음란한 자식!"

초은아……. 대체…… 누가? 너도 일 해봐서 알잖아. 우리 회사에 클럽에서 부비부비 즐길 만한 과감한 인재가 어디 있니?

다민은 초은이 도무지 무슨 소리를 하는지 알 수가 없었다.

"야! 이 자식아! 일하다가 과부하 걸려서 치매라도 왔냐! 데리러 온다며! 나 찾으러 온다며! 으아아아앙."

"아……."

모든 것을 깨닫는 순간, 다민은 일순 숙연해졌다. 회사를 떠나고도 제법 씩씩하게 지내던 초은이라, 이렇게까지 아픈 상처를 품고 있는 줄은 몰랐다.

"일 년도 안 됐는데, 그새 다 잊어버렸냐. 흑흑……. 아…… 아웃 오브…… 사이트, 으흐흐흑 아, 아웃 오브……. 이씨! 넌 내 인생에서 아웃이야!"

"아니, 초은아. 그게 아니라……. 강 대표도 나름 사정이 있을 거고……. 설마 널 잊었겠어. 그건 아니지."

그리고 초은아……. 클럽 회식은 보나 마나 박경원 작품이야. 강 대표가 어디 그럴 사람이니. 아까도 보니까 인상 쓰고 앉아 있기만 하던데.

"날 잊은 거야……. 그렇지 않고서야 이렇게 안 올 리가 없어. 흑흑……."

"아이고, 아니라니까. 이제 회사 일도 좀 안정됐고, 조금만 더 기다려 봐."

"됐어. 이제 다 필요 없어. 그깟 맹세 따위, 떨어지는 낙엽처럼 부질없구나."

"아유, 참……."

다민은 엎드려 들썩이는 초은의 어깨를 도닥였다. 그녀는 술과 절망에 골고루 절어 있는 상태였다. 지금은 무슨 위로를 해도 귀에 들어가지 않을 것 같았다.

"우리 초은이, 마실 만큼 마셨으면 노래방 갈까? 모처럼 시원하게 불러 젖히고 스트레스 확 날려버리자. 어때?"

"우웅? 노래방?"

"그래, 샤우팅, 그런트, 그로울링, 하고 싶은 거 다 해. 시원하게 질러보자.”

“흑흑……. 응응…….”

다민은 초은을 부축해 비어 하우스를 나섰다.

“초은 씨는 괜찮으시죠? 다음에는 꼭 같이 오세요.”

뭐든 다 아는 것 같은 주인이 상냥하게 인사를 건넸다. 다민은 비틀거리는 초은을 이끌고, 비어 하우스 옆 단골 노래방으로 들어섰다.

“자자, 우리 초은이. 무슨 노래를 부를까? 카니발 홉스? 비어 사이드? 아예 차례대로 다 예약해 놓을까?”

“됐써, 이리 줘 봐.”

초은은 다민의 손에 들린 노래책을 홱 낚아챘다.

아니, 너 지금 눈이 다 풀렸어. 그 숫자 보이기나 하니?

“야야, 번호 입력할 수 있겠어? 내가 해줄게.”

“됐다고. 내가…… 해. 난 이제 혼자라서 뭐든 혼자서 다…… 해야 한다고. 오빠 만세이예~.”

초은은 게슴츠레한 눈을 하고도 잘도 버튼을 눌렀다. 하긴 그동안 노래방 경력이 어딜 가진 않겠지. 눈 감고도 입력할 번호 아닌가.

드디어 시작 버튼. 이제 곧 초은의 가공할 괴성이 터져 나올 것이다. 다민은 심호흡하며 마음의 준비를 했다.

릴렉스, 릴렉스. 오늘은 이년이 어떤 발광을 해도 참아주자. 속이 많이 상한 것 같으니.

어라, 그런데……. 한초은, 왜 이래? 정신 차려.

초은의 입에서 흘러나온 것은 흐느낌과 잘 버무려진 청승맞은 멜로디와 가사였다.

“어흐흐흥, 아무거또오오, 난 해준 게 업떠, 받기만 해쓸 뿐. 그래서 미안해에에, 흐윽……."

아, 아니. 왜 해준 게 없어. 네가 삼한투자를 갖다 안겼잖아. 넌 레드핏의 구원자라니까…….

"나가튼 여자르으을, 왜 사랑했는지 왜 떠나야 했는지, 흐어어엉."

아, 아니…… 이년아, 네가 어디가 어때서! 그리고 안 떠났다고, 안 떠났다니까!

당황한 다민이 뭐라고 해보기도 전에, 노래가 바뀌었다.

"우리 왜 헤어져, 어떻게 헤어져, 어떻게 헤어져, 어떻게에에에……."

그러니까, 아니라고. 헤어진 거 아니야, 초은아.

초은의 흐느낌이 너무도 처연했다. 그저 듣는 것만으로도 가슴이 미어지는 것 같았다.

"헉, 언니 왜 이래? 미쳤어?"

노래방으로 들어서던 시현이 초은의 몰골을 보고 화들짝 놀랐다. 아무래도 혼자서 초은을 감당하기 힘들 것 같아 시현에게 연락했더니. 한초은답지 않은 실연 세레머니를 함께 보는 처지가 되었다.

초은은 어찌나 제 노래에 심취했던지, 시현이 들어온 것도 모르고 가슴을 부여잡으며 감정을 실었다.

"총 맞은 것처럼 정말 가슴이 너무 아파……. 흐으윽. 이렇게 아픈데 이렇게 아픈데……. 살 수가 있다는 게 이상해……. 너무 아프다……."

초은은 마이크를 꼭 쥔 채로 소파에 스르륵 쓰러졌다. 꼭 감은 눈에서 눈물 한줄기가 얼룩덜룩한 뺨을 타고 흘렀다.

시현은 금세 상황을 파악했다. 불만스럽게 팔짱을 끼고 앉아 긴 다리를 꼬았다.

"마음에 안 들어."

흥, 강은현. 초은에게 홀랑 빠져서 허우적거리는 게 눈에 빤히 보여서 좀 예쁘게 봐줬더니. 지가 뭔데 우리 언니를 엿 먹이고 있어.

시현의 눈빛이 사납게 빛났다.

"어유, 야. 내가 지켜봐서 아는데…… 지금 초은이가 좀 오해하고…… 혼자서 오버하고 있다니까."

"뭐라고? 언니, 지금 언니네 회사 사장이라고 실드 쳐주는 거야, 뭐야?"

"야! 내가 뭐하러 쓸데없이 회사 사장을 실드 치겠냐. 객관적으로 판단해서……."

"객관적이고 나발이고……. 우리 언니를 이렇게 쉽게 보다니. 내가 가만두지 않을 거야."

시현은 거칠게 씩씩거렸다. 중증 시스콤인 그녀는 사실 언니의 절친인 다민도 그리 곱게 보이지 않았다. 언니의 관심과 애정을 나눠 가져야 하는 것 같아서.

그런 다민이 은현의 역성을 들고 나서니 더 울컥했다.

"가, 가만 안 두면 어떻게 하게?"

오늘도 어디 클럽에서 놀다 왔니? 그런 옷차림으로 말하니까 더 무섭다, 야.

시현은 오늘도 여전히 누가 봐도 내일 없는 날라리였다. 시현을 보는 다민의 눈동자가 잘게 떨렸다.

"흥, 사랑은 사랑으로 잊는 법이지. 우선 초은 언니한테 뭐 하나 빠지지 않는 완전 완벽한 남자 먼저 구해주고, 강은현은 그다음에 응징하겠어."

"초은이가 그러겠대? 쟤 지금 상태 안 보여?"

"다민 언니는 조용히 지켜보기나 해."

옆으로 웅크린 초은의 어깨가 작게 들썩거렸다. 잠들어서도 흐느끼는 것이 무척 상심한 모양이었다.

"에구, 너를 어쩌니."

비록 결론은 달랐지만, 초은이 안쓰럽기만 한 마음.

시현과 다민은 같은 마음이었다.

/

"그럼 오늘 저녁 일정을 취소하겠습니다."

"응. 그럼 나가서 일 봐요."

보윤이 태블릿을 정리해 나가자 은현은 의자에 기대 깊은 한숨을 내쉬었다.

문가에서 지켜보던 경원이 천천히 다가왔다.

"왜? 오늘 무슨 약속이라도 있어?"

"어? 어어……. 개인적으로 좀 알아볼 일도 있고……."

"개인적으로 알아볼 일?"

회사, 일밖에 모르던 강은현이 언제부터 개인적인 일을 알아보고 다녔다고. 경원의 미간이 의심스럽게 구겨졌다.

"너……."

"응? 왜?"

경원은 은현의 얼굴을 유심히 살폈다. 그 암흑 같은 위기에서도 흔들리지 않고, 오히려 한 단계 더 도약한 대단한 놈.

그런데 왜 이런 대성공 후의 얼굴이 이 모양인 걸까. 회사가 부도 위기에 몰렸을 때보다 더 불안하고 조바심하는 얼굴이다.

"너 이제 한 대리는 안 만나?"

"뭔 뜬금없는 소리야?"

"아예 헤어진 거냐고."

"경원아. 이리, 좀 더 가까이 와 봐."

"응? 왜?"

"그 주둥이 확 스테이플러로 박아버리게."

"헉……."

은현의 눈빛이 사나웠다. 정말 그럴 것도 아닌데, 경원은 두 손으로 입을 막았다.

"그런데 왜?"

"뭐?"

"너 대박 친 거 전 세계에 다 소문났는데, 왜 한 대리 만나러 안 가냐고."

"……."

아무리 친구라도 복잡한 연애 사정까지 간섭하고 싶진 않았는데 경원이 굳이 이야기를 꺼낸 것은, 토요일 밤 다민과의 통화 때문이었다.

전대미문의 성대한 클럽 회식은 물론 트렌드에 민감한 제 아이디어였다. 늘 야근에 시달리며 사옥에만 처박혀 일하는 직원들이 화려한 조명과 음악의 물결을 타고 넘실대는 모습은 퍽 흐뭇했다.

그러다 문득, 다민이 보이지 않는다는 무서운 사실을 알게 되었다.

"다민 씨, 다민 씨, 어디 간 거예요? 나만 혼자 버려놓고. 너무해요."

[헐……. 참 빨리도 알아채셨네요. 거기 나온 지가 언젠데…….]

"아니, 내가 비서실 실장인데, 이것저것 행사 챙기고 그런다고 바빠서 그랬지. 다민 씨는 대체 어디예요?"

[나 초은이 만나러 왔어요.]

"오, 한 대리! 잘 지내고 있죠? 오랜만에 보고 싶은데 나도 갈까요?"

꼭 친구인 은현 때문이 아니라도 경원은 초은의 소식이 궁금했다. 일 잘하는 예쁜 부하 직원을 아끼는 마음은 어느 상사나 마찬가지니까.

[아니에요. 초은이 이제 집에 데려다주는 길인데…….]

"네? 한 대리를요? 한 대리가 취했어요? 거참 별일이네."

[경원 씨, 이런 얘기하고 싶지 않았는데……. 강 대표님 대체 무슨 생각이에요?]

"무슨…… 생각이라뇨?"

[이제 위급 상황도 다 지나갔고, 회사도 안정됐는데. 왜 초은이, 그냥 내버려 두냐고요.]

"음……. 그건…… 은현이도 계획이 있지 않을까요?"

사실, 그렇게 말하면서도 경원 역시도 확신이 없었다. 친구가 도무지 무슨 생각을 하는지 알 수가 없었다. 경원이었다면 찾아가도 벌써 열 번은 찾아갔을 일이었다.

[설마 끝났다고 생각하는 거 아니에요? 초은이만 등신같이 기다리는 거 아니냐고요.]

"어우, 그건 아닐 거예요. 왜요? 한 대리가 뭐라고 해요?"

[휴……. 뭐라고 하는 정도가 아니라…… 애가 좀 이상해요. 아주 머리에 총 맞은 애처럼 군다니까요!]

머뭇거리던 다민은 말을 이어가다 제풀에 열이 받았는지, 기어이 빽 소리를 질렀다.

그 단정하고 차분하던 한 대리가 술에 취해 인사불성이 될 정도면 오죽 힘든 상황이 아닐 것이다. 아무리 제 친구라도 이건 좀 너무했다.

경원은 대답 없는 은현을 매섭게 쏘아보았다.

"끝낼 거면 한 대리한테 똑바로 얘기하는 게 낫지 않겠냐?"

"그런 거 아니야. 나도 답답해. 그렇다고 대충할 수도 없고……."

"무슨 소린지 모르겠지만, 한 대리 많이 힘든 모양이더라. 그러다 지치면……."

"그렇게 되지 않을 거야."

"하여간 잘해라. 너 아주 미운털 박혔어. 다민 씨랑 한 대리 사촌 동생이랑 다 이를 가는 모양이던데."

"……."

"그렇게 미적거리다 나중에 땅을 치고 후회할 것이다, 이 등신아."

경원은 하고 싶은 대로 질러 놓고 겁을 먹었는지 도망치듯 방을 나갔다. 은현은 어두운 표정으로 얼굴을 쓸어내렸다.

알고 있었다. 초은이 어떤 마음으로 기다리고 있을지, 얼마나 애가 탈지. 하지만 저만 할까? 이렇게 숨 쉬는 순간마다 피가 바싹바싹 타 들어 가는 괴로움을.

그래도 그녀에게 다시 돌아갈 때는 눈부시고 화려한, 가장 완벽한 모습이고 싶었다.

/

구슬이 굴러가는 것처럼 영롱한 피아노 선율이 흐르더니, 뒤이어

웅장한 관현악의 울림이 어우러졌다. 레스토랑은 창가로 도심의 화려한 불빛이 내려다보이는 곳이었다.

갸름한 턱을 고이고 은현을 바라보던 연아가 싱긋 웃었다.

"같이 저녁 먹는 거 참 오랜만이다. 그치?"

"음…… 경원이는 언제 와?"

연아는 입술을 꼭 깨물었다. 요즘 은현은 어딘지 항상 정신 한 자락을 빼놓고 있는 것 같았다. 내심 짐작은 갔다. 그동안 회사의 생존을 걸고 모든 열정을 쏟아붓느라 깨닫지 못하고 있었겠지. 이제 여유가 좀 생기니 뒤늦게 밀려오는 허전함을 자각했을 것이다.

초은에 대한 은현의 마음을 부정할 생각은 없었다. 하지만 결국 그의 곁에 남아 있는 건, 여전히 자신이었다.

"경원이는 오늘 안 와. 안 불렀어."

"뭐? 나중에 알면 삐질 텐데."

은현의 눈가에 어두운 빗금이 드리웠다. 저만 빼놓고 맛있는 거 먹고 어쩌고 하면서 찡얼거릴 경원을 떠올린 모양이었다.

"오늘은 너하고 얘기 좀 하고 싶어서."

"매일 얼굴 보는데, 그냥 하면 되지. 뭔 얘길 이렇게 번거롭게 하냐?"

은현의 반응은 심드렁했다. 아니, 그는 내내 이랬다. 조금 자존심이 상했지만, 아직은 괜찮았다.

그래, 내가 너에게 일상의 기쁨을 되찾아 줄게.

연아는 아페리티프로 나온 와인을 한 모금 머금으며 긴장한 입술을 축였다.

"너 요즘 외롭지?"

"뭔 소리야."

"너 그동안 너무 한계치까지 무리했잖아. 이제 번아웃이 올 법도 해."

"그래서 하고 싶은 얘기가 뭔데?"

드디어 본론이다.

연아는 와인 잔을 내려놓고 목을 가다듬었다.

"우리 만나 보지 않을래? 나 너 만나고 싶어."

"……지금 만나고 있잖아."

"바보야, 그런 거 말고. 남자와 여자로……."

예상은 했지만, 이건 너무 세잖아. 은현의 얼굴에 기겁하는 표정이 너무나 역력했다. 연아는 의기소침해졌다.

"야…… 야! 그게 무슨 비엘 찍는 소리야!"

"뭐? 이 자식아! 내가 남자니? 남자야? ……바보야, 나도 여자라고! 너 내가 얼마나 인기 많은지 봤잖아!"

하긴, 얼마 전 클럽 회식 때만 해도 그렇다. 초대받아 왔던 모델 뭐시기와 가수 어쩌고가 연아에게 유독 친근하게 굴긴 했다. 은현은 저 새끼들 눈이 삐었나 싶은 생각이 들었지만.

그리고 아울러 초은이 회사에 없어서 다행이라는 생각도 했다. 저 것들이 천사 같은 초은을 봤다면……. 상상만 해도 이마에 빠직 핏줄이 섰다.

"그래. 좋다. 여자라 치고."

아니, 여자라 치는 게 아니라 여자라고.

"이게 무슨 근친상간하는 소리야? 너 혹시 이상한 책 같은 거 많이 읽는 거 아냐?"

"야! 너랑 나랑 따질 촌수가 있니, 피가 섞였니? 무슨 근친상간이야!"

이쯤 되니 연아도 울분이 치밀었다. 은현이 저를 그런 눈으로 보지 않는다는 것은 알고 있었지만, 이건 너무 심하잖아.

"심리적, 정신적 근친이란 게 있지."

"부부도 가족이거든!"

"뭐? 부부?"

은현은 두 번째로 기겁하는 표정을 지었다.

연아가 자신을 그런 대상으로 생각할 줄은 꿈에도 몰랐다. 가끔 선을 넘어 친근하게 구는 것도, 그저 저와 절친한 관계라는 것을 과시하려는 것으로 여겼다.

"신연아, 너 요즘 많이 외롭냐? 내가 소개팅이라도 시켜줘?"

"야! 내가 외로워서 그러니? 난 네가······."

이쯤 되니 연아도 서럽지 않을 수 없었다. 야속함과 답답함에 눈물이 차올랐다. 떨떠름하던 은현의 표정도 무거워졌다. 연아의 마음이 진심이라면, 이게 무슨 날벼락 같은 일인가.

"그리고 신연아. 네가 그런 말 하면 안 되지. 나한테 초은이 있는 거 알면서."

"헤어졌잖아."

"뭐?"

"사표 내고 떠났잖아. 소문에 듣자 하니, 열심히 선보고 다닌다던데. 너 혼자 미련 남아서 이러는 거 아니냐고?"

"허······."

연아의 반박은 은현의 가장 약한 곳을 건드렸다. 스스로 인정하고 싶지 않아 마음 깊이 숨겨 두었던 불안이었다.

"잘 생각해 봐. 무슨 일이 있어도 언제나 네 곁에 있어 주는 사람이 누군지. 꼭 시작이 뜨겁지 않아도 돼. 그냥 같이 있으면 편안하고 안심되는, 그런 사이도 나쁘지 않잖아."

"하아……."

은현은 깊은숨을 내쉬었다.

"신연아. 박경원하고 넌 나한테 세상에서 유일한 가족이야."

"그래, 나도 그렇게 생각해. 넌 이미 나한테 평생 함께할 존재야."

고집을 부려보지만, 선명히 느껴지는 어떤 예감에 연아는 목이 메었다. 은현은 그 어느 때보다 진지했다. 그리고 솔직했다.

"하지만 널 가족과 다른 감정으로 볼 수는 없어. 그건 불가능해."

"해보지도 않고……."

"해볼 수가 없다고. 난 이미 한초은한테 눈이 멀어서. 너, 핏불테리어 알지? 한번 물면 놓지 않는 독한 맹견."

"뭐?"

"내가 지금 그거거든. 한초은을 물었어. 선을 수백 번을 보든, 딴 남자 수십 명을 만나든, 내가 죽을 때까지 놔주지 않을 거거든."

"……."

"그러니까 넌 지금처럼 내 가족으로 남아 줘. 너희 둘마저 없으면 나 진짜 혼자인 거, 알잖아. 부탁한다."

부탁이라니. 천하의 강은현이. 이제껏 티격태격하며 퉁명스러운 말만 하던 이 남자가.

이래서는 더 우겨볼 의욕도 안 생기잖아.

연아는 울컥 치미는 뜨겁고 매운 명울을 힘겹게 되삼켰다.

"야야, 너 그렇게 앞뒤 안 보고 매달리다가 나중에 상심해서 울지나 마라. 그땐 나도 위로 안 해준다."

"너야말로 나중에 좋은 사람 생겼다고 나 외면하지나 마라."

"흥……. 두고 봐야 알지."

바보야, 나한테 좋은 남자는 이제까지 하나뿐이었단 말이야.

연아라고 연애 한 번 하지 않은 것은 아니었다. 미국에 지내면서 몇몇을 만나보았지만, 즐겁고 설레는 것도 순간이었다. 그녀는 늘 은현이 그리웠고 그래서 기어이 돌아왔다.

그래, 이렇게라도 네 곁에 있을 수 있다면. 뭐 어쩔 수 없지.

"야, 얘기 다 끝났으면 저녁 먹자. 배고파 죽겠네."

"먹자, 먹어. 배부르게 먹고, 너 잘해라."

"뭘 잘해? 내가 뭐 못하는 거 있어? 나처럼 뭐든 잘하는 사람이 어딨다고."

"그래그래, 그게 뭐든."

은현이 묵직하던 공기를 지워 내며 투덜거렸다. 연아는 어쩔 도리가 없어 피식 웃어버렸다.

/

"어우, 벌써부터 춥고 난리야."

늦가을의 찬 기운은 연기처럼 스멀스멀 스며들었다. 라이너를 덧댄 트렌치코트의 깃을 꼭 여몄는데도 그랬다. 초은은 사무실에 들어와서도 금방 옷을 벗지 못하고 한동안 발을 동동거렸다.

겨우 겉옷을 벗고 자리에 앉으려는데, 책상 위에 뭔가 놓여 있었다. 은은한 광택이 도는 금빛 봉투. 입구를 열어보니 심플하면서도 고급스러운 카드가 나왔다.

카드에 적힌 제목을 읽는 순간.

"헉! 이게 뭐야?"

「삼한 생명 한초은 이사의 29번째 생일 파티에 초대합니다!」

아니, 뭔데 주인공도 모르게 생일 파티 초대장이 날아드냐고.

날짜는 다가오는 주말. 심지어 장소는 인천 앞바다에 띄우는 크루즈였다. 물론 이것은 외삼촌인 상혁의 소유겠지. 이쯤 되면 이 일을 계획한 주동자 역시 너무도 빤했다.

"김시현……."

[아, 언니? 굿모닝.]

"야, 굿모닝이고 뭐고, 이게 뭐야?"

[뭐? 아아, 초대장 받았어? 예쁘게 잘 나왔지?]

"예쁘고 자시고……. 내 생일 파티 초대장을 왜 내가 받아 봐야 하냐고!"

[아유, 참. 언니도. 원래 중이 제 머리 못 깎는다는 말이 있잖아. 그래서 내가 특별히 아빠한테 졸라서 신경 좀 썼지. 알만한 집 처녀, 총각들은 다 모일 거야. 엄청 재미있겠지?]

"뭐? 아니…… 내 생일이 뭐 그렇게 대단하다고 처녀, 총각들을 다 모아? 너 대체 왜 이래."

[어유, 다들 기회에 인맥도 넓히고 즐기기도 하고 그런 거지. 그리고 자타공인 괜찮다고 소문난 총각들 명단도 다 뽑아 놨다고.]

"휴…… 시현아. 왜 그래? 요즘 내 기분 몰라서 이래?"

[그래서 그래. 눈 감고 귀 막고 있다고 그 기분이 나아지니? 이제 좀 새로운 데로 관심도 돌려보고 그래. 어쨌든 그날 신나게 노는 거다. 알았지?]

제 할 말만 끝내고 통화는 뚝 끊어졌다. 초은은 화면이 꺼진 핸드폰을 멍하게 바라보았다.

알고 있었다. 시현이 무엇 때문에 이러는지.

그날 차곡차곡 쌓여 있던 불안과 그리움과 외로움, 야속함 따위를 다 쏟아 내고 나니 더 이상의 흔들림은 없었다. 하지만 온몸이 텅 빈 것 같았다. 껍데기만 남아 툭 치면 부스러져 버릴 것 같은 허탈감. 뭔가를 기대하고 기다릴 때의 조바심과 원망보다, 포기하고 내려놓은 후의 무력감이 더 시리게 느껴졌다.

그런 저를 걱정스럽게 지켜보는 가족들의 마음을 알고 있었다. 그래서 초은은 시현이 이런 황당한 일을 저질러도 진심으로 탓할 수가 없었다.

휴……. 장단이라도 맞춰줘야 하나? 그것으로 저를 아끼는 이들을 조금이라도 안심시켜 줄 수 있다면.

하룻밤 정도는 억지로라도 웃을 수 있을 것 같았다.

/

온통 반짝이는 전구로 휘황찬란하게 치장한 하얀 크루즈는 마치 거대한 크리스마스트리 같았다. 한마디로 초은의 생일을 위한 이벤트라기엔 너무 성대했다.

시간이 되자 선착장 앞은 줄줄이 도착하는 리무진들로 북새통이었다. 리무진 뒷좌석에서 내리는 화려한 복장의 남녀는 직원의 도움을 받아 계단을 올랐다.

"레드카펫이라도 깔아 줘야 하는 거 아니니?"

갑판에서 초대객을 맞던 초은이 시니컬하게 웃었다.

"그치? 내가 그 생각을 못 했네. 그런데 언니, 오늘 진짜 예쁘다."

곁에 선 시현은 흥분한 목소리였다. 여전히 시현에게 파티만큼 신나는 일은 없었으니까. 시현은 애써 웃느라 입꼬리가 바들바들 떨리는 초은을 흐뭇하게 훑어보았다.

앞머리를 볏짚처럼 땋아내려 굽슬굽슬하게 컬을 넣은 뒷머리에 모아 낮게 묶은 세미업 스타일. 그리고 어깨를 과감하게 드러내면서도 심플한 디테일로 기품을 살린 미니 드레스.

오늘의 스타일링은 우아하면서도 상큼한 초은의 매력을 한껏 살렸다. 오전부터 시현에게 끌려다니며 에스테틱부터 부티크와 헤어숍을 차례로 돈 덕분이다.

그 돈과 시간을 투자하고 이 정도 아웃풋도 안 나오면 그야말로 낭비지. 초은은 코끝으로 웃었다.

"오늘은 누굴 골라잡아도 언니한테 홀딱 넘어가겠구만. 내가 장담할게."

시현의 속삭임에 초은의 눈이 휘둥그레졌다.

"김시현, 너 그게 무슨 소리야?"

"무슨 소리긴. 내가 오늘 완벽하게 세팅해놨다니까. 언닌 그냥 손만 까닥해. 내가 알아서 다 할게."

"야…… 너!"

초은이 시현의 손목을 움켜쥐는데, 정작 시현은 아무렇지도 않게 초은의 손을 탁 쳐냈다.

"어머, 초은아. 생일 축하해. 어쩐 일로 생일 파티를 다 하니? 이런 파티 진짜 오랜만이다."

"아, 으응…… 반갑다. 오늘 재미있게 놀다 가."

"초은 씨, 생일 축하드립니다. 오늘 무척 아름다우시네요."

"하하…… 감사합니다. 아무쪼록 즐거운 시간 되세요."

출항 시간이 임박하자 초대객들이 쉴 새 없이 들이닥쳤다. 초은은 인사를 주고받느라 시현을 더는 추궁하지 못했다.

계속 인사를 하다 보니 뭔가 이상한 생각이 들었다. 여자들이야 좀 친한 사이도 있고, 겉으로만 친한 척하는 사이도 있고, 데면데면한 사이도 있었다. 그런데 남자들이…….

"시현아…… 혹시?"

"응, 언니. 그동안 맞선 보러 다니느라 너무 힘든 것 같아서. 그냥 오늘 한 번에 다 비교해 보고 고르라고."

"헐……."

크루즈 파티는 총체적 난국이었다. 그동안 초은이 맞선을 봤던 남자들, 그리고 앞으로 볼 남자들. 외숙모의 맞선 리스트를 3D로 구현해 놓은 것 같은, 그야말로 대환장 파티. 초은은 울지도 웃지도 못하고 한숨만 내쉬었다.

마지막으로 도착한 대영철강의 아들과 딸이 크루즈에 오르자, 드디어 배가 출발했다. 가을의 끝 무렵, 바다의 짠기를 머금은 저녁 바람이 서늘했다.

하지만 하늘과 바다가 온통 붉게 물들어가는 순간은 무척이나 로맨틱했다. 갑판에서 라이브로 흐르는 달콤한 재즈곡이 저물어가는 가을 저녁의 흥취를 돋웠다.

맵시를 내느라 하늘하늘한 드레스를 입은 아가씨들에게는 미리 준비한 담요를 돌렸다. 하객들은 웨이터들이 권하는 샴페인과 핑거 푸드를 즐기며 서로 인사를 나누고 안부를 물었다.

말하자면 아이스 브레이킹의 시간이었다. 이날의 주인공인 초은 곁에는 단연 많은 사람이 몰렸다.

"요즘 삼한 생명에서 일 배운다면서? 김상혁 회장님이 보험사 쪽은 초은 씨한테 맡길 생각이신가 봐요."

"어머, 초은아. 그 목걸이 잘 어울린다. 나도 그저께 숍에서 보고 살까 말까 했는데, 안 사길 잘했네. 딱 네 거다."

"지난달에 몰디브 별장에 다녀왔는데, 이젠 체력이 달리더라고. 초은이 넌 요즘 어디 안 나갔어? 여행 좋아했잖아."

웃으며 적당히 대화를 맞춰 주고 있는데, 저편에 갔던 시현이 돌아와 초은의 옆구리를 쿡쿡 찔렀다.

"언니, 일단 최우선 후보는 저쪽."

"됐다고."

말로는 거절하면서도 반사적으로 시선이 돌아갔다.

헉⋯⋯ 저 남자는.

"언니하고 한 번 맞선 본 적 있지? 국정원장 차남 정진현. 아주 반듯하고 성품 좋기로 이 동네 소문이 자자하지. 생긴 것도 훈훈하잖아."

안 그래도 아주 반듯하다는 소문을 들었지. 그래서 공들인 고스족 콘셉트로 만났던 맞선남 아니니.

시현에게 무슨 말을 들었는지, 진현은 초은과 눈이 마주치자 싱긋 웃으며 다가왔다.

"초은 씨, 오랜만이네요. 오늘 무척 예뻐요. 전 지난번 그 스타일도 좋았지만."

"아⋯⋯ 그게, 제가 한 번씩 즐기는 스타일이랍니다."

초은은 내리깐 눈으로 시현을 째려보면서도 목소리만큼은 상냥하게 냈다. 이게 다 사회에서 익힌 대외용 버전이었다.

"전 사실 초은 씨 마음에 들었는데, 초은 씨가 너무 대놓고 불편해하셔서 애프터 안 했던 거거든요. 이젠 좀 대시해 봐도 됩니까?"

"하…… 하하. 글쎄요. 제가 요즘 새로 일 배운지 얼마 안 돼서, 사실 마음의 여유가 별로 없어요."

"일은 일이고, 같이 여가를 즐길 사람도 필요한 거죠."

과연 그는 평판만큼이나 반듯했다. 서글서글하고 친절한 태도로 거부감 없이 다가서는 능력이 있었다.

"자, 신사 숙녀 여러분, 밤이 깊었으니 이제 안으로 모시겠습니다."

영혼 없는 웃음과 대화를 흘리는데, 노래하던 재즈 가수의 목소리가 마이크를 타고 흘렀다.

"어머, 이제 안으로 들어가야 하나 봐요."

"네, 해가 지니 기온이 많이 떨어졌네요."

초은은 서둘러 발걸음을 옮겨 겨우 진현에게서 벗어났다.

선실 안도 외관 못지않게 화려하게 치장되어 있었다. 불빛을 수천, 수만 조각으로 반사하며 빛나는 크리스털 샹들리에와 은방울꽃을 메인으로 한 생화 장식이 아늑하면서도 화려했다.

양쪽 벽 앞으로 본격적인 뷔페 테이블이 늘어서 있고, 앉아서 식사할 수 있는 테이블도 놓여 있었다. 그런가 하면 바텐더가 직접 음료를 서비스하는 바도 한쪽에 마련해 두었다.

초은이 선실에 들어서자마자 라이브 연주가 흐르기 시작했다.

"생일 축하합니다. 생일 축하합니다."

허스키하고 매혹적인 재즈 가수의 선창을 따라 하객들이 손뼉을 치며 생일 축하 노래를 따라 불렀다.

노래가 끝나자 환호와 박수가 터져 나왔다. 시현이 초가 가득 꽂힌 커다란 케이크를 들고 초은의 앞에 섰다.

내키지 않는 파티라도, 또 진심이 아주 조금만 담긴 축하라도. 생일에 받는 환호는 행복한 기분을 부풀리는 힘이 있었다.

초은은 초의 불을 끄며 멋쩍게 웃는 사이, 또 다른 남자가 다가왔다. 어지간해서는 소화하기 힘든 오렌지 빛깔의 재킷과 날렵한 근육이 잡힌 체격.

아, 후보 2번이시군요. 저 뒤편에서 시현이 손가락으로 연신 V자를 그리는 것을 보니.

이 남자는 아직 선 자리에서 만난 적은 없지만, 누군지는 알고 있었다. 제일 자동차 막내 김찬영. 아주 자유분방하고 유쾌한 만능 스포츠맨이라지. 소싯적 한초은과 친해졌으면 어쩌면 죽이 잘 맞는 사이가 됐을지도 모르겠다.

"초은 씨, 반가워요. 나 알아요?"

"네, 그럼요. 하하……. 찬영 씨, 반갑습니다. 파티에 와 주셔서 감사합니다."

"초은 씨가 이런 파티를 연다고 해서 좀 놀랐어요. 그런데 초은 씨, 예전이랑 느낌이 엄청 달라졌네요. 되게 차분하고 어른스러워진 것 같아요."

"아…… 아무래도 나이가 드니까요."

"에이, 외모는 그대로인데요. 초은 씨는 어떤 스포츠 좋아하세요? 전 요즘 엔듀로 바이크에 푹 빠졌습니다. 이게 뭔가 거칠고 힘이 넘치는 매력이 있거든요. 다음에 초은 씨도 한 번 같이 가보시겠어요?"

"하하, 아, 네……. 정말 매력적이네요. 그런데 제가 엄청난 몸치라…… 운동이라곤 피트니스나 다니는 정도라서……."

그러고도 찬영은 한참이나 신나게 각종 스포츠에 관한 이야기로 열을 올렸다. 심지어 그중 반 이상은 초은이 처음 들어보는 종류였다.

야, 너 탈락! 대화의 기본도 모르시네요. 최소한 상대방과 공감대는 형성할 수 있어야지, '운동무새'도 아니고.

초은의 영혼 없는 표정을 보고도 저편에 선 시현은 흐뭇한 표정이었다. 심지어 초은을 향해 엄지를 추켜세우기까지 했다.

닥쳐, 손가락 부러뜨리기 전에.

점점 인내심이 바닥나고 있었다. 찬영은 봄이 되면 F1 그랑프리를 보러 가자며 떠들어 대고 있었다. 멍하니 바닥만 보던 초은은 찬영을 향해 고개를 들었다.

"아, 저 목이 좀 말라서 뭐라도 한 잔 마셔야겠어요."

"그러시면 제가 가져다드리겠습니다."

"마르가리타로 부탁드릴게요."

다행히 그 정도의 매너는 있었는지, 찬영이 바를 향해 성큼성큼 멀어졌다. 초은은 재빨리 몸을 돌려 선실을 가로질렀다.

맛있는 음식과 무한 제공되는 각종 주류를 즐긴 하객들은 만족스러워 보였다. 초반의 흥이 넘치는 분위기는 이제 한결 풀어져 느슨해져 있었다.

초은은 행여 누가 또 말을 붙일까, 얼른 선실을 빠져나왔다. 이제 코앞까지 다가온 냉혹한 계절은 차가운 밤공기를 뿜어냈다. 초은은 어깨를 으스스 떨며 갑판의 난간에 기댔다.

온통 깜깜한 어둠만 출렁이는 밤바다. 배를 장식한 전구의 불빛이 파도의 흔들림에 따라 조각조각 흩어져 떠다녔다. 초은은 난간을 잡고 그 빛나는 조각들을 물끄러미 바라보았다.

조각난 것들이라면 나도 좀 알고 있지. 내 마음이라든가, 사랑과 추억 따위.

불현듯 화가 치밀었다.

정말 진심으로 좋아했는데, 내가 뭘 잘못한 걸까.

찾으러 온다고, 기다리라고 해서 기다린 것뿐인데.

이젠 익숙해진 아픔이 여전히 둔탁하게 가슴을 파고들었다. 저에 겐 그 애타는 기다림의 시간이, 그에게는 잊히는 과정이었다는 생각 때문이었다.

좀 혼자 있고 싶은데.

초은의 바람을 외면하듯, 등 뒤에서 저벅저벅 묵직한 발걸음이 다가왔다. 짜증이 치밀었다.

"F1인지 K1인지 전 사실 관심 없고요. 아니, 전 바퀴 달린 게 세상에서 제일 싫거든요. 그러니까……."

"내가 같이 가자고 해도 싫어?"

거칠게 내쉬던 숨이 턱 막혔다. 너무도 그리웠던 목소리.

어서 그 실체를 확인하고 싶었다. 하지만 가위에 눌린 것처럼 몸이 움직여지지 않았다.

꿈처럼 돌아보는 순간 사라져버릴까 두려워서일까, 아니면 왜 이제야 나타났냐는 원망 때문일까.

"초은아."

다시 한번 들리는 목소리에, 마치 저주에서 깨어난 것처럼 몸이 홱 돌아갔다. 마지막 봤을 때보다 좀 더 슬림해진 몸, 가팔라진 턱선과 서늘하게 깊어진 눈빛.

하지만 한 손을 주머니에 꽂은 채 고개를 기울이고 웃는 삐딱한 입매는 분명 초은이 애타게 기다리던 얼굴.

"……."

"한초은. 요즘 선 자리가 물밀 듯이 밀려 들어온다던데, 딱 기다리라는 내 말은 벌써 잊었나? 그 머리 좋고 완벽한 한초은이 그새 건망증이 생겼나 보지. 아니면 한 남자로는 만족 못 하는 팜므파탈이 되셨나? 그런데 억울해서 어쩌나, 벌써 나한테 꼭 잡혀서 아무 데도 못 갈 텐데. 내가 한 번 가진 건 절대 양보 안 하거든."

아…… 정말 그가 맞구나.

"누구세요?"

"……초은아?"

"누구신데요? 누군데 반말이야!"

나름대로 멋있어 보이려고 잡고 있던 똥폼이 머쓱할 지경이었다. 은현은 주머니에서 급히 손을 빼냈다.

"초은아, 왜 이래. 내가 이날을 얼마나 기다렸는데."

"흥, 시간 초과로 땡. 버스, 벌써 떠났습니다."

"이러지 마."

은현이 성급하게 한 걸음 다가섰다.

"알아. 너무 늦었지? 미안해. 하지만 나도 정말 속이 다 탔다고. 잿더미만 남은 거 보여 줘?"

"왜…… 왜 이래요! 누가 본대요?"

은현이 거칠게 보타이를 끌어내리며 셔츠의 단추를 푸는 시늉을 했다. 초은은 화들짝 놀라 손으로 두 눈을 가렸다.

이 남자가 어디서 몸으로 다 해결하려고 이래. 그런 나쁜 건 어디서 배워 가지고.

문득 부드러운 손길이 초은의 손을 감싸 끌어내렸다. 초은은 떨리는 눈동자를 천천히 들어 올렸다.

눈앞에는 입구가 열린 작은 상자가 보였다. 그리고 상자에 콕 박혀 있는 별빛처럼 반짝이는 세 장의 꽃잎.

"어떻게 나타나면 한초은이 다시 홀딱 반할 만큼 멋있을까. 내내 고민했다고."

"바보…… 바보, 바보."

"그래. 바보였어. 내가 아무리 용을 쓰고 난리 블루스를 쳐도, 한초은이 나한테 더 반할 일은 없더라."

"……."

"난 항상 더 사랑하고 더 그리워하고 더 안달이 날 수밖에 없어. 왜냐하면."

은현은 반지 상자를 들지 않은 손으로 초은의 손을 꼭 잡았다.

"넌 내 인생 최고의 행운이고, 내 평생의 행복이거든. 네가 없으면 이젠 나도 없는 거야. 사람 하나 살리는 셈 치고, 그러니까…… 이 반지 받아 줄 거야, 어쩔 거야?"

이 솔직하고 오만하면서도 달콤한 고백.

"……주세요."

북받쳐 오르는 감정에 초은의 눈가에 그렁그렁 눈물이 맺혔다.

그녀 역시 바보였다.

처음엔 그를 길들이기 위해 시작한 관계였다. 하지만 어느새 그의 진심에, 뜻밖의 따뜻함에, 솔직한 사랑에 길들어진 것은 바로 자신이다.

초은의 손가락에 갓 피어난 세 꽃잎이 이슬을 머금은 것처럼 찬란하게 반짝였다. 모든 것이 비로소 제자리로 돌아간 것 같았다. 초은이 활짝 웃자 그녀를 따라 은현도 웃었다. 입가에 떠오른 미소는 모든 것을 이룬 듯 환했다.

/

쿠궁, 탁.

객실 문이 채 닫히기도 전에 겹쳐진 몸이 거칠게 문을 밀어붙였다.

크루즈에서 최대한 빨리 선착장으로 돌아가 달라고 부탁했던 일. 은현의 차에 올라 가장 가까운 호텔로 달려온 일. 체크인하고 엘리베이터에서부터 시작한 격렬한 키스.

그 모든 과정이 꿈결처럼 아득했다. 서로를 온몸으로 느끼는 지금 이 순간만이 전부였다.

은현은 초은을 제 단단한 몸과 문 사이에 끼워 놓고 정신없이 입술을 탐했다. 마치 한 마리 야수가 된 것 같았다. 오랜만에 맛보는 초은의 입술은 사막에서 만난 오아시스였다. 영원히 풀리지 않던 갈증을 풀어 줄 단 하나의 생명수.

야들야들 매끄러운 입술을 핥고 빨아들였다. 깨물면 상큼하고 달콤한 즙이 톡 터져 나올 것 같았다. 그 말랑한 곳을 잘근잘근 씹으며, 혀끝을 밀어 넣어 촉촉하고 뜨거운 입안을 더듬었다.

"으흥…… 흐읍……."

휘몰아치는 짜릿한 감각에 초은은 온몸이 저릿했다. 다리에 힘이 풀려 정신없이 은현의 목에 매달려 신음만 흘렸다.

은현은 초은의 허리를 강하게 휘감았다. 아, 이 낭창하고 부드러운 감촉, 허리에서 아래로 물결처럼 흘러내리는 매끄러운 굴곡.

은현의 달아오른 손이 허리에서 허벅지로, 또 등으로 유영했다. 쓰다듬고 어루만지는 움직임에 노골적인 욕망만이 가득했다. 하늘하늘한 드레스가 구겨지고 흐트러졌다.

자비 없는 침략군처럼 초은의 깊은 곳을 휘젓던 단단한 덩어리가 초은의 것과 만나 격렬히 얽혀들었다. 까슬한 감각이 선연히 느껴지도록 문지르고 비벼대는 움직임에 정신이 아득했다.

참을 수 없다는 듯 강하게 흡입하고 빨아들이는 힘에, 기어이 초은의 몸이 바르르 전율했다. 은현은 더는 참지 못하고 재킷을 벗어 던지고 초은을 번쩍 들어 올렸다.

잔뜩 힘이 들어간 근육이 부풀어 올라 셔츠가 터질 것 같았다. 침대까지 고작 몇 걸음. 조바심에 숨이 턱턱 차올랐다.

은현은 초은을 던지듯 내려놓고 급하게 드레스를 걷어 올렸다. 초은도 무척이나 달아올랐는지, 은현의 셔츠 단추를 풀기 시작했다.

"하아, 젠장. 이건 어떻게 벗기는 거야?"

길이며 너비며, 면적도 얼마 안 되는 천 조각이 도무지 떨어져 나올 생각을 하지 않는다. 게다가 제 가슴께에서 조물조물 움직이는 작은 손가락에 감촉에 감질나 미칠 것 같았다.

"안 되겠어. 각자 벗자."

"그래요!"

초은이 단숨에 옷자락을 끌어 올려 머리 위로 빼내는 동안 은현은 셔츠 자락을 뜯어 버렸다. 작은 단추가 여기저기로 튀어 올랐다.

"헛, 은현 씨…… 옷이……."

"됐어, 옷 따위."

지금 옷이 문제야? 옷이 찢어지기 전에 내 심장이 터지겠다고.

은현은 바지 버클마저 사납게 풀며 무릎으로 침대 위에 올라섰다. 드레스를 저쪽으로 던져 버린 초은이 비스듬히 뒤로 기댔다.

눈부신 하얀 살결, 가장 궁금한 부위만 짓궂게 가려놓은 검은 레이스의 속옷. 목덜미에 흩어진 검은 머리칼. 은현을 바라보는 눈동자가 유혹하듯 빛났다.

와, 왜 이렇게 섹시한 거야. 사람 미치게.

사냥감을 발견한 짐승처럼 어슬렁어슬렁 다가서던 은현이 그 여린 몸을 불시에 훌쩍 덮쳤다.

"까악!"

초은의 즐거운 비명이 달아오른 객실에 유쾌하게 울렸다. 은현은 들끓는 욕망을 온몸으로 느끼며 초은의 목덜미를 덥석 물었다.

아, 이 향기, 이 감촉.

호흡하는 매 순간 그리워했던 그녀의 모든 것.

은현의 입술이 목덜미로 미끄러졌다. 움푹 팬 쇄골을 혀끝으로 덧그리고, 두 손으로 도도록한 둔덕을 모아 입술을 묻었다. 보들보들 달아오른 피부는 마치 꿀을 발라놓은 듯 향기롭고 달콤했다.

몸속 가득, 끝 간 데 없이 고조되는 쾌감이 은현을 채찍질하는 것 같았다. 숨결이 거칠어졌다. 고삐 없는 야생마처럼 마구 질주하고 싶은 욕망이 차올랐다.

종아리에서 허벅지로, 또 허리와 등으로 매끄럽고 말랑한 살결을 탐닉하던 손이 초은의 몸에 마지막 남은 천 조각을 난폭하게 벗겨냈다.

은현의 움직임이 거칠어졌다. 그의 입술과 혀끝이 닿는 곳마다 울긋불긋한 쾌락의 꽃잎이 피어났다.

"웃…… 흐웃……."

초은은 마치 스위치를 올린 것처럼 전신의 감각이 깨어났다. 그의 뜨거운 숨결이 짜릿한 쾌감을 일깨우고, 아랫배에 단단히 응축되어 가는 어떤 욕구에 허리가 비틀렸다.

뭔가를 조르듯, 초은의 손끝이 단단하게 뭉친 은현의 등에 박혔다.

노골적이고 본능적인 애욕에 젖어가는 몸과 몸.

은현이 한계까지 부풀어 오른 욕망으로 초은을 가득 채운 순간.

"흐윽……."

"하아…… 초은아, 초은아……."

바로 이 감각이었다. 그 누구에게서도 얻을 수 없는 무한한 충족감.

그가 초은을 채우고, 하나가 되는 그 순간. 오직 둘이 함께일 때 도달할 수 있는 절정으로의 여정.

은현은 천천히 몸을 움직이며 그 길고 긴 항해를 시작했다.

/

다시 눈을 떴을 때는 이미 날이 훤히 밝은 후였다.

온몸이 두들겨 맞은 것처럼 축 늘어져 힘이 들어가지 않았다. 밤새 뜨겁고 격렬하게, 또 달콤하고 다정하게 나눴던 사랑의 행위는 횟수를 셀 수 없을 정도였다.

은현은 근 1년 동안 모아 둔 욕망을 하룻밤에 다 풀어버릴 것처럼 굴었다. 둘은 마치 세상의 마지막 날인 것처럼, 다시 오지 않을 순간을 아낌없이 누리듯. 그렇게 사랑을 나눴다.

천하의 강은현이라도 지칠 수밖에.

곤히 잠든 은현의 얼굴은, 예전에 그러했듯 천진하고 무심해 보였다. 이럴 때 드러나는 그의 소년같이 약한 부분이 사랑스러웠다.

초은은 손가락으로 그의 짙은 눈썹과 반듯한 콧날을 덧그렸다. 무방비하게 조금 벌어진 입술. 그 사이로 색색 새어 나오는 평화로운 숨결.

모든 근심과 고통은 간밤에 그들을 덮친 쾌락의 파도에 모두 실어 보냈다. 이젠 더는 기다림도, 조바심도 없이 영원히 함께일 것이다.

"아…… 정말 행복해."

저도 모르게 흘러나온 혼잣말.

어라…… 그런데 이 끔찍한 쇳소리는 뭐람?

"음음……. 아……. 아."

목청을 가다듬어 보았지만, 여전히 새어 나오는 소리는 사포처럼 거칠었다. 아아……. 간밤에 했던 것은 사랑 나누기가 아니라 득음 수행이었나.

몇 번이고 거듭 덮쳐 온 쾌락의 절정에, 저도 모르게 질러댔던 비명에 가까운 신음. 그것을 밤새 계속했으니 목청이 만신창이가 될 만도 했다.

초은의 인기척에 깨어났는지, 은현이 한쪽 눈을 슬쩍 떴다가 다시 감았다. 단단한 팔이 다가와 초은을 휘감았다.

"초은아……. 한초은 맞지?"

비몽사몽으로 중얼대는 그의 목소리도 잔뜩 잠겨 있었다. 밤새 제 귓가에 스며들던 그의 거친 숨소리, 절정의 순간 참지 못하고 뱉어내던 낮고 깊은 신음. 그런 것들이 떠올라, 초은은 순식간에 얼굴을 붉혔다.

그러다 갑자기 떠오르는 의문이 있었다.

"그런데, 은현 씨. 어제 파티에는 어떻게 온 거예요? 초대장 없이는 들어올 수 없었을 텐데."

"응? 삼한투자 김승현 대표님이 주시던데?"

"헐…… 승현 오빠가요? 우와…… 그 냉혈한을 어떻게 구워삶은 거예요?"

"능력 있는 남자에게는 무슨 문이든 쉽게 열리는 법이지. 마지못해 한 투자를 꽤 보람 있게 만들어 드렸잖아?"

여전히 잠이 묻어나는 목소리였지만 그 세계 최고 오만함은 그대로였다. 초은은 그의 품을 파고들며 쿡쿡 웃었다.

"좀 있다가 같이 갈 데가 있어. 그러니까 지금은 조금 더 자자."

그의 넓은 품에 안겨 있으려니 귓가에 들리는 심장 소리가 다정했다. 그리고 포근하게 스며드는 그의 체취.

또다시 잠이 솔솔 밀려왔다. 오랜 기다림 끝에 다시 찾은 가장 안락한 곳이었다.

/

"여기가 어디예요?"

차를 타고 도착한 곳은 어느 한적한 동네의 타운하우스였다. 둘은 들장미 넝쿨이 휘감긴 목재 담장 앞에 섰다. 잘 손질된 잔디 정원에는 라일락과 벗나무, 꽃사과 나무가 둘러서 있었다.

지금은 비록 잎을 떨군 쓸쓸한 가지만 남았지만, 따스한 봄이 오면 푸르른 잎이 무성하게 돋아나겠지.

그리고 정원 저편에 고즈넉이 서 있는 아담한 이층집.

"반지와 집. 프러포즈의 정석 아냐?"

"은현 씨……."

살면서 그런 말은 처음 들어요.

은현은 여유롭게 씽긋 웃었다. 이 아가씨, 얼마나 감격했으면 말을 못 잇고 이러나.

"사실 이 집 때문에 늦었어."

"네?"

"아무리 뒤져봐도 딱 삘이 오는 곳이 있어야 말이지."

"……."

"여길 보는 순간, 느낌이 왔어. 너와 내가 함께할 보금자리라는."

사실 초은은 감격했다. 세상에서 제일 멋진 모습으로 나타나고 싶었다는 은현의 말. 그 말은 자기 변호나 과장이 아니었다.

그는 정말 제 나름대로 최선을 다해 준비한 것이었다. 오직 초은만을 위해서.

"들어가 볼래?"

"네, 좋아요."

초은은 폴짝 뛰며 은현의 손을 잡았다. 나지막한 목재 대문을 밀고 들어서자, 생각보다 더 넓게 펼쳐진 정원이 드러났다. 잔디 바닥에 징검다리처럼 놓인 디딤돌이 정겨웠다.

"나중에 벚꽃이 피면, 저 나무 아래로 소풍을 나와도 된다고."

"내가 만든 유부초밥도 먹고?"

은현답지 않게 흥분된 어조. 초은도 신나게 장단을 맞췄다.

"나중에 아이가 태어나면 마당에서 자전거 타는 법을 가르쳐 줄 거야. 캐치볼도 하고."

아…… 아이라니.

시원하게 김칫국을 들이켜는 은현의 희망 사항에, 초은의 두 뺨이 수줍게 달아올랐다.

"저쪽에 벤치 그네를 놓으면 어떨까? 날씨 좋은 주말에 같이 앉아서 차도 마시고, 책도 보면 좋겠지?"

조금 넓게 깔린 데크가 운치 있었다. 은현의 목소리는 담담했지만 말하는 대로 다 이루어질 것 같은 기분이 들었다.

꽃잎이 흩날리는 햇볕 좋은 봄, 서로 나른하게 기대 잔잔한 그네의 흔들림을 만끽하는 나날.

"사실 집 안은 별로 볼 게 없어. 네 취향에 맞게 꾸미는 게 좋을 것 같아서, 그냥 비워 뒀어."

현관 앞에 이르러, 은현이 조금 멋쩍게 고백했다.

"우리 같이 꾸며요. 진짜 재미있을 것 같아요."

책장으로 가득 찬 서재에 폭신한 소파를 놓고, 함께 영화를 보거나 게임을 즐겨도 좋겠다. 비 내리는 날, 거품을 한가득 풀어놓은 욕조에서 함께 몸을 담그고 와인을 마셔도 좋겠다.

물론 그다음에 벌어질 일은 너무도 빤하지만.

그의 체취가 밴 하얗고 사각사각한 느낌의 침구, 밤새 나를 꼭 안아 줄 든든한 그의 품. 아침에 눈을 뜰 때마다 잠든 그의 이마에 입을 맞춰 줄 수 있겠지.

행복한 상상은 꼬리에 꼬리를 물었다.

둘은 현관 앞에서 손을 맞잡은 채 문득 널찍한 정원을 돌아보았다. 계절이 바뀌는 시기, 여린 햇살은 다정하게 그들을 내리쬐고 있었다. 이제 곧 차갑고 메마른 계절이 찾아오겠지만, 아무것도 두렵지 않았다.

어린 왕자의 여우가 말했었다.

길들인다는 건 서로를 필요로 하게 되는 거라고.

너는 내게 이 세상에서 하나밖에 없는 존재가 되고, 난 네게 이 세상에서 하나밖에 없는 존재가 되는 것.

서로를 길들이려고 했지만, 어쩌면 길들어지기를 바랐는지도 모르겠다. 뭐, 이젠 무슨 상관이 있을까.

결국은 이렇게 함께하게 되었으니 말이다.

영원히, 행복하게.

segue.

이어서

a due.

에필로그

Epilogue

어느 해보다 일찍 찾아온 구정이었다.

부모님의 제사를 모신 산사는 조금 깊은 산 속에 있었다. 며칠 전부터 내린 눈으로 숲은 온통 순백의 세상이었다. 눈꽃을 조롱조롱 매단 나무들 사이로 아스라이 발자국이 난 숲길.

산 입구 주차장에 주차하고 한참을 걸어 들어가야 했다. 행여 미끄러지기라도 할까, 꼭 잡은 은현의 손을 잡고 초은은 종종걸음을 옮겼다. 곧 끊어질 것 같은 좁은 길이 굽이굽이 이어지는 것이 마냥 신기했다.

눈 덮인 숲은 적막했다. 하얗게 두꺼운 옷을 입은 소나무들이 이따금 어깨를 털어 내는 소리, 문득 푸드덕거리는 까치의 날갯짓이 고요를 깨는 곳.

"와, 진짜 조용하네요. 세상에 우리 둘만 남은 것 같아."

"그럼 정말 좋겠지만, 안타깝게도 내가 돈을 벌려면 사람이 많아야 하지."

"네네. 그럼요. 전 세계 사람이 게임 할 때까지 파이팅!"

"그건 한초은도 마찬가지 아냐? 세상 모든 사람이 삼한 생명에 보험 들 때까지 파이팅!"

네네, 그럼요. 아무렴요. 우리 둘 다 힘내서 세계 갑부에 이름을 올립시다. 전 세계 인구가 〈절대갑 길들이기〉 플레이어가 돼도, 만족하는 날이 오긴 할까요?

여전히 성공에 목말라 있는 은현이었다.

길은 길게 이어졌다.

"춥진 않아?"

"응. 계속 걸으니까 괜찮아요."

두 사람은 예쁘게 한복을 차려입고, 각자 두루마기 위에 코트까지 덧입고 있었다. 다소 번잡한 이 차림은 초은의 고집이었다.

지난 추석 봉안당에서 만나긴 했지만, 결혼을 약속하고 정식으로 드리는 명절 인사였다. 예의도 갖추고, 예쁘게 보이고 싶은 마음이었다. 게다가 오후에는 초은의 외삼촌 가족에게 처음 인사드리기로 했으니 말이다.

쌓인 눈에 쓸려 옷자락이 젖어 들고, 가쁜 숨이 하얀 입김으로 허공에 퍼졌다. 그래도 함께 걷는 이 시간이 벅차고 행복했다. 긴 기다림 끝에 결국 손을 잡고 있다는 사실 하나로.

누군가의 발길에 반질반질하게 다져진 길은 퍽 미끄러웠다. 서로의 팔에 의지하느라 내내 힘을 꽉 넣은 채 걸을 수밖에 없었다.

아차, 하는 순간이었다. 초은의 발이 삐끗 미끄러지며 은현에게 매달린 것과 은현이 팔에 힘을 주며 버틴 타이밍이 미묘하게 어긋난 것은.

결국, 쭈르르 미끄러진 초은은 발라당, 장렬히 나자빠졌다.

"으아, 으아아악!"

"어어······ 엇!"

두 사람의 비명과 경악의 외침이 고요한 산속에 쩌렁쩌렁 울렸다. 그에 화답하듯 웅장하게 뻗은 소나무들은 쌓인 눈을 쏟아 내고, 가지에서 쉬던 새들이 일시에 날아올랐다.

은현은 엉거주춤 팔을 뻗은 자세고, 초은은 두 다리가 번쩍 들린 포즈로. 그렇게 잠시 얼어붙었다.

"으앙, 너무 아파."

그 얼어붙은 시간을 깬 것은 민망함을 덧입은 초은의 투정이었다. 엄살 부리는 것을 보니 괜찮아 보여 은현도 한숨 돌렸다.

"뭐야? 지금 이 으슥한 곳에서, 아무도 없다고 유혹하는 거야?"

아니나 다를까, 치마가 훌렁 뒤집혀 바둥거리던 초은의 속바지는 유난히도 희게 빛났다. 한복의 단아하면서도 요염한 멋을 순간 깨달았다고나 할까. 은현의 눈빛이 짓궂게 번뜩였다.

"네네, 일단 한 번 해봤는데, 여긴 춥고 축축해서 안 되겠네요. 포기해야겠어요. 좀 잡아줘요."

"천하의 한초은이 포기가 너무 빠른데. 정 누워서 안 되겠으면 여러 가지 방법이 있지."

은현은 능글맞게 웃으면서도 초은의 두 팔을 잡고 끙차, 잡아당겼다. 하지만 위기에 처한 사람을 놀리면 벌 받는 법.

초은이 반쯤 몸을 일으킬 때까지 굳게 버티던 은현의 두 발이 결국 얼어붙은 길을 이기지 못하고 미끄러져 버렸다.

"으악!"

반동 탓에 은현의 충격은 더욱 거셌다. 우렁우렁 울리는 외침에 겨우 자리를 잡았던 새들이 다시 울어대며 날아올랐다.

오늘 이 인간들이 왜 이래?

새의 마음은 알 수 없었지만, 아마도 욕설을 내뱉고 있을지도 몰랐다.

이번엔 나란히 나자빠진 자세로 얼어붙었다. 이윽고 유쾌한 웃음의 이중주가 터져 나왔다.

"뭐야, 내가 축축해서 안 되겠다고 했잖아요."

"으응, 내가 또 말만 듣고 포기하는 사람은 아니라서. 한번 도전해 봤지."

"괜찮아요? 소리가 엄청 요란하던데."

"아아, 모르겠어. 등뼈 부러진 것 같아. 어쨌든 네 말대로 너무 춥고 축축해서 여기선 안 되겠다."

초은은 은현의 능청맞은 대꾸가 우스워 숨을 헐떡이며 웃어댔다. 그런가 하면 은현 역시 통증에 끙끙대면서도 낄낄, 웃음을 흘렸다.

몇 번이나 다시 자빠질 위기를 넘겼는지 모른다. 둘은 서로에게 의지하며 겨우 몸을 일으켰다.

"한초은 코트 등이 홀랑 젖었어."

"은현 씨도 마찬가지예요. 내려가자마자 세탁 맡겨야겠는데요."

"그건 무사히 내려가서 걱정하자고. 이제 거의 다 왔어. 조금만 더 힘내."

함께 당하니 이런 봉변도 유쾌한 해프닝이었다. 둘은 다시 손을 맞잡고 조심스레 발을 내디뎠다.

자그마한 산사에 모신 제사는 그리 많지 않았다. 명절에 합동으로 치러지는 차례에 찾아온 이는 은현과 초은뿐이었다.

떡국과 정성스럽게 손질한 산나물 몇 가지, 녹두전과 떡, 과일 두어 종류. 소박하고 간소한 차례였지만, 초은과 나란히 선 은현은 그 어느 때보다 뿌듯했다.

모든 추모가 그러하듯, 떠난 이를 그리고 명복을 비는 마음이 중요한 것이었다. 이번엔 혼자만의 기원이 아니라, 마음을 모으는 사람이 있으니까. 그 사람이 일생을 함께할 사랑이니까.

"아이고, 우리 불자님. 이렇게 안댁과 같이 오시니 얼마나 보기 좋은가."

오랫동안 은현을 보아온 여승이 흐뭇한 얼굴로 은현의 등을 어루만졌다. 사실 엄밀히 말하면 은현이 불자인 것도, 초은이 안댁인 것도 아니었다. 그래도 그 따뜻한 마음이 고마워 은현은 꾸벅 고개를 숙였다.

"험한 길 오느라 출출할 텐데, 좀 이르더라도 점심 공양하고 몸 좀 녹이고 가소. 내가 미리 불도 뜨뜻하게 넣어 놨으니까."

"네. 그럼요. 우리 안사람이 스님 손맛을 얼마나 궁금해했는데요."

뻔뻔스러운 '안사람' 소리에 초은이 은현의 옆구리를 팔꿈치로 쿡 찔렀다. 얼굴이 발그레해지면서도 여승을 향한 웃음은 환했다.

"은현 씨가 맛있다고 몇 번이나 자랑해서요. 폐가 안 된다면, 부탁드리겠습니다."

"아이고, 폐라니. 어차피 먹어야 하는 점심에 숟가락 몇 개 더 얹는 게 뭐 그리 힘들다고. 얼굴만 예쁜 줄 알았더니, 젊은 처자가 예의도 바르지."

여승은 뿌듯한 표정으로 두 사람을 작은 방에 밀어 넣고는 총총 사라졌다.

아니나 다를까, 방안은 데워진 바닥에서 올라오는 훈기로 가득했다.

"와, 따뜻해."

"역시 한국인은 온돌이라니까."

겉옷을 벗어서 벽에 걸고, 바닥에 엉덩이를 붙이자 뜨끈한 기운이 몸속으로 스며들었다. 한겨울 산속의 냉기에 뻣뻣했던 팔다리가 노글노글하게 녹는 기분이었다.

"이리 와 봐. 추운데 걷느라 고생했지?"

"은현 씨도 추웠을 텐데……."

"난 괜찮아. 익숙해. 오히려 오랜만에 숲에 오니 상쾌하던데."

은근슬쩍 다가앉은 은현이 초은의 손을 잡고 조물조물 주무르기 시작했다. 그의 캐릭터에 어울리지 않는 이런 행동이라니. 레드핏의 직원들이 본다면 깜짝 놀라 나자빠질 일이다. 게다가 초은에게는 퍽 익숙한 상황이라고 한다면 더욱 충격적이겠지.

은현은 초은을 다시 만난 후부터 더없이 다정하고 세심한 남자로 거듭났다. 그간 초은의 성격 개조 프로젝트의 결과가 어느 한순간 폭발한 것처럼 말이다.

익숙해졌다고 해도 매번 행복감으로 벅차오르는 마음은 여전했다. 초은의 미소가 은은하게 빛났다. 살살 만지는 부드러운 손길, 손가락 끝으로 또 손바닥으로 전해지는 따스한 체온.

그저 손을 매만질 뿐인데, 왜 이렇게 온몸이 달아오르는 걸까요.

그런 기분이 초은의 것만이 아닌 듯, 은현의 코에서 뿜어져 나오는 숨결이 점점 거칠어지고 있었다.

그때였다.

벌컥.

"아이고, 방은 어째 좀 뜨듯한지 모르겠네. 공양하고, 좀 쉬다가 낮 공기 식기 전에 내려가소."

"어이쿠, 감사합니다."

지레 놀라서 초은의 손을 놓아버린 은현이 부산한 척 상을 받았다.

그러게 경건한 사찰에서 왜 숨은 거칠어지고 난리야.

초은은 말아 쥔 주먹을 입가에 대고 슬쩍 웃었다.

다리를 접는 양은 소반은 크지 않았지만, 위에 얹힌 찬은 푸짐했다. 어린 시절, 부모님과 함께 살았던 강원도에서 흔히 볼 수 있던 소박한 시골 밥상의 모습이었다.

초은은 이곳에서 만난 아련한 추억이 그립고 또 반가웠다.

대접에 담긴 떡국은 김이 모락모락 오르고 있었다. 고명이라고는 조린 두부와 김이 다였지만, 양만큼은 푸짐했다. 들기름 향이 고소한 볶은 산나물들, 시래기를 넣어 끓인 짭조름한 된장찌개, 꼬들꼬들 간장이 밴 짠지까지. 기름기 하나 없는 담백하기만 한 차림에 이렇게 군침이 돌기는 또 처음이었다.

"먹어 보면 깜짝 놀랄걸."

"갑자기 막 배가 고파져요. 잘 먹을게요."

"자주 못 먹는 음식이니까, 많이 먹어."

"은현 씨도 맛있게 많이 먹어요."

초은은 일단 된장찌개를 한 숟가락 떠서 입에 넣었다. 숟가락이 채 입을 빠져나오기도 전에, 두 눈이 휘둥그레졌다.

"맛있지?"

대답도 없이, 이번엔 나물을 한 젓가락 입에 넣었다.

"세상에…… 어떻게 이런 맛이……."

말도 제대로 잇지 못하는 초은의 반응을 보고, 은현은 의기양양한 얼굴을 했다. 제가 요리한 것도 아니면서 콧대가 높아지는 은현을 보고도, 초은은 아무 말도 할 수 없었다.

세상에, 정말 현실의 맛이란 말인가.

똑같이 콩으로 만드는 된장일 텐데 지하 마그마 층에서 끌어 올린 것 같은 이 깊은 맛은 뭐지. 나물은 또 어떻고. 씹으면 씹을수록 터져 나오는 농축된 이 고소함.

초은은 후회했다. 명절을 홀로 산사에서 보냈던 은현을 안쓰럽게 여긴 것을. 이건 전혀 동정할 만한 일이 아니었다. 이렇게 맛있고 트렌디하고 고급스러운 비건 요리를 혼자서만 먹어왔다니.

초은은 괜스레 억울한 기분이 들어, 바쁘게 수저를 놀리기 시작했다. 그 마음을 다 안다는 듯 은현이 큭큭대며 웃었다.

"천천히 먹어. 안 뺏어 먹을 테니까. 스님이 인심이 좋으셔서 얼마든지 더 줄 텐데."

"가만 있어 봐요. 말 걸지 말고."

"추석에는 나물 종류도 더 많아. 고추장 넣고 비벼 먹으면 그 맛이……."

"아, 쫌!"

이럴 줄 몰랐다. 먹으면서 계속 침이 고이다니. 이미 먹고 있지만, 더 격렬히 먹고 싶은 이 기분.

"추석이 뭐예요. 당장 정월 대보름도 있는데. 그다음은 한식날, 단오, 칠월칠석……."

말 한마디 없이 그릇을 비워 내고, 뜨끈한 숭늉을 한 모금 마신 후에야 초은의 말이 터져 나왔다. 우리나라 세시풍속을 모조리 읊어댈 것 같은 기세에, 은현은 조금 놀란 눈빛을 했다.

"그렇게 맛있어? 어쩌다 한 번이면 몰라도, 젊은 사람 입맛에 맞을 음식들은 아닌데."

"어릴 적에…… 강원도에 살 때……."

초은이 머뭇머뭇 이야기를 시작하자, 은현은 그제야 이해가 갔다. 대단한 집안의 귀한 아가씨처럼 보여도, 초은의 가장 소중한 추억은 산골 마을에 머물러 있었다.

"엄마와 아빠가 가끔 일이 있어 타지로 갈 때는 날 옆집 할머니에게 맡기셨어요."

부모님이 사고로 떠난 그날도 그랬었다. 돌아오지 않는 엄마와 아빠를 기다리며, 할머니의 무릎을 베고 선잠을 자던 밤이었다. 숨을 헐떡이며 달려온 이장 아저씨가 믿기지 않는 소식을 전한 그날은.

"할머니는 찌그러진 양은 냄비에 자글자글 된장을 끓이고, 앞마당에서 딴 호박잎과 양배추를 찌고, 밥물에 달걀찜도 올려서 밥상을 차려 주셨어요. 보들보들한 호박잎에 밥 한 숟가락을 놓고 된장 한 숟갈 얹어서 싸 먹는 쌈이 어찌나 맛있던지."

"듣기만 해도 다시 배가 고파지는데."

"툇마루에 놓인 양푼에는 늘 찐 감자와 옥수수가 있어서 강아지풀을 꺾어 독구와 장난치며 옥수수를 먹었어요. 엄마, 아빠가 늦어지는 밤이면 할머니는 제 입에 엿 하나를 물려 주고 무릎을 베고 누운 제 어깨를 토닥여 주기도 했어요."

"……."

"순진하다는 말에는 무지하다는 뜻도 있는 것 같아요. 그땐 그런 시간이 언제나 계속 이어질 거라 생각했으니까."

"초은아……."

갈래머리 여자아이가 쓸쓸히 툇마루에 앉아 다리를 흔들고 있는 모습이 절로 떠올랐다. 은현은 코끝이 찡해졌다.

"그래도 이렇게 은현 씨와 같이 시골 밥상 앞에 앉으니까, 그 시절부터 계속 함께했던 것 같은 기분이 들어요. 긴 시절 그리움을 다 보상받는 기분이야."

초은의 미소는 정말 한 점 티 없이 해맑았다. 은현은 어떤 말을 해야 할지 몰라 그저 상 아래로 뻗은 손으로 초은의 손등을 살포시 어루만졌다. 말하지 않아도 그 전해지는 기분이 있었다. 서로의 체온이 위로가 된다는 사실만으로 어찌나 감사한지.

은현이 다 비운 밥상을 내놓고 돌아왔다. 열린 문틈을 비집고 들어오던 찬 바람도 절절 끓는 온돌방에서는 순식간에 사그라졌다. 은현은 방바닥에 앉는가 싶더니 어느새 팔을 괴고 벌러덩 누워버렸다.

"아, 뜨끈하니 좋다."

"막 이렇게 누워도 돼요?"

어제 누가 들어올 줄 알고 이러시나.

초은은 기겁해서 은현의 허벅지를 탁탁 내리쳤다.

"괜찮아, 괜찮아. 스님이 푹 쉬다 가라고 하셨잖아. 예전에도 종종 이렇게 누워 있다 내려가곤 했어. 자자, 편하게 누워봐. 아주 몸이 다 풀리는 기분이야."

은현은 능글맞게 웃으면서 오히려 초은을 끌어당겨 곁에 눕혔다.

아니, 그땐 혼자였고 지금은 둘인데. 이러고 누웠다가 누가 보기라도 하면…….

초은은 불만스럽게 꿍얼대면서도 은현의 팔을 베고 누웠다. 과연

잘 말린 장작을 때어 펄펄 끓는 바닥이 일상의 긴장과 스트레스에
지친 몸을 풀어 주는 것 같았다.

"여긴 어릴 때 엄마, 아빠와 몇 번 와 봤던 곳이야. 그래서 두 분이
돌아가시고 제사를 이곳에 모시겠다고 고모에게 말씀드렸어. 난 너
무 어렸으니 챙길 수가 없잖아."

아무리 어렸어도. 친척이 아예 없는 것도 아니고, 돈이 없는 것도
아니었는데 왜 제사를 챙기는 사람이 없었을까.

얼굴도 보지 못한 은현의 고모가 얄미워 초은의 숨소리가 거칠어
졌다. 그런 초은의 마음을 읽었는지, 은현은 옅게 웃었다.

"음…… 아무리 피붙이라도, 먼저 떠난 남동생 제사 챙기는 마음
이 좋을 수 있겠어? 거기다 손아랫동서까지……. 쉬운 일은 아니지."

"그래도……."

"난 차라리 여기 모신 게 더 좋았어. 부모님이 보고 싶을 땐, 한 번
씩 아껴 둔 용돈으로 버스를 타고 여길 찾아왔거든."

"……울지 않았어요?"

초은은 어린아이처럼 엉엉 울어대던 뽀얀 얼굴의 소년이 떠올라
저도 모르게 물었다.

"울고 싶을 때도 있었지만, 내가 울면 마음이 아프실 거라는 어떤
여자애 말이 자꾸 떠올라서 울 수가 없더라."

"가끔은 우는 것도 필요한데……. 내가 괜히 울지도 못하게 한 것
같네요."

"덕분에 좀 더 씩씩한 남자가 된 거지."

은현은 괜찮다는 듯 초은의 눈가를 다정히 매만졌다.

"난 그날, 외출한 부모님이 돌아오시기만 기다리고 있었어. 기말

고사 성적표를 빨리 보여 드리고 싶었거든. 전교 1등."

"우와, 전교 1등!"

"뭐…… 늘 하던 거지만, 또 학년말 고사는 중요하잖아."

"네네, 아무렴요. 1등은 타고나신 분이니까요."

괜스레 분위기가 어두워질까, 둘은 짐짓 너스레를 떨었다.

"아빠는 나와 약속한 게임기를 사서 돌아오는 길이었어. 그러다가……."

"……."

"여기에 오면, 긴 숲길을 걷는 것만으로도 억눌러 놓았던 슬픔 같은 것이 좀 희미해지는 기분이었어. 스님이 챙겨 주는 절밥을 먹고, 멍하니 앉아서 하늘을 보기도 하고, 아빠가 마지막으로 사 준 게임기로 하염없이 게임을 하기도 하고, 그러다가 지루해지면 빈방에 누워서 낮잠을 자기도 하고. 그렇게 해 질 녘이 되면 다시 숲길을 걸어 버스를 타고 집으로 돌아갔어."

"그 울보 오빠가 이렇게 씩씩하게 잘 컸네."

"그렇지? 이렇게 잘 자라니 좋은 일도 많네. 한초은을 만나고, 이렇게 함께 와서 부모님께 차례도 드리고. 엄마, 아빠가 무척 기뻐하셨을 것 같아. 그날 우리 아들 눈물 쏙 들어가게 해준 야무진 아가씨잖아."

초은은 가만히 몸을 돌려 은현의 끌어안고 가슴을 도닥여줬다.

"울보 오빠, 기특해."

"네가 더 기특해."

가슴에 새겨진 상처는 쉼 없이 외로움과 그리움이라는 통증을 토해 냈다. 그 시린 아픔을 이기며 이렇게 번듯하게 자란 모습이 어찌나 대견한지.

서로를 칭찬하며 두 사람은 슬그머니 미소를 지었다.

온몸이 뜨겁게 달아오르는 것은 이젠 함께라는 든든함 때문인 걸까.

"음…… 이렇게 뜨거운 건, 좀 벗으라는 건가."

아…… 몸이 후끈한 것이 나쁜만은 아니었군요.

초은도 그러고 보니 바닥에 닿은 부분이 화끈거릴 정도로 덥긴 했
다. 그나저나, 은현의 저 뚱딴지같은 발언은 뭐란 말인가.

"어허, 이 경건한 곳에서 무슨 그런 발칙한 발언인가요."

"아니야, 우린 지금 이렇게 불을 때 주는 스님의 의도를 잘 생각해
봐야 해. 나그네의 옷을 벗긴 건 따뜻한 해님이었다고."

무슨 말도 안 되는 연상법인지 모르겠지만, 묘하게 설득력이 있었
다. 게다가 이렇게 둘 다 한복을 입고 누웠으려니, 뭔가 의상에서 우
러나는 시대감이 야릇하게 느껴지기도 하고.

"뭐야, 진짜. 색즉시공 공즉시색. 육체의 감각에 휘둘리지 않고 평
정을 유지해보라는 의도일 수도 있잖아요."

"아니, 난 그냥 말 그대로 옷을 좀 벗자는 거였는데. 혹시 무슨 다
른 생각한 거야? 하여간, 한초은 엉큼하기는."

뭐야, 이 급격한 태세 전환은.

짓궂은 은현의 놀림에 초은은 그의 팔뚝을 찰싹찰싹 때리면서도
깔깔 웃었다.

"일단 좀 일어나 봐. 진짜 이러다 등판 다 굽히겠어."

은현이 일어나 앉아 저고리를 벗자 반소매 티셔츠 차림이 됐다. 벗
은 저고리를 벽에 걸며, 대신 걸려 있던 코트를 펼쳐 바닥에 깔았다.

"치마는 좀 벗지, 그래? 어차피 속치마랑 속바지도 입었잖아."

"그래도……."

"괜찮아. 다들 바쁘셔서 우린 신경도 안 써."

초은은 머뭇거리면서도 등을 돌리고 앉아 저고리를 열고 치마끈을 풀어냈다. 등 뒤에서 꿀떡 침을 삼키는 소리가 요란했다.

"너 지금 엄청 섹시한 거 알아? 이래서 고전시대물이 스테디라니까."

기가 막혀 홱 돌아보니, 근래 가장 초롱초롱한 눈동자가 반기고 있었다.

"헐…… 뇌섹남 대표이사라고 소문이 자자한 분이 머릿속에 그 생각뿐인가 봐."

"그럼. 난 건강한 성인 남자니까."

세상에, 뻔뻔하기까지.

"그리고 내가 아무한테나 그러나? 사랑하는 한초은이니까 그렇지."

초은은 어이가 없어 입만 멍하니 벌렸다. 파워 당당한 목소리만큼이나 초은을 끌어당겨 다시 눕히는 힘도 기운차기만 했다.

그래도 한 꺼풀 벗겨 내고, 또 두툼한 코트도 바닥에 깔고 하니 바닥의 열기는 훨씬 덜 했다. 딱 좋을 정도의 훈기가 다시 몸을 데웠다.

한지를 바른 여닫이문으로 옅은 겨울 햇살이 비쳐들고, 바람에 몸을 맡긴 나뭇가지의 그림자가 흔들렸다. 뜨뜻한 온기와 은현의 든든한 몸에 기대어 그 애처로운 몸짓을 멍하니 보고 있으려니, 나른해지는 것은 당연지사.

가물가물하던 눈꺼풀이 스르륵 감겼다.

눈 덮인 숲속, 고요한 산사의 작은 방. 그곳에서 더는 외롭지 않은 두 남녀가 꿈 같은 오수를 즐기고 있었다.

단잠이라는 말이 왜 나왔는지 체감할 수 있었다. 잠깐의 낮잠이 이렇게 달게 느껴질 수 있을까. 뜨끈한 온돌방의 효과는 대단했다. 둘은 에스테틱에서 전신 관리를 받은 것보다 더 개운하게 깨어났다. 끝자락이 축축하게 젖었던 코트와 두루마기도 어느새 바삭바삭 잘 말라 있었다.

스님이 방문을 두드린 건, 은현과 초은이 주섬주섬 옷을 갖춰 입고 난 후였다.

"불자님, 좀 쉬셨소? 지금 내려가면 딱 좋겠는데. 산속이라 더 늦어지면 기온이 금세 떨어져서."

"덕분에 푹 쉬었습니다. 안 그래도 이제 일어날까 하고 있었네요."

은현이 여닫이문을 툭 밀어 열며 점잔을 떨었다.

정말 푹, 한잠을 잤는데도 은현의 얼굴은 잠기운 하나 없이, 말갛게 멀쩡하기만 했다. 초은은 내심 혀를 내둘렀다.

스님은 두 사람을 숲길이 시작되는 곳까지 배웅해 주었다.

"뚱하니 말 없던 남자아이였던 것이 엊그제 같은데, 이렇게 듬직하게 잘 자라서 예쁜 색시도 데려오고. 내가 얼마나 마음이 좋은지 모르겠소."

"다 스님 덕분입니다. 올 때마다 따뜻하게 맞아주셔서. 이곳에 오면 늘 위로를 받고 갔으니까요."

"아이고, 그런 말도 할 줄 알고. 색시, 그거 알려나 모르겠소. 우리 불자님이 이렇게 밝게 잘 웃는 걸 내가 근 이십 년 만에 처음 보는걸. 좋은 짝 만나 행복한 것 같아서 정말로 보기 좋아."

그렇게 말하며 웃는 스님의 웃음이 오히려 더 해맑았다.

"그동안 우리 은현 씨 잘 돌봐 주셔서 감사합니다. 오늘 점심도 진짜 맛있게 잘 먹었어요."

"그래요. 둘 다 큰일 하는 사람들이라 자주 오라고는 못 하겠고 큰 절기에는 한 번씩 와요. 내 또 밥 챙겨 줄 테니까."

스님은 꼭 잡은 초은의 손을 흐뭇하게 도닥였다.

함께 걸어 나오는 길고 좁은 길. 절을 향해 걸을 때와는 사뭇 다른 기분이었다. 둘이 함께 와서 가슴 깊이 숨겨 놓았던 텅 빈 구석을 어떤 따뜻한 것으로 가득 채우고 가는 느낌.

초은은 기분 좋게 은현의 팔에 깡총 매달렸다.

"왜 사람들이 템플스테이에 열광하는지 알겠어. 힐링이라는 게 이런 건가 봐요. 우리 대보름에 꼭 다시 와요."

"그것 봐. 내가 밥 맛있을 거라고 했지?"

아니, 꼭 절밥을 말한 건 아닌데요.

하지만 초은은 한 뼘은 솟아오른 은현의 뿌듯한 콧대를 건드리지 않기로 했다.

뭐, 아주 틀린 말도 아니다. 사람 사이의 정, 사랑, 정성. 그런 것들이 따뜻한 밥 한 공기에 담기는 것이 우리의 일상이니까.

"푹 쉬고, 힐링도 했으니 이제 각오는 된 거죠?"

"그럼. 내가 또 누구야? 사실 이런 말 스스로 하기 좀 멋쩍지만, 대한민국 어디에서도 환영받을 사윗감이 바로 나야, 나."

네네, 아무렴요. 그 자신감, 부디 오래 가길.

둘은 이제 초은의 가족에게 가는 참이었다. 은현이 외삼촌 식구들에게 처음 인사드리는 날. 어떤 자리가 기다리고 있을지.

두 사람은 힘찬 발걸음을 내디뎠다.

/

끝없이 이어진 높은 담과 거대한 대문.

은현은 조금 놀란 것 같았다. 차고에 차를 주차하고도 죽 늘어서 있는 여러 종류의 차들에 또 한 번 놀란 것 같았다. 제 차에서 내려 트렁크를 여는 것도 잊고 멍하니 차고를 둘러보는 모양새가 그랬다.

미리 짐이 좀 있다고 언급한 덕에, 고용인 두 명이 차고로 오고야 정신을 차리고 트렁크를 열었다.

한 알에 십수만 원씩 한다는 명품 과일들로 꾸민 과일바구니, 하나가 주먹만 한 전복 세트, 투뿔 에이 등급의 횡성 한우 세트, S호텔 파티세리의 케이크가 차례로 내려졌다. 거기다 초은의 외삼촌이 즐긴다는 명전 용정차와 명인이 빚었다는 다기 세트까지.

초은은 이렇게까지 할 필요가 없다며, 은현 자체만으로 충분하다고 했다. 하지만 은현은 짐짓 그 말에 동의하면서도 인사드리는 자리에 적당한 선물은 예의라며 응수했다.

예의라고 하기엔 그 기세가 조금 지나치지 않나 싶기도 했다. 하지만 처음 반려로 맞이하려는 여자의 집에 인사드리려는 남자의 긴장감이 오죽할까.

게다가 은현은 배경이 되어 줄 가족이 없지 않은가. 그런 불안감이 은근히 새어 나오는 것 같아, 초은은 조금 과한 은현의 준비를 내버려 두었다.

"나 어때? 뭐, 여전히 멋지겠지만."

양손 가득 짐을 챙긴 고용인들이 안으로 사라지고 난 뒤였다. 두루마기 고름을 바로 잡으며 초은을 보았다.

짐짓 호기로운 목소리 뒤에 바짝 당겨진 긴장의 끈을, 초은은 단번에 읽을 수 있었다.

"그럼요. 이 남자가 누군데요? 나 이래 봬도 꽤 까다로운 여자라고요. 내가 선택한 남자인데, 오죽할까요? 걱정 말아요. 다들 좋아하실 테니까."

평소 그의 천장 없는 자신감을 생각하면 이럴 필요까지 있겠나 싶기도 했다. 하지만 이날 만큼은 무슨 말이라도 다 해줄 수 있을 것 같았다. 그만큼 중요한 날이니까.

과연 효과는 있었다. 빳빳하던 낯빛이 조금은 누그러졌으니 말이다. 초은은 은현의 등을 툭툭 두드리며 앞장을 섰다.

그렇게 드디어 초은의 집에 입성하게 되었다.

문이 열리는 순간. 초은 덕에 기껏 되살아났던 은현의 기세는 순식간에 쭈그러들고 말았다. 금손 왁서 앞에서 시술 부위를 내놓고 누워 있던 그때보다 더.

이렇게 대가족이었나. 초은의 가족 구성은 익히 알고 있었지만, 이렇게 한자리에 모아 놓고 보는 것은 느낌이 달랐다.

외삼촌 부부인 상혁과 은숙, 맏아들 승현 부부, 장녀인 주현 부부에 시현까지. 로비에 병풍처럼 둘러선 가족들을 보며 은현은 저도 모르게 마른 침을 삼켰다.

"아, 안녕하십니까. 강은현이라고 합니다."

초은이 멍하니 선 은현의 옆구리를 슬쩍 팔꿈치로 찔렀다. 그러자 마치 버튼이 눌린 인형처럼 반으로 착 접히는 허리.

첫인상은 중요하니까.

애써 끌어올린 입꼬리가 바들바들 떨리고 있었다.

"어서 오게, 강 대표."

"반가워요."

상혁의 호탕한 목소리와 새초롬한 은숙의 인사가 미묘했다.

"여기서 만나니 더 반갑군요."

"네, 저도 정말 반갑습니다."

싱긋 웃으며 손을 내미는 승현의 말에 그나마 숨통이 트이는 것 같았다. 은현은 얼른 승현의 손을 맞잡았다. 다급한 대답은 정말 진심이었다.

"이야기 많이 들었어요. 이렇게 뵙게 되어 기쁘네요."

처음 대면하는 초은의 사촌 언니 주현은 부드럽고 차분한 인상이었다. 불안하게 출렁대던 마음이 한결 잔잔해지는 것 같았다. 말은 없었지만 밝게 웃어 주는 이 집의 며느리와 사위. 그 환영의 표정도 긴장 완화에 이바지하고 있었다.

그리고 마지막으로 시현. 반가운 우리 처제.

여기서 만나니 더 기뻐. 우리 아주 좋은 사이잖아, 응?

은현은 시현을 향해 활짝 웃었다.

그런데, 어라.

콧바람을 내뿜으며 고개를 외로 꼬는 저 표정은 무엇인가.

아…… 그렇구나. 아직 삐져 있었지.

초은과 떨어져 지낸 시간 동안 제 언니가 힘들어한 것이 못내 못마땅했던 모양이었다. 시현을 달래 주느라 그동안 몇 번이나 만나기도 하고 선물도 사다 날랐다. 하지만 그녀의 마음은 여간해서 풀어지지 않았다.

그래도…… 오늘은 좀 봐주면 안 될까? 내가 여기서 처제 말고는 믿을 구석이 없잖아.

은현은 최선을 다해서 시현을 향해 눈짓과 웃음을 날렸다.

"와……."

"응, 그래 시현 씨."

드디어 시현이 입을 열었다. 어려운 자리니만큼 '처제'란 말은 넣어 두자. 은현은 반갑게 시현에게 호응했다.

"아무한테나 그렇게 눈웃음치고 그래요?"

"……."

아니, 아니 아니. 그게 아니잖아.

"아니, 그럴 리가. 여기서 만나니까 너무 기뻐서……."

"아……. 오늘 되게 마음 편한가 보다. 역시 소문대로 엄청 배짱 두둑하신 분인가 봐요."

처제, 이러지 마. 나한테 왜 이래? 그게 아니잖아.

이마에 식은땀을 매단 은현이 울상을 지었다. 초은이 입술을 깨물며 시현에게 눈을 찌푸려 보이는데, 다행히 승현이 나섰다.

"자자, 여기서 이러지 말고 다들 들어가시죠."

"그래요. 앉아서 편하게 말씀 나누세요."

"음. 그래, 그러자."

주현까지 부드럽게 권했다. 상혁의 한마디에 다들 줄줄이 거실로 향했다.

대리석으로 바닥을 깐 거실은 초은의 오피스텔 전체만큼이나 컸다. 큼직한 벽난로에 장작불이 이글이글 타고 있어, 널찍한 공간에 훈기가 가득했다.

어쩐지 장작과 관련 깊은 하루다.

은현은 엉뚱한 생각을 하며 초은의 가족들을 따라 'ㄷ'자로 놓인 거대한 소파에 몸을 실었다. 때마침 푸근한 인상의 고용인이 다기를 실은 트롤리를 밀며 나타났다.

"와, 오랜만에 아빠 솜씨 좀 보겠네."

"어딜 가 봐도 장인어른이 우려 주신 차가 제일 맛있더라고요."

"맞아요. 아버님 차가 최고예요."

다들 반가운 표정으로 한마디씩 했다. 상혁의 퉁퉁한 얼굴에 뿌듯함이 떠올랐다.

"자네 아주 좋은 차를 구해 왔더군. 덕분에 가족들이 맛있는 차 맛을 보게 됐어."

"아, 차를 즐기신다는 말씀을 듣고……. 사실 차는 잘 몰라서 공부를 좀 했습니다."

"오호, 그래? 일단 한번 마셔 봐. 어지간히 막입만 아니면 맛을 알 정도로 잘 우리니까."

상혁의 자화자찬이었지만, 분위기가 한층 온화해진 것은 분명했다. 은현은 감히 입 밖에 내어 말하진 않았지만 제 준비성이 뿌듯했다. 실로 자신감과 자기애의 만남이었다.

"다기는 가지런히 하는 것이 다도의 시작이지."

상혁이 능숙하게 숙우의 물로 다관을 데우기 시작했다. 찻물을 숙우에 식히고 데운 다관에 차시로 찻잎을 떠 넣는 손길이 유려했다.

능숙한 다도를 지켜보는 것만으로도 마음이 정갈해지는 즐거움이 있었다. 아마도 차를 즐기는 사람들이 누리는 기쁨이 이런 것인 모양이었다.

가족들이 몸에 익은 듯 찻잔을 빙글빙글 돌려 데운 물을 퇴수기에 버리자, 은현도 눈치껏 따라 했다.

"뭘 그렇게 많이 가져오셨어요. 당분간 밥상이 풍성하겠던데요."

"아닙니다. 나름대로 준비한 건데 많이 약소합니다. 좋게 봐주셔서 감사합니다."

차가 우러나기를 기다리는 동안 주현이 장녀답게 분위기를 갈무리했다.

"흥, 바리바리 싸 들고 온다고 다는 아니지."

나름 훈훈한 대화가 오가는데, 톡 튀어나온 것은 어쩐지 말이 없던 외숙모 은숙이었다. 혼잣말이었지만, 혼잣말이라기에는 다분히 의도적인 큰 목소리였다.

"으승므, 쯤……."

당혹해하는 은현을 대신해서 초은이 어금니를 악문 소리를 냈다.

"어머, 내가 뭘."

"왜요? 나도 보니까 푸짐하고 좋던데. 어머니 유바리 멜론 좋아하시잖아요."

샐쭉한 표정의 은숙을 보고, 승현도 씩 웃으며 거들었다.

역시 한배를 탄 김 대표님.

은현은 마음속으로 승현을 향해 엄지척을 날렸다.

"자, 지금 딱 좋아."

때마침 상혁이 잘 우린 찻물을 찻잔에 따랐다. 은은하게 찰랑대는 차에서 향긋한 향이 올라왔다.

"와! 역시 아빠 솜씨."

"아버님 여전하시네요."

가족들이 손뼉을 치며 좋아했다.

아…… 이 집, 이런 분위기인가.

은현도 눈치껏 소심한 환호를 보태며 물개박수를 쳤다. 초은이 풋,
소리를 내며 웃었다.

웃지 마, 나 지금 최선을 다하고 있다고.

은현은 뿌듯한 표정의 상혁을 향해 더 열렬한 박수를 보냈다. 다들
기꺼운 표정으로 차의 색과 향을 즐기고, 한 모금 머금었을 때였다.

"그래. 결국은 그렇게 됐구만."

상혁이 심상한 말투로 입을 열었다. 많은 요소가 생략된 말이었지
만, 모두 단번에 알아들었다.

쌉싸름하고 향긋한 차 맛에 흠뻑 빠져 있던 은현은 얼른 정신을
가다듬었다.

"네. 그간 제가 부족해서 심려 끼쳐 드린 점 죄송합니다. 앞으로는
초은이 힘들지 않도록 잘하겠습니다."

"아니, 뭐. 난 좋아. 뇌섹남이라고 전국에 소문이 자자하고, 위기
대처 능력도 검증됐고, 배짱도 있고, 외모도 아주 훌륭하잖니. 우리
집 장남 승현이, 넌 어떠냐?"

"저도 강 대표라면 뭐, 굳이 반대할 이유가 없습니다. 무엇보다 초
은이가 좋다니까요."

남자는 역시 능력이지.

말은 번드르르했지만 두 부자의 속마음은 같았다.

일단은 호의적인 평가에 은현은 떨리던 가슴을 쓸어내렸다. 이 대
단한 집안에서도 가장 역할을 하는 두 남자의 의견이었다. 주요 고
지를 선점한 것이나 마찬가지다.

좋았어. 그럼 그렇지. 역시 내가 어디 가서 내쳐질 남자는 아니지.

잠시 쪼그라들었던 오만한 자존감도 무럭무럭 되살아나기 시작했

다. 하지만 그 기쁨도 잠시.

"난 반댈세."

"나도."

내내 불안 불안하던 은숙이었다.

거기다 얄밉게 덧붙이는 시현까지.

아니, 처제 나한테 왜 이래. 우리 이런 사이 아니었잖아.

머쓱하게 들어가려던 식은땀이 다시 배어 나왔다.

"우리 외숙모, 대체 왜 그러세요? 뭐가 불만이실까? 시현이 넌 또 왜 심술이야?"

움찔하는 은현의 손을 다정하게 감싸며, 초은이 나섰다.

"얘, 몰라서 물어? 왜 불만이 없겠니?"

"맞아!"

"그동안 너 밥도 안 먹고 질질 짠 거 생각하면 내가 지금도 얼마나 속상한데."

"그래!"

"한 번 속 썩이는 남자가 두 번 그러지 말란 법 있니?"

"없지, 없어."

아니, 외숙모. 내가 언제 그렇게 밥도 안 먹고 울었다고.

그런 장면, 보신 적도 없잖아요.

하지만 그 대사의 원인은 빤했다. 쫑알쫑알 일러바쳤을 고 주둥이.

초은은 시현을 얄밉게 노려보았다.

떽떽떽떽, 불만을 토로하는 외숙모와 절묘하게 박자를 맞춰 추임새를 넣는 시현까지. 은현은 정신이 하나도 없었다.

"제…… 제가 잘못했습니다. 이번 일로 저도 배우고 깨달은 것도

많…… 많고. 제가 또 한 번 실수한 건 다시는 안 하는 뛰어난 남자라
서…… 앞으로 초은이 속상하게 하는 일, 절대 없을 겁니다."

"흥, 그걸 어떻게 믿어요?"

"믿고 맡겨 주시면 열과 성을 다해……."

"믿고 맡기다니. 우리 초은이가 물건인가?"

은현은 떠듬떠듬 자기변호를 펼치면서도 무슨 말을 하는지조차
몰랐다. 눈앞이 빙글빙글 도는 것처럼 현기증이 일었다.

/

"어허…… 이를 어쩐다. 내가 아무리 가장이지만, 가족 구성원의
의견에는 늘 귀를 기울이는 민주적인 가장이라서 말이지."

상혁은 짐짓 곤란한 얼굴로 턱을 괬다. 하지만 그 눈빛이 유쾌하게
빛나는 것 또한 감출 생각이 없어 보였다.

"그럼 민주적으로 한번 해볼까? 자자…… 두 사람 결혼에 찬성하
는 사람?"

가장 먼저 번쩍 올라가는 손이 있었다.

"아니, 자네는 당사자니까 제외고."

은현은 머쓱하게 손을 내렸다.

아니 왜, 대통령 후보도 선거 때는 자기 찍던데.

마음속 꿍얼거림은 자신만의 것일 뿐. 웃음을 참던 주현과 승현이
담담히 손을 들었다.

좋았어. 장남과 장녀의 표를 얻었다.

은현은 방금의 멋쩍음도 잊고 두 주먹을 불끈 쥐었다.

"허허, 이 많은 사람 중에 고작 둘? 좋다. 그럼 반대하는 사람?"

이번에도 번쩍 올라가는 두 개의 손.

말할 것도 없이 은숙과 시현이었다.

아니, 처제. 나한테 대체 왜 이래. 우리 한때는 좋았잖아.

배신당한 이의 억울한 눈빛을 발사해 보았지만, 도도한 낯빛에 격렬히 반사될 뿐이었다.

"2대 2, 동점이로군. 손 안 든 사람은 기권인가?"

원래대로라면 배우자 편은 들어야 마땅하겠지만, 집안의 실세 은숙을 무시할 수도 없는 사위와 며느리였다.

저들과 같은 입장인 은현이 안쓰럽기는 했다. 하지만 한편으로 장모 혹은 시어머니의 눈에 나고 싶지 않은 두 사람은 어색한 웃음만 흘리며 상혁의 시선을 피했다.

"아이고오…… 어쩔 수 없네. 그럼 승부를 가르는 수밖에."

"외삼촌, 설마……."

상혁의 걸걸한 목소리에 흥이 느껴지는 것은 기분 탓일까.

"자네, 공은 좀 치나?"

"네? 아…… 간혹 칠 일이 있어서 아주 못 치지는 않습니다."

"그래. 잘됐네. 그럼 그걸로 승부를 보자. 누구 불만 있는 사람?"

네? 지금, 여기서요?

은현이 제대로 이해한 것이 맞는지. 듣고도 의아했다.

"아니 여보, 아무리 그래도 그렇지. 혼사가 무슨 장난도 아니고, 그런 거로 결정을 해요?"

"찬반이 팽팽한데 어떡해, 그럼. 딱 공정하고 좋잖아."

"아이고, 공정하긴. 그냥 자기들 재미있자고……."

은숙의 투덜거림이 진실인 것가. 어쩐지 초은 가족들의 두 눈이 초롱초롱 빛나고 있는 것을 느꼈다.

"우리 집 사람들이 다들 골프를 즐겨서 말이야. 일 년에 두 번씩 가족 골프 대회도 열어서 다 같이 라운딩도 나가고 하거든. 아버지 가 상품도 아주 빵빵하게 준비하셔. 그러니 강 대표 자네도 우리 식 구가 되려면 미리미리 준비해 놓는 것이 좋을 거야."

"아…… 그렇군요."

승현의 말을 들으니 조금 이해가 갔다.

그렇다면, 뭐 사양하긴 힘들겠군요. 제가 누굽니까. 공부면 공부, 사업이면 사업, 운동이면 운동. 뭐 하나 빠지는 게 없는 남자인데 말 이죠.

피할 수 없다면 이 기회에 실력을 보이고 당당히 승리하자.

은현은 본능적인 승부욕이 타올랐다.

"자자, 강 대표가 이기면 다들 이의 없이 인정하기다."

"네, 알겠습니다."

골프에 신이 난 가족들의 대답 소리가 우렁찼다.

"자, 그럼 강 대표에게 선택의 기회를 주도록 하지. 상대를 한번 골라 봐."

"네? 제가 말입니까?"

"그래. 모두들 꽤 잘 치니까 누구든 각오해야 할 거야."

은현은 여유롭게 웃었다. 늘 일에 바빠서 자주 라운딩할 기회는 없 지만, 뭐든 못 하는 것이 없는 완벽남이 나야, 나.

자, 누구와 상대할 것인가.

그 짧은 순간에도 은현은 논리적인 판단을 했다.

우선 레이디는 제외다. 기를 쓰고 이겨 봐야 뒷맛이 개운하지 못할 것 같았다. 상혁과 승현도 제외. 절대 질 수 없는 승부다. 예비 장인 어른을 부득불 눌러서 미운털 박힐 이유는 없다.

그리고 승현은 손위 처남이기 이전에 중요한 투자사가 아닌가. 승부욕도 좀 있는 분 같은데 굳이 패배감을 안겨 줄 필요가 있을까.

물론 이 시점에서 본인이 질 것이라는 생각은 눈곱만치도 하지 않는 것이 강은현의 수많은 매력 중 하나였다.

그렇다면 남는 사람은 하나.

"저…… 저 말입니까?"

은현의 시선을 받은 주현의 남편이 얼떨떨하게 손가락을 제 가슴팍을 가리켰다.

"네. 실례가 되지 않는다면 상대 부탁드리겠습니다."

"하하, 이거. 비슷한 처지에…… 져 줄 수도 없고 난감하네요."

그의 난처한 목소리에 웃음이 섞여 있었다.

아니, 그런 걱정을 하실 필요가 없고요. 어차피 답은 정해져 있으니 형님은 장단만 좀 맞춰 주시죠.

은현은 자신만만하게 미소를 보냈다.

"아이고, 그럴 줄 알았네. 예상을 벗어나질 않아."

"그러게. 아빠도 다 알면서 고르라고 한 거 아냐?"

"하하, 역시 모든 일이 다 아버지 손바닥 안이네요."

"허허, 이 사람들이. 한복 입고 칠 순 없으니 옷은 승현이가 좀 내 주려무나. 딱 맞진 않아도 얼추 입을 만은 하겠지."

어라, 어째 가족들의 반응이 찜찜하다. 은현이 미심쩍게 눈썹을 모으며 초은을 돌아보았다. 그런데 이게 무슨 일인지. 초은의 얼굴이 똥 씹은 표정이었다.

"완전 잘못 골랐잖아요."

"아니, 그럼 이 상황에서 누굴……."

"형부 싱글골퍼란 말이에요. 프로 테스트도 몇 번이나 도전했었는데……."

아아……. 그래서 상혁이 그렇게 즐거운 표정이었던 것인가.

은현의 뒤늦은 근심은 아랑곳없이, 초은의 가족들은 우르르 자리에서 일어났다.

"자자, 그럼 후딱 시작해 보자고."

"오랜만에 재미있는 구경하겠네."

줄줄이 자리를 옮기는 사람들을 좇아, 은현도 멍하니 따라 걸었다. 기나긴 복도를 지나 2층을 오르자 널찍한 공간이 나타났다. 바로 스크린 골프장이었다.

은현은 분전했다. 그도 가끔 라운딩하는 이치고는 아주 발군의 실력을 보여 주었지만, 싱글골퍼와의 격차는 뛰어넘지 못했다. 하지만 초은의 가족들이 감명받은 것은 그의 뜻밖의 골프 실력 때문이 아니었다.

"우와, 이렇게 되면 진짜 끝까지 결과를 예측하기 어렵겠는데요."

"뭐야, 너무 끈질긴 남자 난 반댈세."

며느리의 감탄과 시현의 불만 섞인 목소리가 상황을 잘 설명하고 있었다. 어떤 위기에서도 절대 포기하지 않는 남자의 근성. 그 불타는 의지를 이 스크린 골프에서 처절하게 경험했다.

이쯤 되면 손들 만도 한데, 격차가 벌어질 때마다 은현은 기적적으로 놀라운 샷을 날렸다. 경기를 리드하는 사위조차 혀를 내두를 지경이었다.

"이제 좀 무서워집니다."

반쯤은 농담이 섞인 상대방의 감탄이었다. 하지만 은현은 웃지 않았다. 그 순간 은현의 속마음을 알고 있는 사람은 초은뿐이었다.

아, 이것은……

그의 마음속 무시무시한 승부욕 폭발 버튼이 눌렸구나.

은현의 분발에도 불구하고, 상혁의 사위는 마지막 홀에서 홀인원을 기록하며 승부를 마무리 지었다. 제아무리 싱글골퍼라도 퍽 박진감 넘치는 승부였는지, 결과가 정해지자마자 두 손을 번쩍 쳐들며 환호성을 울렸다.

은현은 굳은 표정으로 초은이 건네는 손수건을 받아 이마의 땀을 닦았다.

"허허. 결과가 이리 나왔으니 내 맘대로 할 수도 없고 이를 어쩌나?"

놀리는 것도 아니고. 상혁의 짓궂은 목소리는 여전히 흥겨웠다.

"뭐, 승부는 승부지. 강 대표는 아쉽겠지만. 우린 아주 좋은 구경했네."

승현이 한술 더 떴다.

"어쨌든 약속은 약속이니까. 그럼 이 일은 물 건너간 겁니다."

"옳소!"

은숙과 시현의 의기양양한 목소리. 초은의 어쩔 줄 모르는 눈빛.

은현은 입술을 깨물었다.

"좋습니다. 승부는 공정해야 하니까요."

"오호, 그럼 이제 우리 초은이는 포기하는 건가?"

"아닙니다. 제안하신 경기를 한 번 치렀으니, 이번엔 제가 제시하는 대결도 받아 주셔야 공정하지 않겠습니까?"

"흠…… 그건 억지 아닌가?"

고개를 절레절레 저으면서도 상혁의 눈빛은 흐뭇해 보였다.

"듣고 보니 강 대표 말도 일리가 있네요."

"그러게요. 이번엔 아버지가 들어주셔야 할 것 같은데요."

역시 은현의 편에 선 남매의 역성이었다. 상혁은 못 이기는 척 고개를 기울였다.

"그래, 어디 들어나 보지. 뭔가??"

"언더어택이라고 아십니까? 세계 리그도 있는 E스포츠인데요."

다들 어리둥절한 가운데, 초은만은 그럴 줄 알았다는 듯 슬쩍 웃었다. 아무렴. '언더어택'으로 전 세계 아마추어 중에 강은현을 이길 자가 있을까? 최소 이 집안에는 없다는 것은 확실했다.

그리하여 이번에는 컴퓨터 두 대 앞에 두 사람이 나란히 앉게 되었다. 이번 대결 역시 선택의 여지가 없었다. '언더어택'의 이름조차 모르는 사람들 사이에서 한 번이라도 플레이해 본 이는 역시나 상혁의 사위뿐이었으니.

"이거…… 너무 오랜만이라 제대로 실력 발휘가 될지 잘 모르겠네요."

"아무리 게임 회사 대표라지만 저라고 뭐 매일 게임만 하겠습니까. 같은 처지입니다."

게임 시작 전, 마우스와 키보드를 딸깍거리며 손을 푸는 시간.

오가는 신경전부터 날카로웠다. 둘의 격돌을 지켜보는 가족들의 긴장된 눈빛. 비록 게임과는 그리 관련 없는 삶을 사는 사람들이었지만, DNA에 새겨진 모험심과 경쟁심이 유독 강한 가족이었다.

드디어 카운트가 시작됐다. 장소는 폐허가 된 정유공장.

각각의 장비로 무장한 고독한 스나이퍼의 일생일대의 대결…….

이라고 하기엔 장비부터 너무 차이가 났다.

하긴, 두 사람을 비교하자면 자동차 회사 오너와 자동차를 좋아하는 사람 정도의 차이였다. 비교 자체가 무의미했다. 그래도 나름 소수의 관객을 위해, 은현은 너무 싱겁지 않게 게임을 이끌었다. 투자사에게나 어필할 쇼맨십을 이 자리에서 십분 발휘했다.

그 결과, 결국 상혁의 사위가 온몸을 난사 당하며 게임이 끝났을 때 관객들은 유쾌하게 박수하며 즐거움을 표했다.

"와…… 왜들 그렇게 게임에 빠져드나 했더니 이런 매력이 있네요."

"스트레스가 확 풀리는 게, 와……."

"우리도 다들 연습 좀 해서, 다음에는 골프 대회 대신 게임 대회도 해볼까요?"

다시 거실로 향하는 식구들의 대화는 무척 바람직했다. 초은은 콧대가 한껏 솟아오른 은현을 보고, 혼자 피식 웃어버렸다.

"오늘 정말 즐거웠죠?"

"그래. 강 대표 당장 우리 가족으로 들어와도 손색없이 잘 어울리겠어."

방긋방긋 웃던 주현의 물음에 드디어 상혁의 본심이 드러났다. 사실 마음으로는 은현은 이미 조카사위였다. 하지만 가족들에게도 그의 재능과 열정과 근성을 보여 주고 싶던 것이다.

"저도 찬성입니다. 사위끼리 취향이 아주 잘 맞을 것 같아서 기대되는데요."

두 번의 대결로 얼결에 동지애를 느끼게 된 사위의 첫 의사 표명.

"당신은 어때?"

"사실 저는 처음부터 좋았어요. 가족 모임 때마다 눈 호강하게 됐지 뭐예요. 오호호호호."

조신하던 며느리의 돌발 발언까지.

모두 이미 은현을 인정하고 있었다.

은현은 벅차오르는 가슴을 주체할 수 없어, 곁에 앉은 초은의 손을 꼭 감아쥐었다. 초은 역시 눈꼬리를 한껏 휘며 활짝 웃고 있었다.

"그래도 난…… 난 속상하다, 얘."

감정이 북받친 듯, 은숙의 목소리가 떨리고 있었다. 여전히 완고한 은숙의 반응에 은현은 눈앞이 깜깜해지는 것 같았다.

익히 들어 알고 있었다. 상혁이 얼마나 애처가인지. 떨어져 지내는 동안 초은이 쉴 새 없이 선을 본 것이 다 은숙에게 즐거움을 주려는 상혁의 결정이었다는 것도.

"외숙모. 저 이 사람 때문에 힘들었던 적 없어요. 그냥 너무 보고 싶고 그리웠던 거지. 이 사람이 재기할 것도, 곧 다시 만나게 될 것도 한 번도 의심한 적이 없어요."

"얘, 그때 네 몰골이 어땠는지 돌아보기나 하고 말을 해."

"아이참. 그건 일 배우느라, 외삼촌이 하도 들들 볶아대니까 힘들어서 그랬지."

"으이구, 이 맹추 같은 것. 내가……. 내가 얼마나 속이 탔는데……. 알지도 못하고……."

발을 동동 구를 듯 속상해하던 은숙은 결국 울음을 터뜨렸다. 순간 분위기가 숙연해졌다. 조금 전까지 거실에 가득했던 유쾌한 열기는 연기처럼 사라져 버렸다.

"당신, 애들 앞에서…… 좀 진정해요. 그리고 자네도 너무 섭섭하게 생각하지 말게. 알겠지만 초은이는 우리 부부에게 친딸이나 마찬가지라 이 사람도 이러는 거니까.”

“아닙니다. 그렇게 생각 안 합니다. 그동안 심려 끼쳐 드린 걸 생각하면 그저 죄송할 뿐입니다.”

은현은 죄스러움에 고개를 들지 못했다.

저도 늦장을 부리거나 안일했던 것은 아니다. 초은 못지않게 타들어 가는 속을 안고 밤잠을 설치며 동분서주했던 시간이었다.

하지만 당사자인 두 사람 외에 또 가슴 아프게 지켜보는 사람들이 있을 거란 것은 미처 생각하지 못했다.

혼자이기에 살피지 못했던 마음들. 평범하지 못한 제 환경 탓인 것 같아, 은현은 심장에 아릿한 통증을 느꼈다.

“그리고……. 그리고…….”

누구도 쉽게 입을 떼지 못하는 가운데, 은숙의 울먹임은 길게 이어졌다.

“사실…… 강 대표에게는 미안한 말이지만……. 난 초은이가 다복한 가정에서 귀여움받으면서 지내길 바랐단 말이에요.”

“아니, 여보 그건…….”

“알아요. 강 대표 잘못도 아니고, 사람이 환경을 선택할 수도 없으니까. 강 대표가 나무랄 데 없이 좋은 상대인 것도 알지만…….”

은현은 가슴이 뭉그러지는 기분이었다.

은숙의 말을 이해한다. 초은이 마음속에 담고 있던 외로움을 알기에 더더욱.

초은을 늘 곁에 두고 아끼고 사랑하며 평생을 행복하게 해주는 것. 그것은 얼마든지 제가 할 수 있는 일이었다. 그리고 세상에 그 무엇보다 제게는 가장 중요하고 귀한 일이었다.

어디 그뿐인가. 초은이 원하는 것이라면 무엇이든 이루어줄 애정도 능력도 있다고 자부할 수 있다.

하지만 은숙이 바라는 것만은 은현의 힘으로 이루어줄 수 없는 일이었다. 은현은 처음으로 제 무기력함을 뼈저리게 느끼고 있었다.

"우리가 초은이를 친자식처럼 아꼈다지만, 정말 친부모가 될 수는 없었잖아요. 얘가 겉으로는 고분고분하면서도 방황하고 허세 부릴 때도, 어느 날 갑자기 유학을 가버렸을 때도. 우리가 부족했나, 외롭게 만들어서 그런가 싶어서 얼마나 속상했는데. 그래서 평생을 함께할 진짜 가족을 만들 때는, 북적북적하고 따뜻한 가정이길 바랐단 말이에요."

거실을 지배한 것은 오직 정적뿐이었다. 그 많은 사람의 숨소리 하나 허투루 새어 나오지 않았다.

은현은 어쩐지 그 순간이 비현실적으로 느껴졌다. 늘 모든 일을 거침없이 해나가던 자신이 마치 밧줄에 꽁꽁 묶인 것처럼 꼼짝할 수도 없는 순간.

그때 그의 식은 손등을 어떤 따스하고 보드라운 것이 감쌌다. 초은은 아무 걱정 말라는 듯 그의 손을 다독였다.

"외숙모. 그런 말이 어디 있어요. 나 한 번도 그런 생각한 적 없어요."

초은은 담담한 목소리로 침묵의 베일을 걷어냈다.

"외삼촌, 외숙모 모두 저에겐 친부모님이나 다름없었어요. 오빠와 언니, 또 시현이는 어떻고요. 이 세상 어떤 형제자매들보다 다정하고 애틋한 사이였는데요."

부모님을 일찍 떠나보낸 슬픔과 외로움은 별개의 감정이다. 그것은 오직 초은의 몫이었다. 그것은 세상의 그 어떤 사람들에게 둘러

싸여 있어도 치유될 수 없는 흉터와 같은 흔적이었다.

하지만…….

"전 정말 이 집에서 단 한 번도 외롭거나 섭섭했던 적이 없어요. 외삼촌, 외숙모의 사랑 덕분에 제가 이렇게 잘 자랐잖아요."

"그래도…… 달랑 둘이서 그렇게……. 외롭지 않겠니? 괜찮겠어?"

"어유, 우리 외숙모는 정말 걱정이 너무 많으셔. 왜 그렇게 생각하세요? 왜 달랑 둘이야? 나한테 이렇게 가족이 많은데. 게다가 한 명더 늘게 생겼잖아요. 난 은현 씨에게 이렇게 좋은 대가족을 선물하게 돼서 너무 기쁘고 뿌듯한데. 외숙모도 그렇게 생각해 주면 안 돼요?"

뜨겁고 말랑한 감각이 가슴을 가득 채웠다. 울컥하는 감정에 목이 메어와 은현은 힘겹게 울대를 오르내렸다.

언젠가 초은에게서 느꼈던 감정이 떠올랐다. 온 세상을 돌고 돌아 마침내 도착한 안락하고 포근한 보금자리. 초은은 정말 그에게 처음 경험해 보는 '가족'이라는 안식처를 선물해준 것이었다.

"맞아요, 엄마. 이렇게 좋은 가족들이 있는데, 왜 초은이를 보낼 생각만 하세요? 우리 쪽에 한 명이라도 더 받아들이는 것이 이득이지."

"어머니, 강 대표. 제가 같이 일해 보니 사람이 아주 올곧고 제대로더라고요. 우리 식구가 되면 정말 잘할 겁니다."

"치, 형부. 앞으로 우리 언니한테 정말 잘해야 해요. 우리 식구들 쪽수 봤죠? 뭐, 마음이 다 풀린 건 아니지만, 일단은 우리 패밀리가 된 것을 환영합니다."

내내 우호적이었던 주현과 승현에 이어 처제의 부활이었다. 은현은 벅찬 얼굴로 고개를 끄덕거렸다.

"초은이는 항상 저에게 완벽한 여자였습니다. 한초은을 제 사람으로 만들려고 얼마나 고심하고 애썼는지 모릅니다. 어떻게 이렇게 훌륭한 여자가 있나 싶었더니, 이게 다 외삼촌님, 외숙모님의 사랑 덕분이었네요."

"어흠…… 흠……."

은현의 진중한 찬사에 상혁도 여러 가지 감정이 물밀듯 밀려들었다. 젊은 나이에 세상을 떠난 여동생에 대한 추억, 하얗게 질린 얼굴로 울지도 않던 작은 소녀, 그 아이가 처음으로 웃기까지 애썼던 기억들. 어쩐지 눈시울이 시큰해져, 괜스레 헛기침만 했다.

"두 분이 들인 정성에 누가 되지 않도록, 제가 정말 평생 초은이 아끼고 사랑하겠습니다. 제가 갖추지 못한 환경까지…… 부족하지 않도록 제가 더 많이 사랑하겠습니다."

제 손을 다독이던 초은의 손을 꼭 잡았다. 이 손이 제게 전해 준 따뜻한 것들. 다시는 가질 수 없을 거라 여겼던 소중한 관계.

"초은이 덕분에 저에게도 따뜻한 가족이 생긴다고 얼마나 고마운지 모르겠습니다. 정말 초은이는 제 인생 최고의 행운이고, 평생의 행복이라고 생각합니다."

습관처럼 늘 일상을 함께하는 사람들. 그래서 그 소중함을 잊기 쉬운 가족. 하지만 제 모든 것을 받아 주고 이해해 줄 수 있는 유일한 존재 역시도 가족뿐이었다.

그 자리에 모인 모두 서로가 서로에게 전해 주는 포근하고 따뜻한 기운을 흠뻑 만끽했다.

"아유, 알았어, 알았어. 내가 항복할게. 진짜 오글거려서 이제 그만 좀 해. 나도 환영하네, 우리 조카사위."

눈시울이 발갛게 부풀어 오른 은숙이, 과장되게 두 손을 내저었다.

거실에는 빵 터져 나온 웃음이 순식간에 가득 찼다. 크고 작은, 높고 낮은 웃음소리가 듣기 좋은 화음을 이루었다.

그들은 모두 예감했다.

앞으로 이런 즐거운 웃음이 내내 이어질 것을.

/

창밖으로 하늘이 온화한 파란빛을 펼치고, 다정한 햇볕이 나무에 돋은 연한 새순을 어루만지는 초봄의 어느 날. 업무를 향한 뜨거운 열정도 슬그머니 기세를 잃는 나른한 오후였다.

레드핏 직원들의 사내 메신저로 특별한 초대장이 날아들었다.

　　※'레드핏' 주민들이 고대하던 그랜드 퀘스트에 도전할 파티원
　　을 모집합니다.(전 주민 필참)※

　　　세계를 창조한 레전드 마스터의 해피엔딩을 사수하라.

[출현 몬스터]

보스몹- 레드핏을 창조해 낸 레전드 마스터 강은현

최종 보스몹- 창조자를 손가락 하나로 좌지우지하는

　　　　　　　가공할 능력을 지닌 마스터 오브 마스터 한초은

[특징]

보스몹- 아름답고 미끈한 외모로 상대를 홀리는 능력이 있음.

　　　　하지만 방심하는 순간 강력한 막말 어택으로 다량의

　　　　데미지를 선사'했던' 초 위험 몬스터.

최종보스몹- 자칫 단아한 외모로 아군으로 착각하기 쉬우나

보스몹을 수족으로 부리는 초초 위험 몬스터.

공개되지 않은 미지의 능력치로 주의 요망.

공략 일시: 20XX년 4월 X일

장소: 신세계의 처음과 끝을 함께하는 창조의 언덕

　　(레드핏 사옥 옥상 공원)

'레드핏'을 창립하고 짧은 시간 안에 세계 최고의 게임 회사로 키
워 낸 게임 업계의 전설 강은현.

그 강은현 대표이사의 결혼식 청첩장이었다.

"와, 드디어 그날이 오지 말입니다."

"그러게 말이야. 내가 한 대리가 이럴 줄 알았나. 대체 언제부터
이런 사이가 된 걸까?"

"하긴 외모만 봐서는 워낙에 선남선녀니까 말입니다. 제법 잘 어
울리지 않습니까?"

"휴…… 대표님이 신들린 듯이 꽈배기를 토해 낼 때, 내가 몇 번이
나 한 대리한테 한풀이를 했는데…….."

"그거야 어디 팀장님만 그랬겠습니까. 다른 부서도 다 마찬가지일
테니 너무 걱정 마십시오."

"그건 그렇고 준비하고 있는 건 날짜 맞춰서 완성되는 거지?"

"네네. 우리가 누굽니까? 레드핏의 레전드, 프로그래밍팀 아닙니까."

프로그래머의 말이 맞았다.

프로그래밍팀의 최 팀장의 한탄은 혼자만의 것은 아니었다. 같은
시각, 모든 부서에서 은현의 집무실에서 꽈배기 어택을 당했던 팀장

들의 성토가 이어지고 있었다.

"최종 보스가 맞긴 맞네. 그렇게 단정하고 야물딱지더니 대표님까지 손아귀에 꽉 쥐었잖아. 내가 대표님이 좀 이상할 때부터 알아봤어. 연애할 거라고 예상은 했는데 상대가 한 대리였다니. 허허, 나 참. 정말 등잔 밑이 어둡군."

마케팅팀 송 팀장도 허탈한 웃음을 지었다.

이러니저러니 해도 다들 두근대고 기쁜 마음은 매한가지였다. 천재적인 두뇌, 그에 못지않은 훤칠하고 매끈한 외모, 한창의 나이. 인터넷을 뜨겁게 달궜던 청년 대표의 마음을 사로잡은 러브스토리는 사람들의 마음을 설레게 하기 충분했으므로.

막 회의를 마치고 나온 초은은 은현에게 날아온 메시지를 보고 웃음을 터뜨렸다. 첨부된 사진은 '레드핏' 사내 메신저로 전해진 초청장이었다.

"레드핏은 여전하네……."

그 시절이 그리웠다.

툭하면 야근에, 밤샘 근무에 지친 직원들이 좀비처럼 흐느적대는 곳이었지만. 친근한 얼굴들, 함께 울고 웃고 기뻐하던 시간들. 그리고 서툴고 가시 돋친 말로 따뜻한 마음을 삐뚤게 표현하던 그.

그립지 않을 수 없었다.

그런 이들과 함께 영원을 서약하는 순간을 나누게 되다니.

결혼을 약속한 이후로 내내 조금 빠른 비트로 뛰고 있는 심장이었지만, 또 한 번 벅차게 두근거렸다.

은현과 초은은 기존의 예식과는 전혀 다른 축제 같은 결혼식을 원했다. 부모로서 혼주의 역할을 다하리라 다짐했던 외삼촌 내외를 설득하는 일은 쉽지 않았다.

둘의 결혼 계획을 말씀드린 것은 구정이 지난 얼마 뒤, 외삼촌 내외와 함께 저녁 식사를 하던 자리였다.

재회 후 차근차근 집안 인테리어를 하고, 가구를 들이고. 이미 함께 살아갈 준비는 다 되어 있었지만, 모든 사람에게 알리는 자리 역시 중요했다.

"4월이면 몇 달 안 남았는데 너무 급하지 않니? 혼수랑 살림살이 준비도 해야 하고. 무엇보다 식장 구하기가 쉽지 않을 텐데."

"허허, 나야 뭐 빠르면 좋다만, 이 사람 말대로 식장이 문제구나. S호텔 현 대표한테 부탁해 본다 해도, 쉽지 않을 텐데."

은현과 초은은 서로 마주 보며 눈빛을 교환했다. 은현이 먼저 입을 열었다.

"가구나 살림살이는 이미 다 준비해 놓았습니다. 초은이는 몸만 오면 됩니다. 몸만 와주는 것도 감사한 일이지요."

"뭐? 아니, 그래도 어떻게……."

"초은이와 살 집을 미리 장만해 놓았고, 그동안 둘이서 의논해서 가구와 가전제품, 생활용품 같은 것들을 조금씩 마련했습니다."

"……."

"아…… 초은이와 혼수 장만하는 재미도 있으실 텐데, 그건 죄송하게 생각합니다. 그래도 초은이 하나만으로 감사한 게 제 마음이라……."

은숙의 마음은 그것이 아니었다. 정말 뭐든 다 준비해 놓고 초은을 데리고 가고 싶은 마음은 진심일 테니.

다만 아쉬움이 남는 것은 초은을 정말 친딸처럼 부족함 없이 시집보내고 싶었던 마음 때문이었다. 초은을 키우며 정말 딸 하나 더 얻은 것처럼 아끼고 사랑했다.

하지만 그래 봐야 친엄마가 아니라는 불안감이 늘 있었다. 제 관심이 부족하지는 않은지, 아이가 혹시 소외감을 느끼지는 않을지. 항상 가슴 한구석에는 불안함이 얼룩처럼 엉겨 있었다.

그래서 초은이 결혼할 때는 어디에 내놔도 손색없이 잘 준비해서 보내고 싶었다.

그런 마음을 다 안다는 듯, 초은이 은숙의 손을 잡았다.

"외숙모 마음 다 알아요. 나 진짜 남부럽지 않게 시집보내고 싶었던 거. 그런데 외삼촌 외숙모가 너무 잘 키워 주셔서, 나 하나만으로도 저렇게 좋다는 사람을 만났네요."

"애, 아무리 그래도 그렇지……."

"두 분이 준비해 주신 최고의 혼수가 바로 저 자체인가 봐요. 두 분 사랑 다 아니까, 그 마음까지 감사히 안고 갈게요."

초은이 이렇게까지 말하니, 은숙도 더는 섭섭해할 수 없었다.

그래, 우리가 얠 어떻게 키웠는데. 충분히 그 가치가 있지.

뿌듯함 반, 아쉬움 반으로 겨우 고개를 끄덕이자, 초은과 은현의 얼굴에 안도의 미소가 번졌다.

"저…… 그리고 또 한 가지 말씀드릴 게 있는데요. 결혼식 말인데……."

초은과 은현의 이야기를 들은 상혁과 은숙은 이번에는 정말 펄쩍 뛰었다.

식을 은현의 회사 옥상 공원에서 하겠다는 것까지는 용납할 수 있었다. 화려함은 조금 부족하겠지만, 요즘은 워낙 스몰 웨딩이 유행이고. 또 실력 좋은 업체에 맡기면 나름 분위기 있게 꾸밀 수 있을 테니까.

하지만 결혼식이 왜 결혼'식'이겠는가.

"그럼 화촉 점화도, 혼주 인사도, 신부 입장도 다 없다는 거니? 얘, 이이가 네 결혼식 때 손잡고 입장하겠다고 언제부터 기다리고 있었는데……. 정말 너무하다. 혹시 우리가 친부모가 아니라서……."

"아니에요! 아니에요, 외숙모. 절대 그런 거 아니란 거 알잖아요. 두 분은 정말, 세상에서 제일 좋은 엄마, 아빠셨어요."

은현은 난처하게 눈썹을 모았다.

처음엔 은현도 초은의 말에 반대했다. 제 쪽에는 혼주석에 앉을 분들도, 초은에게 대추와 밤을 던져 줄 분도 없었다. 하지만 초은을 시집보낼 외삼촌 내외를 생각하면 이렇게 형식을 없애는 것이 섭섭하실 수도 있을 테니까.

"죄송합니다. 제가 남들과 달라서…… 여러 가지로 의논하다 보니……."

"아니, 아닐세. 자넬 탓하는 게 아니야."

"이 사람이 결혼식에 와 줄 가족이 없어서가 아니에요. 전통적인 식도 좋지만, 그래도 제 바람은 와 주시는 하객들이 즐겁게 함께할 수 있고 오래오래 기억에 남는 추억으로 만들고 싶어서 그래요. 이해…… 해주시면 안 될까요?"

"……그래요 여보. 나도 들어보니 요즘은 뭐 주례 없는 결혼이니,

뭐 그렇게 많이 한다고 합디다. 얘들 둘이서 평생 함께하겠다는 서약인데, 본인들 뜻대로 어디 해보라고 합시다."

"그래도……."

"손잡고 입장 안 한다고 해서, 우리가 초은이 부모가 아닌 건 아니잖소."

상혁까지 나서니 은숙도 겨우 고개를 끄덕였다.

그렇게 결혼식에 대한 승낙까지 얻어내자, 이제 남은 것은 예식 준비뿐이었다.

/

드디어 그날이 왔다.

간달프가 나타나 마법 지팡이를 휘두른들 이렇게 완벽한 날씨를 빚어낼 수 있었을까.

"아니…… 세상에, 이 날씨 좀 봐. 우리 대표님, 아직도 정절을 지키고 계신 건가."

"에이, 설마요. 요즘 누가 결혼을 앞두고……."

"아니야. 강 대표님 몰라? 목표를 위해서라면 뭐든 하실 분인데…… 결혼식의 완벽한 날씨를 위해 금욕하시는 것쯤이야……."

"흠…… 하긴, 우리 대표님이라면……."

최 팀장이 '강 대표 금욕설'을 제기할 정도로 화창한 봄날이었다.

파란 물감을 맑은 물에 풀어놓은 것 같은 하늘은 얼룩 한 점 없이 깨끗했다. 그 눈이 시릴 정도의 순수한 파랑에 스며들 듯 떠 있는 실구름. 바람은 잔잔히 스쳐 가고, 한낮의 기온은 딱 적당히 쾌적했다.

하루의 여정을 묵묵히 걷는 해님도 잠시 쉬어가는 한갓진 오후.

이날 '레드핏'은 특별한 임시 휴일을 맞았다. 평소 레드핏 직원들의 휴식의 장소인 옥상 공원은 새하얀 리본이 달린 테이블과 의자들이 놓이고, 귀엽고 수수한 들꽃들로 장식되었다.

그런가 하면 직원들의 카페인 공급처인 '커피 바'는 일일 칵테일 바로 변신하여, 하객들이 원하는 음료를 마음껏 마실 수 있었다.

이날의 드레스 코드는 '자신이 가장 신나는 복장', 축의금은 '마음'. 그래도 아쉬워할 사람들을 위한 모금함이 입구에 비치되었다. 모금된 축의금은 전액 도서 지역 초등학교에 컴퓨터를 지원하는 사업에 기부될 예정이었다.

미리 도착한 하객들은 저마다 손에 음료 잔을 들고 흘러나오는 음악에 맞춰 기분 좋게 몸을 흔들었다. 간편한 청바지 차림부터 단정한 정장 차림, 심지어 레드핏에서 출시한 게임의 등장인물 코스프레를 한 사람도 있었다. 각양각색의 복장을 서로 보고 즐기는 것만으로도 이날 파티의 힙한 분위기가 물씬 느껴졌다.

처음엔 너무나 자유분방한 결혼식의 분위기에 굳어 있던 초은의 외삼촌 내외를 비롯한 어르신들도 어느새 흥에 취해갈 무렵. 어쩐 일인지 고급스러운 정장을—아마도 아르마니일 것이 분명한—빼입고 미끈하게 다듬은 경원이 등장했다.

"자자, 오늘의 주인공 신랑 신부가 드디어 도착했습니다!"

거침없이 성큼성큼 걸어 단상에 오른 경원이 한 손을 과장되게 번쩍 쳐들며 외쳤다. 오케스트라가 바뀐 음악을 연주하기 시작했다. 이제껏 레드핏에서 출시된 게임들의 OST 메들리였다.

곧이어 우렁찬 환성과 박수, 휘파람 소리가 터져 나왔다.

환하게 웃으며 입구에 나타난 한 쌍. 그야말로 〈절대갑 길들이기〉

의 주인공들이 게임을 찢고 나온 것처럼 완벽한 커플이 모습이었다. 함성이 한층 더 커졌다.

발랄한 미니 드레스를 입고 작은 부케를 손에 든 초은과 우월한 체격을 돋보이게 하는 포멀한 다크 슈트를 입은 은현.

서로의 손을 맞잡고 하객들 사이로 걸음을 내디뎠다. 그들이 지나는 곳마다 명랑한 웃음, 함성과 박수, 축복의 말들이 쏟아졌다. 단상 앞에 선 두 사람의 얼굴은 봄 햇살 아래 눈이 부시도록 빛났다.

"자, 오늘 두 사람의 특별한 서약에 앞서, 모두 함께 축하하는 시간을 가져보도록 하겠습니다. 준비되셨나요?"

경원의 물음에 하객들은 모두 핸드폰을 꺼내 들었다. 제각각 〈절대갑 길들이기〉 게임 어플을 실행하는 동시에, 앞에 설치된 대형 스크린에도 〈절대갑 길들이기〉의 오프닝 화면이 떠올랐다. 오늘의 신랑 은현이 플레이하는 화면이었다.

〈절대갑 길들이기 - 스페셜 이벤트 버전 퍼펙트 웨딩〉

프로그래밍팀에서 심혈을 기울여 완성한 웨딩 이벤트 버전이었다. 10분 정도 진행되는 스토리를 플레이하면 주인공 두 사람이 웨딩마치를 올리는 엔딩으로 이어지는 행복하고 귀여운 이야기.

은현은 레드핏의 대표답게 능숙하게 플레이를 이어갔다.

화려한 전구의 불빛이 파도에 부서지는 밤바다.

크루즈 위에서의 로맨틱한 프러포즈.

두 사람의 아담하고 아늑한 보금자리를 꾸미는 미션.

마지막으로 모든 하객과 파티처럼 즐기는 행복한 결혼식까지.

두 사람이 영원을 약속하는 맹세의 키스로 게임이 끝났다. 그러자 축하 메시지를 남길 수 있는 방명록이 나타났다. 플레이를 끝낸 하객들이 하나, 둘씩 메시지를 남기기 시작했다. 유쾌한 얼굴로 웃기만 하던 경원도 메시지 작성을 끝내고 버튼을 눌렀다.

이내 대형 스크린에는 전 세계 유저들이 보낸 축하 메시지가 화면 한가득 나타나기 시작했다. 영어, 중국어, 일본어, 프랑스어, 베트남어, 독일어…… 셀 수도 없는 수많은 국가의 언어들.

형태는 모두 달랐지만 담고 있는 축하의 마음은 같았다. 이런 재미있는 게임을 만든 강은현 대표와 그의 아름다운 신부를 축복하는 전 세계의 말들.

그리고 가장 익숙하고 아름다운 문자가 나타났다.

[소중한 친구 강은현. 네가 드디어 장가를 가다니. 이 형아는 쓰나미 같은 감격에 눈물이 앞을 가린다. 앞으로 소박맞지 않게 늘 최선을 다하고, 혹시 잘 모르겠는 게 있거든 언제든 물어보렴. 너의 평화로운 결혼 생활을 항상 응원하는 친구가.]

은현의 유일한 가족, 경원의 메시지였다. 평소엔 늘 티격태격하지만, 무슨 일이 있어도 내 편에 서 줄 것이란 믿음을 준 사람.

[형부, 우리 언니 행복하게 해주세요. 혹시나 속상하게 하면 알죠? 지켜보는 눈이 많습니다. 우리 가족이 되어 줘서 고마워요. 앞으로 평생 행복하길.]

이것은 시현의 메시지. 처제의 형부 사랑은 이제 완전히 부활한 것 같았다. 은현과 초은은 두 눈을 마주치고 빙긋 웃었다.

[우리 꽈배기 대표님! 대표님이 달라지신 건 사랑의 힘이었나요? 그 사랑 응원합니다.]

[껨찢남 강은현 대표님. 전 세계 유저들의 로맨스를 완성해 준 것처럼, 로맨틱한 엔딩 기원합니다!]

[꺄! 대표님과 비서님이라니. 드라마인가요. 세상에서 가장 멋진 대표님, 세계 최고 미녀 비서님. 결혼을 온 맘 다해 축하합니다.]

레드핏 직원들의 진심이 담긴 축하까지.

이렇게 넘치도록 많은 축복 속에 출발하는 부부가 또 있을까.

은현과 초은은 벅차오르는 감격에 눈시울이 뜨거워졌다.

"자자, 감동적인 축하 메시지가 정말 셀 수가 없네요. 이렇게 많은 축하를 받은 만큼, 두 사람의 앞날에 기쁨과 행복만 가득할 것을 믿습니다. 그럼, 우리 당사자들의 서약을 안 들어 볼 수 없겠죠. 신랑, 신부의 서약의 시간을 가지겠습니다!"

은현과 초은은 마주 섰다.

행복과 기쁨에 물든 눈동자가 마주쳤다. 그들과 일상을 함께하던 사람들 앞에서 일생을 맹세하는 신성한 순간.

은현이 먼저 마이크를 잡았다. 뜨거운 덩어리가 목까지 차올라 쉽게 말이 나오지 않았다. 은현이 차마 입을 열지 못하고, 목울대만 오르내리자, 하객들은 격려의 함성을 보냈다.

"사랑하는 한초은. 잘 코딩된 프로그램처럼 완벽한 내 삶에 심장을 심어 준 사람. 그대로 인해 내 생에 피가 돌기 시작하고, 온기를 느낄 수 있었습니다. 춥고 메말랐던 길고 긴 여정 끝에 비로소 도착한 안식처가 되어 준 당신. 평생 그대 곁에서 최선을 다해 사랑하며 살겠습니다."

솟아오르는 격정으로 조금 잠긴 목소리.

그 음성에 담긴 진심이 너무나 선연해, 하객들은 눈물을 글썽이며 박수를 보냈다.

"사랑받기만 원하던 내게 사랑하는 방법을 알게 해 준 사람. 감히 절대갑을 길들여 보려던 오만했던 내가 오히려 당신의 따뜻한 마음과 사랑에 길들어져 버렸네요. 영원히 그대 곁에 머물며 서로에게 세상 가장 소중한 사람으로 남고 싶습니다. 행복하고 기쁠 때도, 슬프고 괴로울 때도 절대 손을 놓지 말기로 해요."

초은의 목소리는 잔잔했지만, 따뜻한 온기가 듬뿍 배어 있었다.

"자, 오늘의 주인공 두 사람의 평생을 건 맹세가 끝났습니다. 여기 모인 모든 분이 증인이니, 두 사람은 약속대로 마지막 숨을 쉴 때까지 사랑하며 행복하세요! 그럼 이제 서로를 향한 사랑을 한번 마음껏 표현해볼까요?"

이제까지 중 가장 큰 환호가 터져 나왔다. 초은과 은현은 눈빛을 마주하고 활짝 웃었다. 서로의 눈에 맺힌 물방울이 쏟아지는 햇빛에 보석처럼 반짝였다.

은현이 초은의 한쪽 뺨을 감쌌다. 그리고 천천히 기울어지는 얼굴. 활짝 휘어진 두 입술이 맞닿는 순간, 두 사람은 그들의 맹세가 영원하리라는 것을 확신했다.

우렁찬 함성이 푸른 하늘에 닿을 듯 높이 울려 퍼졌다.

그리고 이어지는 신나는 음악.

두 사람에게서 시작된 사랑과 행복의 기운은 어느덧 레드핏 옥상 공원을 가득 채웠다. 그 따뜻한 감각에 취한 사람들은 밤이 늦도록 흥겹게 춤추며 환희의 시간을 만끽했다.

segue.

이어서

a due.

외전

외전

"뭐? 또 버그야? 이번엔 뭔데?"

"디버깅, 디버깅!"

"서버는 무사하지?"

출시가 임박한 게임의 오픈 베타 테스트 시작일.

겉보기에 그럴싸한 레드핏 사옥의 내부에는 지옥도가 펼쳐져 있었다. 그 다급하고 혼란한 아우성이 미처 닿지 않는 가장 높고 깊은 곳. 대표이사 집무실은 바깥의 소란은 마치 다른 세상의 일인 듯 고요하기만 했다.

은현은 책상에 팔꿈치를 대고 깍지 낀 손에 턱을 괴고 있었다. 깊이 팬 미간, 짙어진 눈빛, 굳게 다문 입술. 깊은 고민에 빠진 것처럼 미동 없는 모습은 마치 정지된 사진 같았다.

"왜 그러고 있어? 베타 테스트 때문에 그래?"

마침 집무실 문을 열고 들어온 경원이 시큰둥하게 물었다.

"뭐, 런칭작이 한둘이야? 새삼스럽게 긴장하고 난리야."

"⋯⋯."

"으이구⋯⋯ 나이브하긴. 쭉 돌아보고 오니까 뭐 자잘한 문제는 있어도 아주 순조롭게 잘 진행되고 있어."

"어⋯⋯ 그래, 뭐⋯⋯ 알아서 잘들 하겠지."

은현의 대답은 건성이었다. 잔소리 웜업을 하던 경원이 의아하게 고개를 기울였다.

"그럼 왜 그러는데? 제수씨가 또 너 버리고 출장이라도 간대?"

"야! 내가 애냐? 출장 간다고 그러게⋯⋯."

응, 그래. 지난번에 제수씨가 북유럽인지 동유럽인지로 일주일 출장 갔을 때. 외롭다고 애처럼 징징댔던 건 다 내 착각이었나 보다.

경원은 입술 한쪽 끝을 삐죽대며 은현을 흘겨보았다. 경원이 그러거나 말거나, 은현의 미간에 잡힌 주름은 여간해서 펴지지 않았다.

"어우, 답답해. 야, 그럼 대체 왜 그러는데? 지독한 변비라도 걸렸냐?"

"아니⋯⋯."

하지만 정작 경원보다 은현이 더 답답했다.

그런 게 아니야. 물론 베타 테스트도, 쾌변도 중요하지만, 그것보다 더 심각하고 중요한 문제가 있다고.

"하⋯⋯ 은현아. 그래. 지금 말하기가 좀 그러면 일단 넣어 둬. 하지만 너도 알잖아? 나처럼 상담과 고민 해결에 능한 사람이 어디 있니?"

"⋯⋯."

"이제까지 내가 해결해 줬던 너의 고민을 모두 떠올려 봐."

그러자 정말 경원이 조언해 줬던 일들이 주마등처럼 머릿속을 스쳐 지났다.

첫 고백과 첫 데이트, 그리고⋯⋯ 진격의 브라질리언 왁싱까지⋯⋯.

"그러니까 언제든 내킬 때 이야기해. 내가 다 해결해 줄 테니까. 내 가슴은 항상 열려 있다, 친구야."

"……아니야. 마음은 고맙지만 괜찮아. 이번엔 내가 혼자서 해결해 볼게, 친구."

"칫…… 괜히 고집부리다가 나중에 징징대지 말고……. 아, 아니다. 알아서 해라. 너도 이제 장가도 간 어른인데…… 스스로 할 줄도 알아야지."

나는 장가라도 갔지, 그럼 이것도 저것도 아닌 넌 뭐냐.

하지만 경원과 티격태격하고 있기엔 은현의 시름이 너무도 깊었다. 정말 이렇게 심각한 고민은 은현 인생에 몇 번 없었던 것 같았다.

바야흐로 초은의 생일이 한 달 앞으로 다가오고 있었다. 남들에겐 해마다 찾아오는 생일일지도 모른다. 하지만 초은의 이번 생일은 은현에게는 매우 특별했다.

결혼 후 두 번째로 맞는 생일. 생각해 보면 은현에게는 제대로 초은의 생일을 축하해 줄 기회가 없었다. 사귄 후 처음 맞은 생일을 떠올려보면, 저도 모르게 바닥에 무릎을 꿇고 손을 들어야 했다.

아마도 초은의 인생에 가장 쓸쓸하고 서글픈 생일이지 않았을까. 초은의 생일은 가을과 겨울의 경계에 있었고, 둘이 잠시 헤어진 것이 가을이 깊어가던 무렵이었으니 말이다.

두 번째 생일이라도 별다르지 않았다. 초은의 애간장을 홀랑 다 태운 후에야 뻔뻔스럽게 나타나서는 생일 축하한다는 말조차 해주지 못했다. 그때는 일생일대의 프러포즈가 최우선이었으니까.

작년, 결혼 후 첫 생일을 맞았을 때 은현은 생각했다. 이번에야말로 감격의 눈물이 줄줄 흘러나올 생일을 맞게 해주겠다고.

하지만 내 맘대로 되지 않는 것이 인생사. 하필 때마침 출장이 잡힐 것을 누가 알았겠냐는 말이다. 아무리 요리조리 일정을 조정해 보아도, 약이라도 올리듯 초은의 생일을 피할 수는 없었다.

"나 출장 안 가!"

이상과 현실 사이에서 괴로워하던 은현은, 마치 정신을 놓은 사람처럼 무작정 외쳤다.

"야, 너 왜 이래? 이번 출장이 뭔지 몰라서 그래? 북미권 수출 계약이 걸린 출장이라고!"

"아 몰랑, 수출이고 뭐고 난 초은이랑 같이 있을 거야."

"정신 차려, 이 친구야. 네가 열심히 돈을 벌어야 제수씨 호강시켜 주지."

팔짝팔짝 뛰는 경원의 말은 귀에 들어오지도 않았다.

세상 살면서 돈이 제일 중요한 게 아니더라고. 나는 우리 초은이를 행복하게 해주는 게 더 중요해.

하지만 은현의 바람을 저지하는 반대파는 경원뿐만이 아니었다. 정작 당사자인 초은은 어찌나 쿨하던지.

"네? 생일이요? 아…… 은현 씨와 함께 보내면 좋겠지만, 난 괜찮아요. 현실에는 우선순위라는 것이 있으니까요."

억지로 참거나 배려하려고 애쓰는 말이 아니었다. 표정이며 태도가 너무도 담담하여 은현이 오히려 섭섭할 지경이었다.

그래도 은현은 끝까지 버텼다. 책임감 없어 보인다는 것도, 철없는 고집이라는 것도 알고 있었다. 하지만 그렇게라도 앞선 두 번의 생일을 만회하고 싶었다.

결국은 출장 당일, 은현은 집으로 쳐들어온 경원과 송 팀장에게 검

거되었다.

"놔! 이거 놓아라!"

경원과 송 팀장은 발버둥 치는 은현을 억지로 차에 태웠고, 초은은 직접 챙긴 캐리어를 차 트렁크에 실어 주었다.

"초, 초은아…… 초은아! 내가 금방 올게. 꼭 돌아올게!"

"여보, 몸 건강히 잘 다녀오세요. 계약도 꼭 성사시키고요!"

차창에 매달려 눈물을 글썽이는 은현에게, 초은은 활짝 웃으며 손을 흔들어 주었다. 그녀의 작고 하얀 손이 나비처럼 살랑거렸다.

그렇게 세 번의 생일 축하가 불발되었다.

그래서 이번 생일만큼은 세상에서 가장 행복한 여자로 만들어 주고 싶었다. 그런데 그걸 어떻게 해야 한단 말인가. 고민에 고민을 거듭해도 뾰족하게 떠오르는 것이 없었다.

일단 돈 들여 뭔가 한다는 건 효과가 없을 것 같았다. 그녀는 금융 재벌 집안의 사랑받는 조카가 아닌가. 놀이공원을 통째로 빌리고, 거기에 한 사람을 위한 불꽃놀이 백만 발을 쏘아 올리는 정도면 모를까. 어지간히 돈 들인 이벤트로는 눈도 깜빡하지 않을 것이었다.

은현은 깊은 한숨을 내쉬며 소파에 앉아 있는 경원을 바라보았다. 느긋하게 소파에 기대 두툼한 잡지의 책장을 팔랑팔랑 넘기는 손길이 발랄하다.

'음…… 저 자식이 대표이사 앞에서 대놓고 농땡이 중이군.'

경원으로 말하자면 바야흐로 다민과의 결혼식을 앞두고 있었다. 최근 그의 주요 관심사는 웨딩 베뉴^{Wedding Venue}와 스드메^{Studio dress makeup}, 웨딩 촬영에 좋은 여행지 등등. 그리하여 은현의 집무실에는 각종 웨딩 잡지와 여행 정보지가 수십 권에 달했다.

경원도 나름대로 핑계는 있었다. 워낙에 털털한 성격에 일벌레인 다민이 그런 데에 관심이 없으니 저라도 열심히 해야 한다며, 오히려 큰소리였다.

실은 둘이 결혼에 골인한다는 것보다 더 놀라운 사실이 있었다.

아니 대체 언제 혼수를 장만한 것이냐. 특히 아트팀은 그렇게 바쁘게 야근을 시켰는데, 언제 그렇게 사고를 친 건지. 아니, 그 전에 시큰둥한 다민이 허당 박경원에게 어떻게 넘어간 건지. 그야말로 세계 8대 불가사의였다.

은현은 그 충격적인 소식을 듣고 내심 입맛이 썼다. 연애와 결혼만큼은 경원보다 한 수 위라고 생각했는데, 이 자식이 어느새 그런 식으로 새치기하다니.

"참, 이번 베타 테스트 끝나고 다음 주 금요일에는 원데이 클래스 있는 거 알지?"

"아, 그랬나? 이번엔 뭐지?"

"뭐더라? 아, 베이킹. 쿠키랑 타르트랑 뭐 그런 거라더라. S호텔 파티세리에 있는 세계적으로 유명한 파티시에가 온다던데."

"그래?"

레드핏에서는 몇 달 전부터 직원 복지의 일환으로 한 달에 두 번 원데이 클래스를 운영하고 있었다. 쉽고 간단하게 맛있는 음식을 만들 수 있는 요리 강좌가 주를 이루고, 필라테스나 홈 트레이닝 같은 운동 클래스도 한 번씩 진행했다.

세계적으로 유명한 파티시에라니. 인사팀에서 또 과소비했구만.

그러고 보니 레드핏 원데이 클래스의 시작도 다 경원 때문이었다.

그 사건은 다민의 임신이라는 충격적인 뉴스 이후에 벌어졌다.

다민의 임신으로 결혼을 서두르려던 경원은 뜻밖의 복병을 만나게 되었다. 그것은 바로 입덧.

보통 임신 초기에 다들 시달린다는 입덧이지만 다민의 입덧은 너무 심했다. 도저히 결혼 준비를 해서 식을 올릴 수 있을 상황이 아니었다. 회사 출근도 어려워져, 프리랜서 형태로 재택근무를 해야 할 판이었다.

결국, 양가가 몇 번이나 의논한 끝에 식은 입덧이 좀 가라앉은 후 올리기로 했다. 그렇다고 배가 불러오는 다민을 혼자 지내게 둘 수도 없는 노릇이었다. 그러니 결론은 하나였다.

비록 식은 못 올렸지만, 경원과 다민은 혼인신고도 하고, 신혼집을 꾸미며 같이 살게 된 것이다. 원래도 어딘지 속없고 어설픈 경원은 한동안 입이 귀에 걸려서 다녔다.

게다가 민망하지도 않은지 만나는 사람한테마다 '우리 보스몹-아기의 태명이었다-어제 초음파 사진을 찍었는데 아빠 닮아서 완전 롱다리라고……'라며 쉴 새 없이 수다를 떨었다.

그래서 한동안 레드핏에서는 저 멀리 경원의 그림자만 보여도 직원들이 순식간에 사라지는 기현상이 벌어지기도 했다.

그러던 어느 날.

모처럼 은현과 초은이 함께 일찍 퇴근한 '불금'의 저녁이었다. 이런 천금 같은 기회를 놓칠 은현이 아니었다. 초은이 저녁 먹고 난 뒷정리를 하는 동안, 은현은 휘파람을 불며 욕조에 물을 받고 말린 장미 꽃잎을 띄웠다. 아이스 버킷에 꽂은 샴페인과 잔까지 완벽하게 준비를 끝냈다.

좋았어. 오늘 밤은 뼈와 살이 불타는 프라이데이 나잇이다!

상상만 해도 심장이 가슴을 뚫고 나올 것처럼 나대기 시작했다. 드디어 설거지를 마친 초은이 다가왔다. 잔잔한 음악이 흐르고, 한껏 달아오르는 키스로 로맨틱한 분위기가 고조되어 가고, 초은이 입은 셔츠의 첫 단추를 막 끌렀을 때.

띵똥, 띵똥, 띵똥, 띵똥, 띵똥, 띵똥.

발작하듯 울려대는 초인종 소리. 은현의 손가락이 삐끗 미끄러졌다.

"아니, 대체 누구야? 이 시간에."

감정을 잔뜩 실어 내려치듯 누른 월패드에는 경원의 얼굴이 가득 나타났다.

"문 좀 열어 줘. 나야, 나."

"우와, 이 새끼. 왜 왔냐? 어? 이 시간에, 불금에 대체 왜!"

"일단 문 좀 열어 봐."

"싫어, 안 열거야! 돌아가! 꺼져!"

은현이 분통 터지는 얼굴로 버럭버럭 고함을 질러대자, 초은이 난처하게 웃으며 '문 열림' 버튼을 눌렀다. 이내 현관으로 들어선 경원은 눈치 없이 실실 웃으며 맥주와 쥐포 따위가 담긴 봉지를 내밀었다.

"제수씨, 오늘 하룻밤만 신세 좀 질게요."

"뭔 소리야! 멀쩡한 집 놔두고 왜 우리 집에! 너, 오늘이 무슨 밤인지 알고서 이래?"

은현이 펄펄 뛰는데도, 경원은 무람없이 신발을 벗고 집안으로 들어왔다. 초은도 느닷없이 신세를 지겠다는 경원의 말이 의아했는지, 난처한 표정을 지었다.

"다민이랑 보스돕은 어쩌고요? 친정에라도 간 거예요?"

"아니요…… 허허허, 어…… 그게……. 은현아, 나 쫓겨났어."

"뭐?"

"네?"

뜻밖의 대답에 은현과 초은은 입만 떡 벌린 채 말을 잊지 못했다. 두 사람에게 충격을 안긴 경원은 너털웃음을 지으며 멋쩍게 뒤통수를 쓰다듬었다.

"다민이가 나가라고 해서요."

아니, 친구야. 지금 그게 웃을 일이야? 대체 뭘 어쨌기에 임신한 와이프한테 쫓겨나냐?

"임신하면 원래 기분이 오락가락한다고 하더라고. 오늘은 영 저기 압인가 봐. 당장 나가라고 꽥- 고함을 치기에 시키는 대로 하려고."

은현과 초은의 의문을 눈치채기라도 한 듯, 경원의 변명이 이어졌다. 하지만 그 변명은 둘을 더욱 혼란스럽게 했다.

정다민이 누구인가. 명실상부 레드핏 최고의 '쿨내 뿜뿜 시크녀' 아닌가. 무엇을 보아도 평정을 유지하는 그 시큰둥한 태도.

그런 다민이 그렇게 흥분했다니. 단지 임산부의 호르몬에 휩싸인 이유 때문만은 아닌 것이 분명했다.

"흠흠…… 경원아. 혹시 다민 씨가 어떤 시점에서 소리를 질렀는지 기억은 나냐?"

"그럼. 소리 지를 타이밍도 아닌데, 그런 걸 보면 분명히 우리 보스돕 컨디션이 안 좋아서라니까."

"그래. 어디 들어나 보자."

"아까 퇴근할 때쯤에 전화가 왔더라고. 오늘은 호떡이 꼭 먹고 싶다고 사 오라고. 야, 그런데 아직 겨울도 안 됐는데 호떡을 어디서 사냐?"

어쩐지 스멀스멀 불길한 예감이 발끝부터 휘감아 오른다. 초은과 은현은 슬쩍 떨리는 눈동자를 마주했다.

"그래서, 어디서 사다 주셨어요? 내내 입덧만 하다가 정말 먹고 싶었던 모양인데."

저기요, 박 실장님. 임신했을 때, 먹고 싶다는 음식 안 사다 주면 큰일 난다는 것 정도는 알고 계시죠?

"그러니까. 오죽 먹고 싶었으면 평소에 안 하던 전화를 다 했겠어요. 내가 다민 씨 전화 받고 얼마나 떨리고 설레던지."

"사다 주긴 했냐?"

야, 사랑 고백은 당사자 앞에 가서 하고 빨리 대답이나 해.

은현의 재촉은 어느 정도 부정적인 결과를 확신하고 있었다.

"어허, 날 뭐로 보고. 당연하지! 호떡 파는 데는 없지만 내가 또 문제 해결의 귀재이지 않니?"

"……."

가슴속에 술렁대던 불안함은 점점 더 짙어졌다.

"거, 마트에 가면 그런 게 있어. 요즘은 없는 게 없거든. 호떡 믹스라고. 집에서 바로 만들어서 구워 먹을 수 있게."

"서…… 설마, 그래서 그걸……."

"바로 구워서 따끈따끈할 때 먹을 수도 있고. 얼마나 좋아. 내가 그걸 세 개나 사 가서 안겨 줬지. 먹고 싶은 호떡 마음껏 만들어 먹으라고."

은현과 초은은 절망했다. 아직 임신과 출산의 경험이 없는 은현이라도 그게 아니라는 건 확실히 알고 있었다.

"저기…… 큰 시장 가면 한여름에도 호떡 파는데……."

"엥? 그래?"

"그래서 다민 씨가 뭐라던데?"

"한참 말이 없더니, 호떡 믹스 사간 봉지를 집어 던지면서 당장 나가라고 하더라고. 아무래도 양이 적었나 봐. 다섯 개 사 갈걸. 임신하면 상상 초월로 많이 먹는다더니……."

초은은 아무 말도 할 수가 없었다.

아아, 왜 눈에서 땀이 나는 걸까요. 제가 스트레스를 못 이겨 발악할 때도 심드렁한 눈으로 묵묵히 지켜봐 주던 내 친구. 그 꿋꿋하던 아이가 이성을 잃었다니, 얼마나 화가 났으면 그랬을까.

"저기요, 실장님. 지금이라도 빨리 시장에 가서……."

아하…… 지금은 이미 어두워진 밤. 재래시장이라면 벌써 파장하고도 남았을 시각이다. 은현도 지금만큼은 경원의 역성을 들어줄 수 없었다.

얘가 나쁜 애는 아닌데, 단지 뭘 몰라서…… 몰라서 그런 건데…….

후우.

"야, 박경원. 너 아무리 그래도 그렇지. 다민 씨가 임신하고 처음으로 먹고 싶다고 했던 거 아니었냐? 아니, 이 머리도 좋은 놈이 대체 왜……."

"아니야, 처음은."

은현과 초은은 더욱 절망할 수밖에 없었다.

이번이 처음이 아니다…….

한동안의 무서운 정적 끝에 초은이 떨리는 목소리로 입을 열었다.

"지난번엔 뭐 사다 주셨는데요?"

"아아, 그땐 집에 있을 때였는데. 갑자기 군고구마가 먹고 싶다고 하더라고. 참 이상해. 왜 그렇게 꼭 이 계절에 안 파는 것만 먹고 싶은지."

"그…… 그래서요?"

"어쩌겠어. 마트에 가서 고구마 한 봉지랑 신상 에어프라이어를 사서…… 참, 제수씨, 에어프라이어 꼭 사. 그거 진짜 못 하는 게 없어. 거기 고구마 씻어서 넣고 돌리기만 하면 군고구마가 저절로 될 거라고 판매 직원이 큰 소리를……."

초은은 그만 털썩 주저앉고 말았다.

다민아, 정말…… 네가 많이 참았구나. 그렇게 잘 먹던 네가 입덧하느라 먹는 족족 토해 내더니, 드디어 먹고 싶은 음식이 생겼다는데. 그걸 한 번 제대로 먹지도 못하고…….

초은은 어느새 친정 엄마의 심경이 되어 눈물을 글썽거렸다. 은현도 더는 참지 못하고 경원의 등짝을 매섭게 내리쳤다.

"나가, 이 자식아. 너 당장 집에 가서 무릎 꿇고 잘못했다고 싹싹 빌고 그 호떡, 네가 밤새 구워 주라고."

"어어, 야, 아파. 왜 이래? 아니, 내가 호떡을 어떻게 구워. 그런 거 해 봤어야 말이지."

"야! 그럼 다민 씨는 날 때부터 호떡 구우면서 나왔냐? 이런 생각 없는 새끼 같으니."

가만히 있으면 중간은 갈 것을. 괜히 말대답하는 바람에 등짝 스매싱은 연타로 이어졌다.

"아야, 야! 아프다고. 왜 화는 내고 난리야."

"너 나중에 후회하지 말고 내 말 들어라. 당장 나가서 집에 가서 싹싹 빌어. 손이 발이 될 때까지, 다민 씨한테 잘못했다고 매달리기라도 하라고. 그러다 정말 영영 쫓겨나는 수가 있다."

은현의 마지막 말이 충격적이었는지, 경원은 억울한 눈으로 투덜대면서도 다시 현관문을 나섰다.

"야, 가는 동안 호떡 굽는 방법 검색이라도 해 봐라, 이 자식아."

"알았어, 간다고, 가."

경원이 사라지고 나서도 은현과 초은은 한참을 소파에 앉아 있어야 했다. 무지한 남자의 만행을 목격한 충격이 쉽사리 사라지지 않았기에.

그래도 베프를 마냥 밉게 볼 수 없었던 은현은 고심 끝에 결단을 내렸다.

스스로 뭘 할 줄 모르는 놈이니 가르치기라도 하자.

그러고 보니 레드핏은 박경원 외에도 게임에만 푹 빠져 사는 덕후들의 요람이었지. 나의 레드핏이 무도한 남자들의 온상이 되는 것은 참을 수가 없지, 암.

그리하여 은현은 직원들을 위한 원데이 클래스로, 유명 쉐프를 초빙한 요리 교실을 마련한 것이었다.

그리고 그 행사는 뜻밖에 직원들의 열렬한 반응을 얻었다. 은현은 인사팀과의 의논 끝에 한 달에 두 번 진행되는 취미 클래스로 확대 운영하기로 하고, 그것이 계속 이어지게 했다.

/

이번 베이킹 클래스에는 최고의 파티세리^{Patisserie}라는 '파티세리 데 헤브'의 무려 치프 파티시에가 직접 온다고 했다.

원데이 클래스용으로 비워 놓은 커뮤니티 룸에는 이번 수업을 위해 공수해온 업소용 대형 오븐과 각종 조리 도구가 배치되었다.

수업에 참여한 직원 중에서도 여성 동지들의 눈이 유난히 초롱초롱 빛나는 것은 왜일까. 아무래도 베이킹이면 달짝지근한 것들이니 그게 좋아서 그러나.

처음엔 대수롭지 않게 생각했다.

이윽고 수업을 맡은 파티시에가 문을 열고 들어오자, 숨넘어가는 소리와 작은 비명이 커뮤니티 룸을 가득 채웠다.

은현도 흠칫 놀라긴 했다.

세계 최고의 파티세리라는 '파티세리 데 헤브'의 치프 파티시에이자 프랑스 최연소 제과 명장이라는 한재준. 커다란 키에 떡 벌어진 어깨와 두툼한 팔뚝, 널찍하고 단단한 가슴.

은현도 꽤 훤칠하고 단단한 체격이지만, 한재준 파티시에는 마치 거인 같은 체격이었다. 게다가 불쾌한 일이 있는 것처럼 잔뜩 찌푸린 짙은 눈썹이 위압감을 더했다.

"안녕하십니까. '파티세리 데 헤브'의 치프 파티시에 한재준입니다."

"꺄아~."

심기 불편한 얼굴로 무뚝뚝하게 내뱉은 인사에 감탄 가득한 비명으로 대답하는 레드핏의 직원들. 어디 그뿐인가. 두 눈에서는 하트를 뿅뿅 발사하고 있다.

"대박 실제로 보니까 더 섹시해."

"목소리 들었어? 나 코피 터진 거 아니지?"

흥분한 속삭임도 들려왔다.

섹시? 누가? 어디가?

"오늘 만들어 볼 제품은 레몬 마들렌과 코코넛 사블레입니다. 사블레는 프랑스 정통 쿠키로 바삭한 식감을 살려……."

퉁명스럽게 설명을 이어가는 묵직한 목소리. 아무리 봐도 비호감인 표정. 은현은 아무리 생각해도 이해가 되지 않아 고개를 갸웃했다. 초은을 기어이 사로잡아 결혼까지 했지만, 여전히 알 수 없는 것이 여심이었다.

수업이 진행될수록 은현의 의문은 깊어만 갔다.

"거기, 잡담하지 말고 계속 저으세요."

"아니, 노른자만 넣으라고! 흰자는 빼고!"

재준이 한번 호통을 칠 때마다 직원들을 두 뺨을 붉히며 어쩔 줄 몰라 했다.

이게 대체 뭐지?

"그럼 모양을 잡은 반죽은 냉동실에서 휴지합니다. 그 사이 마들렌을 만들어 보기로 하죠. 자자, 꾸물거리지 말고 빨리빨리 움직이세요."

조별로 완성한 반죽을 받아 냉동실에 넣는 재준의 뒷모습은 태산같았다. 감색 조리복을 입은 등의 견갑골이 꿈틀대는 것을, 불태워버릴 듯 바라보는 직원들의 뜨거운 눈빛.

"박 실장님. 이건 대체 무슨 분위기인가요?"

"글쎄 말입니다. 저도 영……. 혼나면서 저렇게 좋아하다니. 이게 무슨 일인지……. 우리 레드핏 직원들이 모조리 M 성향은 아닐 텐데 말이죠."

은현은 같은 조인 경원에게 살짝 속삭였다. 경원이라고 뭘 알겠나.

역시나 어리둥절한 표정이었다.

은현의 의아함은 수업이 끝나고 대표이사실로 돌아온 후까지 이어졌다. 때마침 걸려온 초은의 전화 때문이었다.

[은현 씨!]

"아, 초은아. 어쩐 일이야? 안 바빠?"

[돌아버리게 바쁘지만, 지금 바쁜 게 문제가 아니에요.]

"왜? 무슨 일인데?"

초은의 목소리가 너무 다급해, 은현은 가슴이 철렁했다. 무슨 일이라도 있는 걸까, 내가 당장 달려가야 하나?

[그 사람이 왔다면서요?]

"그 사람…… 이라니. 누구?"

[보윤 씨가 메시지 보내서 자랑했단 말이에요. '파티세리 데 헤브' 한재준 파티시에요! 아직도 있어요? 벌써 간 거 아니죠?]

아아…… 그가 온 것이 이렇게 큰일 날 상황이며, 메시지까지 보내 자랑할 일인가. 대체 왜…….

"글쎄……. 수업은 일단 끝나서 난 내 자리에 왔는데."

[아아…… 그렇구나.]

한껏 흥분했던 목소리가 바람 빠진 풍선처럼 꺼져 버렸다. 실망한 기색이 너무도 역력해, 은현은 섭섭한 마음이 들었다.

내 목소리는…… 안 반갑니?

"왜? 그 사람한테 무슨 볼일이라도 있어?"

[아니, 그런 건 아닌데. 실제로 보기 힘든 사람이니까요. 엄청 멋있고 섹시했다고…… 보윤 씨가 하도 자랑하기에…….]

난 세상에서 한초은이 제일 예쁘고 사랑스러워서 다른 여자는 눈에 들어오지도 않던데. 넌 섹시한 남자가 눈에 들어오는구나. 그리고 그 덩치만 크고 퉁명스러운 남자가 대체 뭐가 멋있다고…….

은현은 더욱 시무룩해졌다.

"나보다…… 더?"

[네? ……아우, 아니죠. 은현 씨처럼 멋있고 섹시한 남자가 세상에 또 어디 있다고. 멋있기만 해요? 머리 좋지, 능력 있지, 다정하지, 절륜…….]

초은의 뒤늦은 찬사도 달갑지 않았다. 이미 기분이 상한 은현은 시큰둥하게 초은의 말을 끊었다.

"어쨌든 수업이 끝났으니, 그 사람도 돌아가지 않았을까."

[아. 그렇구나. 알겠어요. 그 '파티세리 데 헤브'에 파는 시즌 에디션 제품들이 워낙 유명하거든요. 나도 한번 먹어보고 싶었는데, 한정 판매라 한 번도 못 먹어 봐서……. 그냥 그래서 궁금했던 거예요. 너무 신경 쓰지 말고 일 봐요. 그럼 이따 집에서 봐요.]

통화가 끊어지고 잠시 입술을 툭 내밀고 있던 은현이 멈칫했다. 초은이 한번 먹어보고 싶었다던 그 제품……. 그래, 바로 그거다.

은현은 급하게 인사팀의 내선 번호를 눌렀다.

"아까 수업 왔던 그 파티시에분은 돌아가셨습니까? 아, 그럼 잠깐 이쪽으로 모셔요."

/

재준이 처음부터 쉽게 승낙한 것은 아니었다.

"죄송하지만, 저는 그런 일은 해본 적도 없고, 할 생각도 없습니다."

"아, 물론 바쁘신 건 압니다. 하지만 이렇게 회사에 모신 것도 인연인데, 한 번 더 도와주신다 생각하고⋯⋯. 개인 수업료는 파티시에님 명성에 맞춰 부족하지 않게 지불하겠습니다."

은현의 방 소파에 마주 앉은 재준은 단호하게 거절했다.

찡그린 짙은 눈썹이 심기 불편하게 꿈틀거렸다. 은현은 내심 위축되었지만 굴하지 않았다.

"사실⋯⋯ 얼마 뒤가 제 와이프 생일이라⋯⋯."

은현은 눈물의 첫 번째 생일부터의 스토리를 구구절절 늘어놓았다. 이번만큼은 꼭 아내에게 감동적인 생일 선물해 주고 싶다고, 아내가 '파티세리 데 헤브'의 제품을 정말 사랑한다고. 최대한 불쌍해 보이도록 최선을 다해 슬프고 안타까운 표정도 곁들였다.

"⋯⋯하긴 저도 지금 와이프가 같이 근무하는 파티시에였는데, 프러포즈할 때 컵케이크를 만들어 선물했죠."

"아, 그럼 파티시에님도 지금 제 심정을 잘 아시겠군요."

파티시에가 파티시에에게 케이크로 프러포즈를 하다니. 이건 마치 게임회사 애니메이터가 애니메이터에게 게임 캐릭터를 그려서 프러포즈하는 느낌 아닌가.

은현은 재준의 센스가 의심스러웠지만, 그런 내색은 하지 않았다. 재준이 제 이야기를 꺼내 놓은 그 순간부터 이미 결과는 정해진 것이었다.

그리하여, 일찌감치 퇴근한 어느 저녁. 은현은 그 유명한 '파티세리 데 헤브'의 조리실에 입성하게 되었다.

"계속 저으세요. 쉬지 말고! 남자가 팔 힘이 그 정도도 안 됩니까?"

서러웠다. 어디 가서 힘으로 아쉬워 본 적 없는 은현이었다.

내가 약한 게 아니라 댁이 괴력인 건 아니고?

평소 성격 같으면 때려치워도 백 번은 때려치웠을 일이다. 하지만 이곳의 제품이 먹어 보고 싶었다는 초은의 목소리만 떠올리며 꾹꾹 참았다. 은현은 입술을 깨물며 약불에 올린 냄비 안의 반죽을 힘껏 휘저었다.

하긴, 그 누구도 해준 적이 없다는 개인 교습을, 무려 파티세리 조리실에서 받고 있으니. 그것만으로도 감지덕지할 일이다.

"반죽 상태에서 눈을 떼지 말고, 정확한 타이밍에 불을 꺼야 합니다. 자 이제 볼에 옮겨 담고. 노른자를 하나씩……. 저으세요, 계속 저으세요! 쉬지 말고!"

쉬지 말고 저으라는 말을 하루 동안 대체 몇 번을 듣는 건지.

점성이 생긴 반죽은 묵직했고, 휘젓는 거품기가 천근만근 무거웠다. 팔이 떨어져 나갈 것 같았다.

또 한 번 서러웠다. 이제껏 휘트니스에서 했던 근력 운동은 다 헛짓이었나. 은현은 억울한 눈으로 우람한 재준의 팔을 노려보았다.

은현이 만들기로 한 제품은 '크로캉부슈Croquembouche'.

재준의 설명에 의하면 '크로캉부슈'는 프랑스 전통 케이크로, 결혼이나 생일 등 특별한 날을 축하하기 위한 제품이라 했다. 흔히들 크림슈라고 알고 있는 버터슈에 캐러멜을 입혀 높다랗게 쌓아 올린 탑 형태의 케이크.

"크로캉부슈는 그 높이가 높을수록 행복을 기원하는 의미가 크다고 하지만, 강은현 씨가 만들기엔 역부족이니 미니 사이즈로 하죠."

무척이나 기분 상하는 말이었지만, 그 말을 듣길 무척 잘했다 싶었다. 높이가 높아질수록 반죽의 양도 많아질 테고, 그렇다면 팔이 남아나질 않을 테니 말이다.

완성된 반죽을 짤주머니에 넣어 팬에 짜고, 낮은 온도로 구웠다.

"명심하십시오. 버터슈는 식히는 과정이 가장 중요합니다. 조금이라도 서둘렀다간 주저앉기 십상이니까."

동글동글한 버터슈가 완성되었을 때, 은현은 온통 땀범벅이 되었다. 베이킹이라는 작업이 이토록 근력과 집중력이 필요한 과정인지 미처 알지 못했다. 재준이 온몸에 강철 같은 근육을 두르고 있는 것도 일순 이해가 되었다.

"처음치고는 괜찮게 나왔군요. 오늘은 여기까지 하기로 하죠."

정신없이 재준의 지시를 따르는 사이, 시간이 꽤 흐른 모양이었다. '파티세리 데 헤브'도 어느새 문을 닫을 시간이었다.

"첫날인데, 고생하셨습니다. 다음번엔 좀 더 나을 겁니다."

"네. 오늘 수고하셨습니다."

조리실 뒷정리에 한창인 파티시에들 사이에서 재준과 은현은 예의를 차린 인사를 나누었다. 이마에 맺힌 땀을 닦으며 앞치마를 벗는데, 조리실 입구에서 우다다다, 요란한 발소리가 들렸다.

"아빠! 아빠아!"

이상한 광경이었다. 분명 덩치로 보면 초등학생은 되어 보이는 남자아이가 유치원 원복을 입고 뛰어 들어왔다. 그것보다 더 놀라운 것은 그 아이의 얼굴이…… 방금 인사를 나눈 한재준의 얼굴이었다.

"아이구, 우리 시율이 왔쪄요? 오늘도 맘마 마니마니 먹고 재미있게 놀아쪄요?"

은현은 기겁했다. 그 덩치 큰 아이를 단숨에 안아 올린 재준의 힘도 놀라웠지만, 저거인 같은 몸에서 나오는 우쭈쭈, 혀짧은 소리라니.

"오늘 유치원에서 카레 먹었는데, 시율이가 김치도 다 먹어쪄요. 맛있어서 먹고 더 먹고 또 먹어쪄요."

"우리 시율이 잘해쪄요~ 맘마 잘 먹은 시율이 어린이는 최고로 착한 어린이!"

손발이 없어질 정도로 오글거리는 장면이었지만, 어쩐지 은현은 멍하니 둘을 바라보았다.

부럽다…….

저렇게 저와 또 닮은 아이는 얼마나 귀여울까. 하다못해 박경원도 아이가 곧 태어날 텐데, 나는 왜 아직인가.

"헉! 꺄아!"

넋을 잃고 바라보던 은현은 느닷없는 비명에 문득 정신을 차렸다.

"헉! 저…… 저, 레드핏! 절대갑 길들이기! 강은현 대표님?"

아이를 뒤따라 들어왔는지, 조그맣고 동글동글 귀엽게 생긴 여자가 흥분한 얼굴로 제게 손가락질을 해대고 있었다.

"네…… 그렇습니다…… 만?"

"꺄아! 어떡해! 진짜였어!"

여자는 잡아먹을 듯 저에게 뛰어왔다. 주변을 산만하게 빙빙 돌며 두 주먹을 입에 물고 깡충깡충 뛰기도 했다.

"어떡해. 여기서 강 대표님을 만날 줄이야! 저 사진 좀 찍어도 되나요?"

"목다람. 지금 뭐 하는 거야?"

가뜩이나 중노동 후에 지친 상태였다. 정신없이 발랄한 스텝을 밟은 여자 탓에 은현은 정신이 혼미할 지경이었다. 그때 여자를 부르는 재준의 목소리는 무척이나 퉁명스러웠다.

"치프! 강 대표님이 왜 여기 계세요? 진작 얘기 좀 해주지."

"너, 이분이 누군지나 알고 그래?"

"그럼요! 왜 몰라요. 우리나라 최고의 뇌섹남, 겜찢남인데. 꺄, 저 사인 좀 해주세요. 사진 같이 찍어도 돼요?"

오호라. 보아하니 이 여성은 재준의 아내이자, 저 덩치며 얼굴이며 재준을 쏙 빼닮은 아이의 엄마인 것이다.

이런 기분 꽤 괜찮은데.

"네. 그럼요. 저도 한재준 파티시에님께 신세 지고 있는 처지라, 얼마든지 괜찮습니다."

"헤헤, 저 〈절대갑 길들이기〉 엔딩까지 몇 번이나 플레이했는지 몰라요. 모르긴 해도 레드핏 사옥에 기둥 하나는 제가 세웠을걸요?"

"목다람. 바쁘신 분이야. 집에 빨리 가보셔야 한대."

"치프는 좀 가만히 있어 봐요."

자그마한 여자의 한마디에 거인 같은 재준이 입을 딱 다무는 것이 신기했다. 여자는 은현에게 바싹 붙어 셀카를 찍고, 사인을 받으면서도 쉴 새 없이 재잘거렸다. 그러는 동안 저편에서 아이의 손을 잡고 선 재준의 얼굴은 구겨진 종이처럼 일그러져 있었다.

어쩐지 통쾌한 기분이다. 떨어질 듯 아팠던 팔도 씻은 듯이 나은 것 같고.

은현은 어울리지 않게 다정히 웃으며 몇 번이고 사진을 찍어 주었다. 재준이 죽일 것 같은 눈으로 은현을 노려보았지만, 뭐, 어쩔 거야. 설마 처자식 앞에서 살인 사건이 일어나진 않을 테니까.

은현은 보란 듯 얄밉게 웃었다.

그렇게 몇 번의 수업이 이어졌다. 뭐든 잘하는 강은현답게 횟수를 거듭할수록 반죽을 휘젓고 팬닝하는 손길은 능숙해졌다. 가게 폐점 시간이면 찾아오는 재준의 덩치 큰 유치원생 아들과도 꽤 친해졌다.

"아저씨는 왜 맨날 집에 안 가고 여기 와서 일해요?"

"아저씨한테 세상에서 제일 예쁜 신부가 있거든."

"에이, 세상에서 제일 예쁜 건 우리 엄마인데."

야야, 그건 네 아빠 눈에나 그렇고.

하지만 아무리 은현이라도 아이를 상대로 싸울 생각은 없었다.

"그래그래. 시율이 엄마만큼이나 예쁜 신부가 우리 집에도 있거든. 곧 생일이라 예쁜 케이크를 만들어서 선물해 주고 싶어서 그래."

"아아, 나도 저번에 유치원에서 색종이로 꽃 접는 거 배워서 엄마한테 선물해 줬더니 엄청 좋아서 폴짝폴짝 뛰었어요. 그런 거죠?"

"그래, 그런 거지."

저 꼬마가 접어준 꽃을 받고도 좋아하는데, 심지어 이 몸이 직접 만든 케이크라면. 암, 천하의 한초은이라도 좋아서 미칠 거야.

유치원생의 경험담에 용기를 얻는 은현이었다.

"그럼 아저씨도 예쁜 신부랑 뽀뽀하겠네요."

"뭐?"

"우리 엄마는 아빠가 선물할 때마다 뽀뽀하거든요. 그럼 아빠는 엄마를 번쩍 들어서 빙글빙글 돌려줘요."

그 퉁명스러운 한재준이 그런다고? 도저히 상상되지 않았다. 그리고 대체 애 앞에서 뭘 하는 거냐.

"그럼 아저씨도 꼭 뽀뽀해야겠네. 고맙다. 좋은 거 알려 줘서."

상상되지는 않았지만, 어쨌든 좋은 생각인 것은 분명했다.

어디 뽀뽀뿐이야? 꼬마야, 분명 뽀뽀는 시작일 뿐이었을걸? 어쩌면 그날을 기회로 이 아저씨한테도 너처럼 귀여운 아기가 찾아올지도 모르지. 암, 하다못해 박경원도 곧 아빠가 될 텐데, 내가 못 가질 이유는 없지.

은현은 음흉하게 웃었다.

/

드디어 그날이 왔다.

은현은 오후 반차를 내고 '파티세리 데 헤브'의 조리실로 갔다.

재준의 도움으로 완성한 크로캉부슈는 거의 완벽했다.

작은 버터슈의 탑 군데군데에는 '파티세리 데 헤브'의 로고가 박힌 리본과 팁 장식을 얹었다. 다른 어디도 아닌, '파티세리 데 헤브'라는 것을 어필하는 것이 중요했으니까.

그리고 대부분의 슈는 정석대로 커스터드 크림을 충전했지만, 몇 개에는 깜짝 선물을 숨겨 두었다. 초은의 반지와 세트인 귀걸이, 작게 접어 넣은 짧은 편지, 랩으로 잘 싼 스마트키는 초은을 닮은 단정하면서도 귀여운 자동차 키였다.

은현은 마지막으로 겉면에 입힌 캐러멜로 윤기 있게 반짝이는 케이크 위에 뚜껑을 덮었다.

"짧은 기간 치고, 예상외로 무척 잘해 주었습니다. 오늘 즐거운 생일파티 되길 바랍니다."

"그동안 수고 많으셨습니다. 감사합니다. 그럼 마지막까지 잘 좀 부탁드립니다."

재준의 퉁명스러운 칭찬에 은현의 어깨가 으쓱했다.

당연하지. 안 해본 건 있어도 못하는 건 없는 완벽남이 바로 나야, 나.

처음엔 서로를 경계하기도 했지만, 며칠을 함께 보내며 제법 친근해진 두 사람. 은현과 재준은 기분 좋은 악수를 나눴다.

드디어 초은을 만나러 갈 시간이 되었다.

은현은 파티세리의 로커 룸에서 준비해 온 옷으로 갈아입었다. 눈처럼 새하얗고 빳빳한 셔츠와 고급스러운 광택이 도는 핏 좋은 슈트. 그리고 미리 준비한 커다란 꽃다발까지.

거울에 비친 모습을 보니, 아주 훤칠하고 멀끔한 미청년이 서 있다. 스스로 말하기 좀 멋쩍지만, 지나가는 사람 누구라도 한 번쯤은 돌아볼 만한 미모다.

"좋았어, 이 정도면 됐어. 오늘 아주 최고로 행복한 생일을 보내는 거야."

은현은 만족은 발걸음을 성큼 내디뎠다.

/

S호텔 18층에 위치한 레스토랑 '르꼬숑'은 야경이 특히 아름다운 곳이었다. 특히 창가 자리는 일찌감치 예약하지 않으면 여간해서는 앉기 힘들었다.

실내에 잔잔히 흐르는 음악은 분위기를 한층 더 로맨틱하게 만들어 주고 있었다. 은현은 마주 앉은 초은을 보고 싱긋 웃었다.

아름다웠다. 늘 그렇지만, 오늘은 특히 너.

차르르 광택이 흐르는 미드나잇 블루색 원피스는 우아했다. 쇄골이 드러난 하얀 목덜미에 얌전히 드리워진 가느다란 실 목걸이. 머리칼을 귀 뒤로 넘기는 작은 손에서 반짝이는 반지. 빼꼼, 모습을 드러낸 귀에 귀걸이가 없는 것도 마음에 들었다.

그리고 무엇보다 저를 바라보는 초은의 눈빛. 행복하게 반짝이는 별 같은 눈동자.

"오늘 특히 더 예쁘다."

"은현 씨도 멋있는데요."

초은 덕분에 알게 되었다. 솔직한 찬사라는 것이 이렇게 가슴 설레게 한다는 것을.

"안 그래도 요즘 여기 디너가 그리웠는데, 은현 씨 덕분에 오네요."

"오늘은 특별한 날이니까."

"뭘…… 누구에게나 일 년에 한 번씩은 찾아오는 날인데요."

"나한텐 그 어떤 날보다 가장 중요한 날이야. 한초은이 태어났잖아. 태어났으니 날 만났고, 그 덕분에 내가 지금 이렇게 행복하니까."

잠시 발그레, 뺨을 붉힌 초은이 수줍게 웃음을 터뜨렸다.

"은현 씨, 오늘 내 생일이라고 서비스가 너무 과해요."

"기분 좋았어? 기대해, 이제 시작이니까. 나 알지? 뭐든 어설프게 안 하는 거."

깔깔대는 웃음소리가 은구슬처럼 사방을 굴러다녔다.

농담 아니야. 식사부터, 선물, 그리고 그다음은 이곳 꼭대기 스위트룸까지. 풀코스로 완벽하게 준비해 놨다고.

늘 그렇지만, 초은의 웃음은 은현을 기쁘게 했다. 그 웃음을 보기 위해서라면 철인 3종 경기를 연속으로 세 번 뛸 수도 있을 것 같았다.

첫 번째 아뮤즈 부셰가 나왔다. 둘은 천천히 포크를 들어 식사를 시작했다.

"오늘 하루는 어땠어?"

"여전히 바빴죠, 뭐. 곧 내년 사업 계획 보고가 있어서 다들 긴장

상태예요. 은현 씨는요?"

"음…… 나도 바빴지만 보람된 하루였지."

내가 오후 내내 어디서 뭘 하다 왔는지 알면 깜짝 놀랄걸. 은현은 은밀하게 미소 지었다.

"참, 아침에 감기 기운 있는 것 같다더니, 병원엔 가 봤어?"

"아, 그게……. 낮에 잠시 다녀왔어요."

"그래? 약은 먹었고?"

"음…… 네. 의사가 괜찮을 거예요."

가을에서 겨울로 넘어가는 싸늘한 시기였다.

내가 자꾸 밤새 옷을 못 입게 해서 그런 건……. 은현은 불현듯 덮쳐오는 죄책감에 초은의 안색을 유심히 살폈다.

어쩐지 난감한 얼굴로 은현의 눈을 피하는 기색이 의아했지만, 그래도 안색이나 눈빛은 멀쩡해 보였다. 의사도 괜찮다고 했다니 어쨌거나 다행이다.

"날도 점점 추워지는데, 너무 무리하지 마. 일도 건강 챙겨가면서 해야지. 아침에 운동이라도 같이 다닐까?"

"후후, 내가 뭣 때문에 무리하는 것 같은데요?"

초은의 노골적인 물음에 은현은 더 할 말이 없었다.

그래, 널 너무 사랑하는 내 죄지. 이 사랑을 주체 못 하겠으니 어쩌겠어.

은현은 말 없는 자기 합리화로 죄책감을 이겨냈다.

차례로 나오는 프렌치 코스는 화려한 비주얼만큼 맛도 훌륭했다. 재료의 빛깔과 식감의 조화. 본연의 맛을 살리면서도 창조적으로 풀어낸 셰프의 해석. 과연 미식가들 사이에 입소문 난 레스토랑다웠다.

그것보다 더 즐거웠던 것은 이렇게 맛있는 음식을 즐기며 소소한 대화를 나눌 수 있는 일상. 초은이 함께 있기에 가능한 행복이었다.

드디어 마지막 육류 코스가 끝나고 디저트를 남겨 놓았다.

'자, 드디어 오늘의 하이라이트야.'

은현은 엄숙하게 커트러리를 내려놓고 냅킨으로 입을 닦았다.

"오늘 식사는 어땠어?"

"음…… 르꼬숑Le Cochon은 오랜만이라 무척 맛있었어요. 생일날 밤에 은현 씨와 함께라서 더 좋았고."

말도 어쩜 이렇게 예쁘게 하는지. 아무렴. 나도 질 수 없지.

때마침 저편에서 기다리던 이가 나타났다. 은현은 회심의 미소를 지었다.

"아직 방심하지 마. 디저트가 남았잖아?"

"디저트도 기대되네요."

초은의 입가에 맴돌던 달콤한 웃음이 채 사라지기도 전. 성큼성큼 걸어온 걸음이 그들의 곁에 멈췄다.

"한초은 님, 생일 축하합니다. '파티세리 데 헤브'에서 준비한 케이크입니다."

테이블 한중간에 크로캉부슈를 내려놓은 우람한 팔, 낮고 묵직한 목소리, 꿈틀대는 짙은 눈썹.

"안녕하십니까? '파티세리 데 헤브'의 한재준 파티시에입니다."

"어머! 꺅!"

초은은 휘둥그레진 눈을 하고 두 손으로 입을 막았다.

외간 남자를 보고 흥분하는 초은의 모습이 썩 유쾌하진 않았지만. 그래도 성가셔하는 재준의 바짓가랑이에 매달려 부탁하길 잘했다.

초은의 저런 놀란 모습은 여간해서 보기 힘드니까.

"정말 한재준 파티시에님이세요?"

"그렇습니다. 한초은 님의 생일을 위해 준비한 케이크는 '크로캉 부슈'라는 프랑스 전통 케이크입니다. 특히 이 케이크에는 더 특별한 의미가 있는데, 남편분이신 강은현 대표님이 사랑하는 아내를 위해 '파티세리 데 헤브'에서 직접 만든 케이크입니다."

안 그래도 커져 있던 초은의 두 눈에 반짝, 광채가 돌았다.

이 말이 사실이냐는 듯 은현을 바라보는 보석 같은 두 눈. 그 두 눈 가득 담긴 기쁨과 행복을 어찌 몰라볼까.

은현은 어쩐지 뜨거운 덩어리가 울컥 솟아오르는 것 같아, 애써 미소 지으며 고개를 끄덕였다.

"아무쪼록 행복한 밤 되시길 바랍니다."

누군가의 가장 행복한 순간을 지켜보는 것은 가슴을 따뜻하게 데우는 법. 담담하게 돌아서는 재준의 입가에도 옅은 미소가 걸렸다.

처음엔 기겁하면서도 결국 부탁을 들어준 재준에게 은현은 살짝 윙크를 보냈다. 그러자 잠시 누그러졌던 재준의 얼굴에 미소가 씻은 듯이 사라졌다. 그가 심기 불편한 표정으로 눈썹을 꿈틀대며 떠나자 다시 둘만 남게 되었다.

"은현 씨…… 바빴을 텐데, 이걸 언제……."

"아무리 바빠도 한초은을 위한 시간은 늘 남겨 두지. 내 전부가 네 거잖아."

"와아…… 진짜…… 상상도 못 했어요. 너무 멋있고, 예뻐요. 정말 기뻐요. 날 위해 애쓴 은현 씨 마음이……."

초은의 감격은 과장이 아니었다. 뽀얗던 두 뺨에 복숭아처럼 홍조가 돌고, 눈가에 맑은 이슬이 맺혔다.

"아직 감탄하기에는 일러. 맛도 봐야지. 어디에 내놔도 손색없다고. 무려 한재준 파티시에에게 개인 교습 받았다니까."

은현은 짐짓 모른 척, 크로캉부슈에서 슈를 몇 개 떼어 내 접시에 담았다. 물론 선물이 들어 있는 것을 포함한 것은 당연했다.

"생일 축하해, 자기."

"고마워요, 여보."

결혼한 지 일 년을 훌쩍 넘겼지만, 여전히 특별한 말. 자기와 여보.

초은은 먹기 아까운 듯 슈 하나를 집어 들었다. 바삭, 한 입 깨물자 달콤한 커스터드 크림이 톡 터져 나왔다.

"음음…… 바삭바삭하고, 정말 맛있어요. 이 크림도 은현 씨가 직접 만든 거예요?"

"그럼. 여기 전부가 내 손으로 만든 거라니까."

"와, 대단해요. 은현 씨는 정말 못 하는 게 없는 사람 같아."

"그렇지? 하나 더 먹어 봐."

초은이 두 번째 슈를 깨물었을 때, 활짝 웃던 얼굴에 어리둥절한 표정이 떠올랐다.

"이게 뭐죠?"

입술 사이에서 꺼낸 작은 랩 뭉치를 풀자 새것 같은 스마트 키가 나왔다.

"차 바꿀 때 됐잖아."

"이게…… 차 키에요? 내 차?"

"생일 선물이야."

"와우!"

초은의 외삼촌 댁에 드림 카로 손꼽히는 빨간 스포츠카가 세워져 있는 것을 안다. 하지만 초은이 늘 타고 다니는 차는 길에서 흔하게 볼 수 있는 중형 세단이었다. 그것도 한국에 돌아와 중고차를 산 것이라 했었다.

은현은 어떤 욕심이나 과시 없이 그저 초은에게 더 잘 어울리는 차를 사 주고 싶었다. 혹시 싫어할까. 조금 우려했던 것과는 달리 초은은 즐거운 눈빛을 했다.

"혹시 다른 것도 들어 있어요?"

"찾아봐. 여러 가지니까."

마치 소풍에서 보물찾기를 하는 아이처럼, 초은은 신나게 슈를 갈랐다. 크림이 아닌 다른 뭔가가 튀어나올 때마다, 초은은 꺄르르 웃음을 터뜨렸고 그 웃음소리가 너무나 해맑아 은현은 지켜보는 것만으로도 흐뭇했다.

잠시 후 초은의 앞에는 반지와 세트인 꽃잎 모양의 반짝이는 귀걸이, 짧지만 진심을 담은 메모 편지, 두 사람의 만남과 사랑을 짤막한 애니메이션으로 만들어 담은 USB 따위가 놓였다.

"10년 치 생일 선물을 한꺼번에 받은 것 같아요. 오늘을 생각하면 정말 10년은 행복할 것 같아."

"한초은, 소박하기는. 내년에도 기대하라고."

내가 이 정도야. 한 번 하면 대충하지 않는다고. 기대해도 좋아. 앞으로 평생 이렇게 행복한 생일을 맞게 해줄 테니.

초은의 기뻐하는 모습에 은현의 어깨가 한 뼘은 솟아올랐다.

"실은 나도 줄 게 있어요."

"줄 거? 그게 뭔데?"

"눈 감아 봐요."

초은의 눈빛이 오묘했다. 기쁨과 수줍음과 장난기를 골고루 섞어 놓은 환한 빛깔. 은현은 가만히 눈을 감았다. 손 위에 살포시 놓이는 작고 반질반질한 종이의 감촉.

다시 눈을 떴을 때, 은현은 의아할 뿐이었다.

"이게 뭐지?"

작고 네모난 종이는 얇고 매끌매끌한 재질이었다. 사진 같았다. 하지만 거기 찍혀 있는 것의 정체는 도저히 알 수가 없었다. 거무스름한 바탕에 희끗희끗한 부분이 있었고, 고장 난 흑백 TV처럼 가로줄이 나 있었다.

한껏 기대한 얼굴로 바라보던 초은이 입을 삐죽였다.

"뭔지 모르겠어요?"

"음……."

"그럼 다시 눈 감아 보세요."

이번에 손 위에 놓인 것은 길쭉하고 단단한 감촉. 볼펜이라기엔 조금 굵은 것 같기도 했다.

그리고 눈을 떴을 때.

은현은 입을 떡 벌린 채 아무 말도 하지 못했다.

"이…… 이, 이…… 이거……."

이번엔 은현이라도 뭔지 분명히 짐작할 수 있는 것이었다.

길쭉한 플라스틱 막대기 끝부분에 난 네모난 창으로 선명한 두 줄이 보였다.

"오늘 병원에 다녀왔는데, 8주래요."

은현은 떨리는 손으로 내려놨던 사진을 다시 집어 들었다.

"그럼 이게……."

"우리 아기."

초은이 생긋 웃었다.

이 까맣고 흰 부분의 어디가 우리 아기인지 모르겠지만, 한 가지는 확실했다.

무조건 귀엽고 예쁘다.

"초은아……."

"은현 씨…… 울어…… 요?"

아니, 아니야. 이렇게 기쁜데, 온 세상을 다 가진 것 같은데 울긴.

은현의 마음속 대답과는 다르게 따뜻한 물방울이 테이블 위로 툭툭 떨어졌다.

"초은아……."

정말 사랑해.

울먹임에 잠겨 이 짧은 한마디가 말이 되어 나오지 않았다.

"나도 사랑해요."

하지만 늘 그의 마음을 다 아는 듯 속삭이는 다정한 목소리.

바보야. 최고로 행복한 생일을 만들어 주고 싶었는데. 난 항상 너에게 오히려 더 큰 선물을 받는다.

이래서야 어디 한 번이라도 갑이 될 수 있겠어.

짐짓 불만스러운 투덜거림은 행복한 비명일 뿐. 영원히 벗어날 수 없는 을의 굴레에서 은현은 한없이 행복하기만 했다.

/

맑은 물빛 하늘만큼이나 청명한 바람이 불었다. 일상을 지배했던 열렬했던 태양의 열기는 아스라한 추억으로만 남게 되었다. 어느새 정원은 온통 나뭇잎들이 색색으로 물들어 있었다.

은현과 초은의 스위트룸은 모처럼 맞은 손님들의 방문으로 시끌벅적했다. 초록 잔디가 깔린 정원에는 캠핑용 테이블과 의자들이 여기저기 놓이고 커다란 그릴에 숯불이 활활 타올랐다.

그중에서도 꽃과 리본으로 아기자기하게 꾸민 테이블이 하나 있었으니. 정 중앙을 차지한 귀여운 케이크와─무려 세계적인 파티시에 한재준의 선물이었다─그 주위에 산처럼 쌓인 방문객들의 선물. 그 광경만으로도 즐겁고 행복한 가든파티의 분위기가 물씬 풍겼다.

테이블 아래로 'Baby shower party'라는 색색의 가랜드가 바람에 나부꼈다.

"강은현 아빠와 한초은 엄마의 금지옥엽 강다현 아기가 모든 사람에게 사랑받으며 건강하게 무럭무럭 자라기를 기원합니다."

한껏 기분이 들뜬 경원의 축사가 널찍한 정원에 울려 퍼졌다. 테이블에 둘러앉은 사람들은 유쾌하게 웃으며 샴페인 잔을 부딪쳤다.

은현과 초은의 아기가 태어난 지도 어느새 3개월.

먹고 자고 싸고 울기만 하던 신생아가 어느덧 목도 가누고 방긋방긋 웃기도 하는 시기. 그러는 동안 원체 건강한 초은은 산후조리를 잘 끝내고 어느 정도 몸을 추슬렀다.

그리하여 이 행복한 부부는 화창한 가을날을 맞아, 다현의 탄생을 축하해준 사람들을 초대해 'Baby shower party'를 열기로 한 것이었다.

초은이 준비한 샐러드와 핑거푸드들, 은현이 그릴 앞에서 실력 발휘한 각종 부위의 바비큐, 게다가 그 유명한 재준이 준비해 온 디저

트들과 샴페인과 맥주들. 가을의 정취가 물씬 풍기는 정원과 푸짐한 음식으로 사람들은 마음껏 들떴다.

"와, 강은현 대표님 집에 초대받다니. 우리 여보가 태어나서 제일 잘한 일 같아."

재준의 귀여운 아내, 다람이 천진난만하게 재잘대자 재준이 눈썹을 꿈틀대며 어깨를 으쓱했다.

"아니에요. 저야말로…… 우리 아기 첫 파티에 한재준 파티시엔님의 케이크를 선물로 받다니. 이 사진을 오래오래 기념으로 간직해야겠어요."

두 손을 모으고 두 눈을 반짝이는 초은 역시 상기된 얼굴이었다.

"두 분은 언제 이렇게 친해지셨어요?"

"그러게…… 강은현 저 자식이 그렇게 사교성 좋은 놈이 아닌데."

사람들의 의문은 당연했다. 제 잘난 맛에 사는 강은현과 까탈스럽고 엄격해 보이는 한재준의 조합이라니.

떨떠름한 은현과 재준의 시선이 멋쩍게 마주쳤다.

은현이 케이크를 만드는 것을 재준이 도와주며 꽤 친근해진 것은 사실이었다. 하지만, 이날의 이 자리는 각자 제 아내에게 즐거움을 주기 위해서라는 것을 굳이 밝히지 않기로 했다. 이럴 때만큼은 마음이 통한 둘이었다.

"대리님, 아, 이제 이사님이라고 불러야 하나. 다현이는 진짜 너무 귀엽고 순하네요. 이럴 땐 진짜 나도 결혼하고 싶어."

"보윤 씨는 아직 만나는 사람 없어?"

"어유…… 어디 그럴 시간이 돼야 말이죠. 전담 비서 해 보셔서 아시겠지만……."

경원과 둘이서 대표이사실을 책임지고 있는 보윤이 새초롬하게 눈을 내리깔았다.

알지, 암. 강은현이 요즘도 시도 때도 없이 야근하고 비서 찾으며 일하나 보네. 그래도 다현이 태어나고는 퇴근 시간은 좀 빨라지긴 했을 텐데.

동병상련이라고 했던가. 초은은 보윤의 고충을 누구보다 잘 알기에, 안타깝게 그녀를 보았다.

그 와중에 문제의 원흉인 은현만이 큰 소리로 웃음을 터뜨렸다.

"우 비서, 그렇지? 세상에 우리 다현이처럼 예쁘고 착한 아기를 내가 본 적이 없어요. 저 눈 봤어? 저렇게 눈 예쁜 아기 본 적 있어? 그리고 우리 다현이는 얼마나 기특한지 꼭 필요할 때가 아니면 울지도 않아. 정말 똑똑하다니까. 요즘은 어쩜 그렇게 방긋방긋 잘 웃는지……."

아주 초장에 딸바보의 길에 들어선 은현의 팔불출 멘트는 끝이 없었다.

님, 눈치 좀.

초은이 은근히 팔꿈치로 옆구리를 쿡쿡 찔렀지만, 아무 소용 없었다. 듣기 좋은 꽃노래도 한두 번이라는데. 이건 뭐 귀에서 피가 날 지경이다.

하지만 자리가 자리다 보니, 은현의 딸 자랑에 인이 박인 사람들도 애써 웃으며 호응했다.

그 와중에 역시 경원은 달랐다. 은현과 일상을 거의 함께 하는 비서 실장의 고충이었다. 귀에 딱지가 앉은 딸 자랑.

"야! 진짜 세상에 부모들이 다 제 새끼가 천재인 줄 안다더니. 좀 작작해라. 솔직히 똑똑하기로 따지자면 우리 우민이만 한 아기도 없다고. 우리 우민이가 백일도 되기 전에 뒤집기 한 건 알지? 지금은 놀랍게도 걸음마 연습을 하고 있다니까."

저기…… 다른 애들도 다 비슷하게 하거든요.

육아로 따지자면 훨씬 선배인 다람과 재준은 피식 웃을 뿐이었다.

"어디 그뿐이야? 저 고급진 외모 봤어? 우민이가 누구야? 엄마가 우리 레드핏 아트팀의 여신. 응? 엄마가 여신이라고. 여신의 아들!"

아니…… 정다민이 아트팀 여신인 건 혼자만의 주장 아니었나요.

은현과 초은, 우신과 보윤은 경원의 파워 당당한 외침에 어이없는 한숨만 지었다. 정작 그 중심에 선 다민은 피곤한 얼굴로 저 먼 곳을 응시할 뿐이었다.

"다른 건 몰라도, 우민이가 눈 높은 건 알겠네."

"그래, 그렇지? 우리 우민이가 눈도 높아서……."

반갑게 맞장구치던 경원의 말끝이 흐려졌다. 은현의 시선이 닿은 곳에는 두 대의 유모차가 나란히 놓여 있었다. 다현은 요람형 유모차에 얌전히 잠들어 있었지만, 문제는 우민이었다.

조금 전까지 유모차에서 자던 놈이 언제 깨어났는지. 다현의 유모차를 향해 손을 뻗으며 바둥거리고 있었다. 어찌나 애를 쓰는지 입가에는 진득한 침이 줄줄 흐르고 있었다.

"하여간 눈은 높아서, 벌써 다현이한테 눈독 들이고 있어."

"……."

은현의 기고만장한 투덜거림에 경원은 아무 말도 하지 못했다.

원래 신생아 시절은 하루해가 무서운 법. 두 아기가 한 해에 태어나긴 했지만, 연초에 태어난 우민은 다현에 비해 훨씬 컸다.

어쩐 일인지, 우민은 다현만 보면 곁에 딱 달라붙어서 떨어지질 않으려 했다. 처음 보는 순간부터 그랬다. 말도 하지 못하는 아기가 의미 모를 옹알이하며, 다현의 손이며 뺨과 머리카락을 쥐고 꺄륵거렸다.

경원이 씁쓸하게 입맛을 다시는데, 말없이 팔짱을 끼고 있던 재준이 흠흠, 목청을 다듬었다.

"뭐, 비교가 되진 않겠지만 특출나기로 따지자면 우리 시율이만 한 아이가 잘 없죠."

믿었던 재준마저 팔불출 아빠에 출사표를 내던지다니. 자리를 함께한 여성 동지들은 믿지 못하겠다는 표정이었다.

"지금도 보시다시피……."

일동의 시선이 재준의 아들인 시율에게 모였다.

초등학생의 덩치를 한 유치원생 시율은 테이블의 한 자리를 차지하고 얌전히 책을 읽고 있었다. 거기까지만이었다면 그저 좀 점잖고 책을 좋아하는 아이 정도였을 텐데. 시율이 읽는 책은 무려 '해리포터' 시리즈였다.

그렇다. 시율은 그 덩치뿐만 아니라 언어 능력, 이해력, 감성 역시 남다른 아이였다.

"와, 진짜…… 해리포터 읽는 유치원생이라니. 시율이는 정말 특별한 것 같아요."

"흠흠. 저것이 누가 시킨 것도 아닌데, 저렇게 책을 좋아하더라고요. 우린 뭐, 그냥 건강하고 씩씩하게 자라기만 하면 됐는데, 스스로 저렇게 자꾸 찾아 읽습니다. 유치원 선생님이 영재 테스트를 받아보라고 하시는데, 우린 뭐 그렇게 유별나게 키울 생각은 없어서……."

초은의 감탄에 재준은 묵직한 목소리로 근엄하게 자랑을 이어갔다.

뭐가 꿈이 그렇게 소박한 척이야? 이미 충분히 건강하잖아.

아빠들의 눈꼬리가 샐쭉해졌다. 특히 은현은 더욱 그랬다.

오늘이 무슨 날인데. 우리 다현이 샤워 파티인데. 게다가 내가 누군데. 능력이면 능력, 외모면 외모. 세상에서 제일 잘난 강은현인데. 여기서 질 순 없지.

그렇다. 사실 은현은 그 자리 다른 아빠들이 가지지 못한 단 한 가지를 가진 사람이었다.

얼마든지 어깨 뽕을 부풀리는 그 한 가지 사실.

"훗, 뭐…… 그래 봐야. 요즘 그러더라고요. 아들은 제아무리 잘났어도 키워서 장가보내면 끝이라고. 그런 의미에서 뭐…… 지금 그렇게 정성 들일 필요가 있을까 싶네요. 다들 꼭 딸 하나씩은 낳으십쇼."

"……."

이렇게 되자 경원도 재준도 할 말이 없었다. 둘은 분한 듯 입술만 깨물었다.

"지금은 다현이가 아기라서 잘 못 느끼겠지만, 점점 자라면서 얼마나 예쁜 짓을 많이 할지…… 허허허. 딸 키우는 재미라는 말이 괜히 나온 게 아니잖습니까. 동서고금을 막론하고 아빠가 딸한테 껌뻑 죽는 건 다 이유가 있어서지요."

내가 안 낳고 싶어서 안 낳냐.

재준은 조금 억울했다. 나도 딸 낳을 때까지 열이고 스물이고 얼마든지 낳을 수 있단 말이다. 열정도 있고 체력도 있다. 그 누구보다 자신 있다. 열심히 아내인 다람을 향해 눈썹을 꿈틀거렸지만 소용없었다.

아빠들의 때아닌 자식 자랑 배틀이 그저 재미있기만 한 여성 동지들이었다. 이 와중에 뜻밖에 여유로운 표정으로 피식 웃는 사람이 있었으니. 은현과의 티격태격으로 반평생을 살아온 경원이었다.

"야야, 어디 딸 가진 아빠가 너뿐이냐? 그것도 자랑이라고. 하여간 나이브하긴……."

"뭐?"

경원의 여유로운 타박에 잠시 부적절한 정적이 흘렀다.

설마…….

그렇다. 경원에 곁에 앉은 다민의 피곤한 안색과 원망스러운 눈빛. 그 모든 것이 설마 했던 가설에 좀 더 힘을 실어 주고 있었다.

"나도 드디어 딸이 생겼다 이 말씀!"

"우와! 이 짐승 같은 새끼!"

어떻게 첫째가 돌도 되기 전에 둘째를!

은현의 외침보다 더 험악했던 건 아기 엄마들의 눈초리였다. 마치 희대의 파렴치한을 보듯 경원을 노려보았다. 하지만 아기 아빠가 되고도 여전히 눈치는 갖추지 못한 경원이었다.

"우헤헤헤! 강은현 넌 아무리 뛰어 봐야 내 뒤라고. 둘째도 내가 먼저지롱!"

첫째를 가장 먼저 낳은 재준이 가장 서글펐고, 그다음은 약이 오른 은현이었다.

"야, 보아하니 아직 초기인 것 같은데, 딸인지 아들인지 어떻게 아냐?

"어허, 강은현 아직 멀었구만. 부모, 자식 간에는 삘이라는 것이 있거든. 이번엔 딸이야. 무조건 딸."

아직 콩알만 한 존재일 텐데, 그 '삘'이 그렇게 확실하든?

이것저것 묻지도 않고 따지지도 않고 외치는 경원의 확신은 여전히 건재했다.

울컥한 은현이 외쳤다.

"야! 아들이야, 아들! 보나 마나 아들이다!."

"어우, 이 새끼. 부러우면 부럽다고 말을 해! 유치하게 질투는."

초은이 난처하게 웃으며 은현의 허벅지를 꼬집었지만, 흥분한 은현에게는 아무 소용 없었다.

"부럽기는 개뿔. 넌 앞으로 무조건 아들 다섯을 더 낳아도 딸은 못 낳아. 딸이 아무한테나 오는 줄 아냐? 딸은 착하고 성실하게 사는 사람한테만 하늘이 내려주시는 거라고!"

은현은 '딸부심'만큼은 누구에게도 양보할 수 없다는 듯 포효했다.

세상에 그런 무섭고 잔인한 말을.

경원은 물론이고 곁에서 지켜보던 재준과 심지어 아직 총각인 우신마저 몸을 부르르 떨 말이었다.

"다민아, 정말 축하해. 이렇게 즐거운 자리에서 좋은 소식까지 듣다니. 너무 기쁘다. 몸은 괜찮은 거지?"

초은이 날뛰는 은현의 손을 꼭 잡아 누르며 다정하게 입을 열었다. 혼란하던 분위기가 일순 가라앉았다.

그제야 봇물 터지듯 축하의 말들이 쏟아졌다.

"어머, 다민 씨, 축하드려요. 둘째라니! 첫째랑 친구처럼 크겠네요."

"흠흠. 정다민 씨 어쨌거나, 기쁜 소식 축하합니다."

"뭐…… 처음도 아니고. 그런데 축하받을 일, 맞긴 한 거지?"

다민은 늘 그렇듯 심드렁하게 대꾸했다. 하지만 둘째를 가지고 처음으로 듣는 축하한다는 말은 어지럽던 마음을 더 흔들어 놓기에 충분했다.

"그럼! 애, 키울 때 좀 힘들겠지만, 조금만 지나 봐. 예쁜 애들 사이 좋게 자라는 거 보는 게 얼마나 즐겁겠니. 우리 다현한테도 사이좋은 친구 하나 더 생기는 거라, 난 너무 좋다."

"역시 우리 제수씨가 생각이 깊다니까. 다민 씨, 들었죠? 둘째 낳고, 우리 힘내서 어서 셋째도…… 아얏!"

"으이구, 진짜 좀 그만하라고!"

가만히 있으면 중간은 갈 텐데.

역시 또 혼자만 앞서나가다 등짝 스매싱을 당하는 경원이었다.

"사랑하는 내 친구 다민이와 늘 유쾌한 박 실장님에게 사랑스러운 아기가 찾아온 걸 축하하는 의미로 건배 한 번 더 할까요?"

초은의 말에 다들 흥겹게 새로운 잔을 채웠다. 재준만은 조금 씁쓸한 표정이었지만.

일상이 빡빡하고, 알 수 없는 미래가 불안한 현실이지만 축복받은 새 생명은 늘 감동을 준다.

모두 웃으며 잔을 부딪쳤을 때, 시율이 테이블을 향해 달려왔다. 얌전히 책을 보는 줄 알았는데, 어느새 정원 저편 나무들이 서 있는 곳에서 혼자 놀았던 모양이었다.

"이모, 예쁜 나뭇잎을 주웠는데 다현이 줘도 돼요?"

시율의 통통한 손에는 붉은 물이 곱게 든 벚나무 단풍이 들려 있었다.

"시율아, 우민이 건 없니? 다현이 것만 주워 왔어?"

"아니요, 우민이 것도 여기 있어요."

어금니를 악문 경원의 물음에 시율이 씩 웃으며 다른 손을 내밀어 보였다.

"다현이는 아기인데도 너무 귀엽고 예뻐요. 제가 항상 잘 돌봐 줄 게요. 나중에 크면 손잡고 유치원도 같이 가고, 사탕도 나눠 먹을 거예요. 예쁜 건 다현이만 줄래요."

"동생을 생각하는 시율이 마음이 너무 예쁘다. 고마워."

시율은 튼튼한 다리로 폴짝폴짝 뛰어 유모차로 다가갔다. 여전히 얌전히 자고 있는 다현과 손을 잡는 데 성공했는지 다현의 손가락을 꼭 쥔 채 잠든 우민.

시율은 두 아기의 가슴 위에 가져온 단풍을 가만히 올려놓았다.

"와, 정말 귀여워. 셋이서, 아니 태어날 아기까지 넷이서 오래오래 사이좋게 지냈으면 좋겠어요."

다람의 명랑하고 해맑은 목소리가 톡 튀어나왔다. 티격태격하던 어른들도 모두 공감하듯 웃으며 고개를 끄덕였다.

"나중에 다현이 두고 싸우고 그러지들 마라."

여전히 세상의 한가운데 선 은현의 김칫국 마시는 발언.

좀 그만하라며 그의 어깨를 주먹으로 때리는 초은. 심기 불편하게 눈썹을 꿈틀대는 재준과 양은냄비처럼 달아올라 흥분한 경원까지.

티격태격하는 그들의 목소리가 맑은 가을 하늘 높이 퍼져 나갔다.

정말이지 유쾌한 어느 가을날이었다.

/

"어, 시간이 벌써 이렇게 됐나? 박 실장, 안 내려가 봐?"

"오, 그렇네. 가봐야지."

정신없이 모니터를 들여다보던 은현이 문득 손목시계를 보고는 흠칫 놀랐다. 벌써 4시였다.

올해부터 레드핏은 오후 4시부터 30분간 휴식 시간으로 정해 운영하고 있었다. 주로 앉아서 일하는 직원들에게 몸을 움직이고 휴식할 시간을 줘서 근골격계 질환을 예방하겠다는, 그 명분은 대단히 거창한 것이었다.

하지만 그 이면에는 은현의 사리사욕을 채우기 위한 음모가 있었으니. 4시는 레드핏 사옥 1층에 위치한 '꿈이 자라는 어린이집'의 하원 시간이었다.

사실 이 어린이집부터가 사심의 출발이었다.

다현이가 태어났을 때부터 계획을 세우고, 유명 건축가에게 내부 설계를 맡기고, 친환경 자재를 이용해 완공한 이곳.

어디 그뿐인가. 경력 확실한 교사들을 채용해 넉넉한 급여와 복지를 제공했다. 교사의 직장 만족도는 아이들에 대한 정성과 비례할 수밖에 없다는 것이 은현의 지론이었다.

아이들의 먹거리도 대충하지 않았다. 계약 재배를 통한 유기농 식자재를 직접 납품받아 철저한 위생관리 하에 다양한 식단으로 조리했다.

그 노력의 결과, 다현이가 입학한 해에는 정부 평가 만점을 받으며 전국 어린이집 순위 1위에 오르는 쾌거를 이루었다.

딸 바보 은현의 빅픽쳐가 결실을 맺은 것이었다.

이 모든 것이 사심이었다고 한들, 그 누구에게도 비난받을 일이 아니었다. 덕분에 레드핏 직원들의 자녀들은 믿을 수 있는 환경에서 즐겁게 자라날 수 있었으니까. 또, 부모들은 일하는 중간에 사랑스러운 아이가 하원 하는 모습도 보고 배웅할 수 있게 되었으니까.

제 자식만을 위한 특혜가 아니라, 전 직원들의 삶의 질을 한 단계 끌어올린 아빠의 사랑이었다.

은현과 경원이 1층에 도착했을 때는 이미 어린이집에 아이를 맡긴 직원들이 입구에 늘어서 아이들이 나오기를 기다리고 있었다.

"어, 대표님 오셨습니까?"

"어머! 강은현 대표님이야."

"꺄아…… 언제 봐도 멋있으셔."

직원들의 인사 사이로 아이를 데리러 온 직원 배우자들의 호들갑도 들렸다.

"아아, 안녕하십니까. 하하하."

훗, 이 죽일 놈의 인기.

어딜 가도 이놈의 인기는 사그라지질 않는구만.

짐짓 점잖은 척 인사하던 은현은 이내 두 눈을 반짝였다. 어린이집의 입구 문이 활짝 열리고, 아기 오리들처럼 줄을 선 아이들이 종알대며 걸어 나왔다.

"엄마! 엄마 유나 오늘 점심 다 먹어떠요!"

"아유, 착해. 엄마랑 얼른 집에 가자."

"어, 아빠! 나 뛰뛰 타고 집에 가니까 아빠는 일 열심히 하고 집에 일찍 오세요."

"그래, 우리 겸이 집에 먼저 가 있어. 아빠가 붕어빵 사 갈게."

반갑게 인사를 주고받는 사이에서 들려오는 구슬 같은 목소리가 있었으니.

"아빠! 아빠아!"

"우리 공주님 오늘도 재미있었어?"

오통통한 분홍 뺨과 까맣게 빛나는 동그란 눈, 체리 젤리 같은 입술. 어느덧 네 살이 된 다현은 정말 귀엽고 사랑스러운 아이였다.

하원할 때마다 옆에 딱 붙어서 손을 잡고 있는 경원의 아들놈, 우민이 거슬리긴 하지만. 아빠를 보고 해맑게 웃는 딸의 모습은 하루의 피로를 날려버리는 비타민이었다.

"아빠, 오늘 다혀니 발레 시간에 주떼하다가 콩 너머져서 아야야 야 해쪄요. 우미니가 호호 해줬는데 너무 아파쪄."

"아이고, 우리 공주님 그랬어? 그럼 아빠가 호 해줄까? 아빠가 호 해주면 금방 나을 텐데, 그치?"

"응응, 아빠 밤에 모욕하고 호호해주고 반창고도 부처 주떼요."

사랑스럽게 종알대는 천사 같은 아이와 그 아이를 번쩍 안아 든 훤칠하고 잘생긴 젊은 아빠. 마치 가족 잡지의 화보에나 나올 법한 비주얼이었다.

"와, 오늘도 눈 호강."

"대표님 너무 자상하셔. 어유, 우리 남편은 집에서 드러누워서 게임이나 하는데."

"강 대표님은 집에서도 저렇게 다정하시겠지? 사모님 정말 부럽다."

"다정만 하셔? 난 저 껍데기면 종일 집에서 숨만 쉬고 있어도 땡큐겠다."

많은 엄마의 감탄과 부러움은 어쩌면 당연한 것이었다. 그리고 오늘도 그 웅성거림을 마음껏 만끽하며 콧대를 세우는 은현.

곁에 선 경원은 우민의 손을 잡고 고까운 눈으로 은현을 바라보았다. 하지만 부러운 건 사실.

아, 딸은 저렇게 애교가 많고 귀엽구나.

확실히 아들과 차이가 있었다. 우민은 늘 말이 없고 한마디를 하더라도 무뚝뚝했으며, 결정적으로 아빠보다 다현을 더 좋아했다. 심지어 은현의 몹쓸 예언 탓인지, 태어난 둘째마저 아들이었다.

경원이 쓸쓸하게 다정한 부녀의 모습을 바라보던 그때.

"어, 엄마다! 엄마!"

은현의 품에 안겨 있던 다현이 파닥거리며 두 손을 흔들었다.

"뭐? 엄마? 어! 여보!"

"다현아, 여보, 안녕?"

몸매가 돋보이는 세련된 투피스, 또각또각 흐트러짐 없는 발걸음. 한창 일하고 있을 초은이 어쩐 일로 여기 나타난 건지.

은현은 초은을 볼 때 늘 그렇듯 가슴이 떨리면서도 멍하기만 했다.

"여보, 이 시간에…… 여긴 어떻게 왔어?"

"외부 미팅이 있어서 나왔다가 마침 이 근처라 잠시 들렀어요. 다현아 오늘 재미있었어?"

다현과 은현을 보며 활짝 웃는 얼굴이 환하게 빛났다.

"어머, 사모님 오셨네."

"역시 비주얼 가족이라니까. 어쩜 저렇게 그림 같을까."

"사모님이 삼한생명 전무라죠?"

그들 주위로 물결치는 속삭임 속에서 은현은 어떤 위화감을 느꼈다. 초은의 웃는 얼굴에서 눈이 웃지 않고 있었다! 그리고 저 말려 올라간 입꼬리의 미세한 불균형은 무엇인가.

"은현 씨, 아아주 인기가 많으시네요."

아, 들었구나.

"응? 인기? 무슨 인기? 무슨 소린지 난 모르겠는걸."

"흥, 매일 퇴근 때까지 힘이 나는 게, 다현이 하원하는 걸 봐서 그런 것만이 아니었어."

역시 초은은 속일 수 없었다.

세상 잘난 나르시시스트 은현이 다현의 하교 모습을 즐겁게 지켜보는 한편, 저를 향한 팬덤을 마음껏 즐기고 있다는 것을.

"자, 어머님, 아버님들. 이제 승차하겠습니다."

유치원 셔틀버스가 출발할 시간이었다.

아빠의 품에서 아쉽게 내려온 다현은 단풍잎 같은 손을 흔들며 제 다른 손을 꼭 잡은 우민과 버스에 올라탔다. 다현이 집에 도착하면 퇴근 때까지 돌봐 주는 베이비시터가 다현을 맞이할 터였다.

은현과 초은은 버스가 사라질 때까지 열렬히 손을 흔들었다.

"자기, 혹시 질투?"

문득 스친 생각에 은현이 신나게 물었다.

천하의 한초은이 절 두고 질투라니. 짜릿해라. 이거 진짜 할 만한데?

처음으로 살짝 맛본 갑의 맛. 역시 매력적이었다.

"흥, 질투 같은 소리 하고 있네."

"에이, 아무래도 질투하는 것 같은데. 걱정 마, 아무리 수백, 수천 명의 다른 여자가 날 좋다고 매달려도 나한테는 오직 자기뿐인 거 다 알면서."

"헐……."

"내 사랑은 절대 흔들리지 않아. 우리 초은이는 불안할 거 하나도 없어."

어때? 나 멋있지? 내 마음이 이 정도야.

훗, 내뱉는 웃음과 머리칼을 쓸어 넘기는 손길까지. 은현의 고백은 완벽했다. 하지만.

"불안 같은 소리 하고 있네. 됐고, 나 다음 주에 유럽 출장 가요. 일주일."

"뭐? 아니, 무슨 출장을 일주일씩이나! 나랑 다현이는 어쩌라고!"

조금 전까지 뿌듯함에 가슴이 터질 것 같았는데. 은현은 순식간에 세상이 무너져버린 것 같았다.

우리 초은이 없는 하루를 일주일이나 어떻게 견디라고.

"흥. 나 없는 동안에 이 인기, 마음껏 즐기면서 지내면 되겠네. 아주 그냥 다 같이 티타임이라도 한번 하시죠."

초은은 절망한 은현을 내버려 두고 또각또각 멀어졌다.

그녀는 아무래도 단단히 삐진 것 같았다.

/

"초은아. 자니?"

다현을 제 방에 재우고 돌아온 은현이 침대에 누운 초은의 어깨를 살살 흔들었다.

"다현이 아주 푹 잠들었어."

"으음…… 그래요?"

"응. 오늘 금요일이라 어린이집에서 수영 수업하는 날이잖아."

"아아……."

그래서 내가 제일 좋아하는 요일이기도 하지. 다현이가 일찍 푹 잠드는 덕분에 우리 초은이와 화끈한 불금의 밤을 보낼 수 있으니까.

"자, 그럼 다현이도 꿈나라로 갔으니 우리……."

"하암…… 그럼 나도 이제 자야겠다."

"뭐?"

왜, 어째서! 다현이도 일찍 자는데, 우리까지 자면 어떻게 하자고.

"초, 초은아? 왜 벌써 자려고 해. 아직 초저녁인데."

"아…… 요즘 좀 피곤하네요. 팔다리도 찌뿌둥한 것 같고."

"그래? 그럼 모처럼 마사지라도 해줄까?"

응? 내가 오일 듬뿍 발라서 부드럽게 잘해 줄게.

하지만 은현의 은근한 목소리에도 초은은 별다른 감흥 없이 돌아누웠다.

"괜찮아요. 뭐하러."

"내가 안 괜찮아! 우리 초은이가 찌뿌둥하다는데 내가 어떻게 잠을 자!"

"아유, 대단한 인기인한테 마사지 받을 만큼 내가 담이 세지 못해서요. 그냥 쭈그리고 잠이나 자야죠."

아……. 초은아…… 아직도 그러고 있니. 그 쿨하던 한초은이 언제부터 이렇게 소심해진 거야.

"아…… 아하하하, 인기인이라니. 인기인이 어디? 어디 있지? 난 다른 거 다 필요 없고, 그냥 한초은한테만 인기 있으면 되는데."

"어머, 세상에 팬들이 들으면 난리 날 그런 말을……. 그러지 말고 은현 씨도 어서 자요. 푹 자야 피부도 좋아지고, 팬들이 좋아하지. 끊임없는 외모 관리도 다 팬서비스의 일환이랍니다."

"초은아, 오늘 금요일이야. 내일 회사 가지도 않는다고."

하지만 초은은 들은 척도 하지 않았다. 그저 새초롬하게 이불을 당겨 덮고는 눈을 감았다.

"아, 아니. 초은아…… 초은아? 자니? 이렇게 자 버리면 난 어쩌라고. 이것 좀 봐. 내 배렛나루 보여 줄까?"

비장의 배렛나루까지 꺼내 놓았지만, 아무 소용 없었다. 초은은 귀찮은 듯 홱 돌아눕더니 이내 고른 숨을 쌕쌕 내쉬었다.

그녀는 아무래도 단단히 삐진 것 같았다.

/

오후 4시를 맞은 '꿈이 자라는 어린이집' 앞은 오늘도 배웅 나온 엄마, 아빠들로 북적였다. 경원과 함께 내려온 은현의 마음은 여느 날과는 조금 달랐다. 아주 어려운 것을 결심한 결연한 마음.

아무리 내가 기분 좋더라도, 우리 초은이를 속상하게 하는 일이라면 단호하게 끊어내야 한다.

은현은 남몰래 주먹을 꽉 움켜쥐었다.

"어머, 대표님은 오늘도 멋있으시네요."

"저 셔츠…… 팽팽하게 당겨지는 부위가 남편과는 전혀 달라서……. 후후"

"레드핏은 대표님이 가족 복지라니까요."

네네, 그동안 여러분의 사랑과 성원에 감사드리며, 저는 오늘부로 은퇴를 결심했습니다.

은현은 마음속으로 작별 인사를 건넸다.

드디어 때가 되었다.

"아빠! 아빠아!"

오늘도 어김없이 해맑게 웃으며 달려 나오는 다현.

여러분, 이제 안녕.

"우쭈쭈, 우리 다현이 와쪄요? 요로케 뛰다가 콩 넘어지면 아야해서 안 돼요. 오늘도 친구들하고 사이 좋게 놀아쪄요? 맘마도 마니마니 먹어쪄요?"

은현은 다현을 덥석 안아 들며, 밤새 연습한 멘트를 내뱉었다.

헐…….

주위를 둘러싼 학모들의 얼굴에 경악의 표정이 생생했다.

"야, 너 왜 그래? 제수씨 출장 갔다더니 아예 정신을 났냐?"

경원의 기가 막힌다는 속삭임도, 처음 들어보는 아빠의 말투에 까르르 터진 다현의 웃음도. 아무것도 들리지 않았다.

이게 다가 아니야.

"오늘은 집에 가면 시현이 이모 와있겠네. 이모랑 재미있게 놀고 있으면 아빠가 얼른 퇴근해서 집에 갈게요. 오늘도 누가 방귀 더 잘 뀌나 대결할까?"

"방귀? 뿌붕뿌붕 빵귀요?"

방귀라는 말에 다현은 또 한 번 까르르 웃음을 터뜨렸다.

"헐…… 진짜 깬다. 듣기만 해도 냄새나는 것 같아요."

"역시…… 겉보기랑 실생활은 다른가 봐요. 남자는 살아 봐야 안다더니."

"나 오늘 좀 앓아누울게요. 내 쿠크 다 깨졌어."

웃음 사이로 들려오는 탈덕의 소리들.

아니야! 사실은 집에서 방귀 한 번 뀌어 본 적 없다고!

우리 초은이랑 방귀 튼 적도 없는데, 어떻게 그러겠냐고!

마음속 외침은 아무도 들어주지 않았다. 은현은 눈물이 날 것 같았다.

"헐…… 야, 너 집에서 그러고 노냐? 결혼하더니 아저씨가 다 됐구나. 난 다민 씨 앞에서는 아직 수줍은데."

됐어. 안 궁금해.

네가 내 깊은 뜻을 알아? 일단 목표로 한 건 수단과 방법을 가리지 않고 다 이루는 내 근성을 아냐고.

"자, 이제 승차할 시간입니다."

"아빠, 집에 빨리 오떼요."

다현과 우민은 손을 흔들며 차에 올랐다.

"뭐…… 생리 현상이니 어쩔 수 없지만, 사람들 많은 데서 그런 얘기 하면 안 부끄럽냐?"

"됐고, 빨리 올라가기나 해. 일 안 해?"

"야, 아직 휴식 시간 10분 남았거든. 왜 갑자기 악덕 사장 같이 굴고 난리야."

부끄러워. 부끄럽다고!

그래도 우리 초은이를 위해서라면 여기서 빤스만 입고 춤도 출 수 있어. 네가 내 위대한 사랑을 알아?

은현은 모든 것을 다 이루었다는 만족감과 인간적인 수치심 사이에서 방황했다. 어서 빨리 제자리로 돌아가 혼자만의 시간을 갖고 싶을 뿐이었다.

어쨌든 며칠간 이런 수치사의 고비를 몇 번 경험하고 났더니 그 효과는 확실히 나타났다. 이젠 하원 시간에 은현이 나타나도 숨 한 번 거칠어지지 않는 사람들. 그 사이에서 알 수 없는 상실감이 느껴지는 건 그저 기분 탓이겠죠.

하지만 인내는 쓰고 그 열매는 달지니.

내일, 토요일은 드디어 초은이 출장에서 돌아오는 날이었다. 인기남에서 벗어난 자랑스러운 이 몸은 내일 그녀와 뜨거운 밤을 보내겠다 이거다.

그렇게 정신 승리를 한 은현은 뿌듯하게 웃을 수 있었다.

/

오가는 사람들로 북적이는 인천 공항.

다현을 목에 태우고 입국장 앞에 선 은현의 목이 자꾸 길어졌다. 비행기는 이미 도착했고, 짐도 다 찾은 것 같은데, 왜 아직 안 나오는 걸까.

"아빠, 엄마 언제 와요? 저기 저 문으로 오는 거예요?"

"응. 이제 곧 나오실 거야. 어! 저기 온다!"

입국장 문이 열리며 캐리어를 끄는 사람들이 우르르 쏟아져 나왔다.

"엄마 어디 이쩌요?"

"어디 보자. 어디쯤 나오고 있나. 아! 저기!"

반갑게 높아지던 목소리가 갑자기 딱 멈췄다.

편안한 슬랙스와 니트를 입고도 제일 눈에 띄는 아름다운 나의 사랑. 그런데 옆에서 웃고 있는 남자는 누구니?

훤칠한 키에 마른 듯하지만 단단해 보이는 체격. 창백할 정도로 뽀얀 얼굴에 한껏 휘어진 빨간 입술이 관능적이었다. 흰 피부와 대비되는 검은 머리칼과 눈은 또 어떻고.

뱀파이어 같은 이미지랄까. 같은 남자가 봐도 야릇한 느낌이었다.

그 정체 모를 남자와 마주 웃으며 이야기를 나누던 초은이 은현의 목마를 탄 다현을 발견했다. 발랄하게 흔드는 손이 제법 반가워 보였다. 캐리어를 끌고 다가오는 발걸음이 점점 빨라졌다.

"와, 우리 다현이, 여보. 언제 와 있었어요? 다현이 잘 지냈어? 엄마 보고 싶었어?"

"응. 엄마 무지무지 보고 싶어쩌요."

"은현 씨는…… 잘 지냈어요?"

은현에게도 보고 싶었다는 애타는 말과 조금 과격한 포옹을 기대했을지도 모른다.

하지만 은현의 입에서 튀어나온 말은 전혀 기대와 달랐다.

"저 남자 누구야!"

버럭 뱉어 내는 말에 초은은 깜짝 놀란 듯 눈을 크게 떴다.

"남자, 누구요?"

"아까 웃으면서 다정하게 얘기하던 그 사람. 키 크고 뽀얗고 엄청 야하게 생긴……."

"다정? 아…… 아아."

그제야 초은이 알겠다는 듯 고개를 끄덕였다.

"다정한 게 아니라, 그 사람 원래 표정이 좀 그래요. 전혀 잘 아는 사이도 아닌데 뭐."

"그래서 대체 누군데?"

"LS그룹 차남이요. 그동안 유럽지부 지사장으로 이탈리아에 가 있었다더니, 한국에 잠깐 들어오는 길이더라고요. 비행기에서 우연히 만나서."

"그놈하고는 어떻게 아는 사이냐고."

초은은 잠시 멈칫했다. 아는 사이라기엔 좀 묘한 관계였다.

"그냥 안면이 좀 있는 정도예요. 시현이 파혼한 약혼자라서……. 약혼식 때 잠시 본 것뿐인데……."

"처제랑 파혼한……."

뜻밖의 관계에 은현도 말끝을 흐렸다.

아니, 그렇다면 더더욱 웃으며 대할 게 아니잖아. 나한텐 인기 좀 있다는 이유로 그렇게 모질게 굴었으면서. 아니, 이 인물에 이 능력에 인기 없는 게 더 이상하지. 그래 놓고 자기는 처제 파혼남하고도 화기애애한 게 말이 되냐고.

은현의 억울함이 엉뚱한 타이밍에 폭발했다.

"뭐? 파혼? 아니 그런 나쁜 놈이랑 왜 웃으면서 얘기하냐고."

"둘이 인연이 안 된 걸 어떡해요. 그리고 얼굴도 아는 처지에 모른 척할 수도 없고. 외삼촌 체면도 있고."

그럼 난 대표이사 체면도 없냐? 내가 대체 그동안 무슨 짓을 했는데…….

은현은 정말 너무 속상했다. 집에 돌아오는 내내 초은은 은현에게 다정하게 말도 걸고, 손도 잡아 보았지만 아무 소용 없었다. 그는 아무래도 단단히 삐진 것 같았다.

집으로 돌아온 은현은 다현을 재우느라 침대에 눕히고 가슴을 도닥였다.

"아빠, 나 내일 시율이 오빠 집에 놀러 가요. 우민이도 가서 한 밤 자고 올 거예요."

"뭐? 시율이 집에?"

아니, 그놈은 초딩이 왜 어린이집 원생들이랑 놀고 난리야.

시율이가 다현이를 특히 예뻐한 것이 어제오늘 일도 아닌데. 울적한 기분에 뭐든 다 마음에 안 드는 은현이었다.

"응. 시율이 오빠가 밤에 별 보여 준대쩌요. 별 보는 망원경 샀대요. 시율이 오빠 좋아요."

"다현아. 다현이는 아빠가 더 좋아 시율이 오빠가 더 좋아."

"응? 지금은 아빠. 그런데 내일은 시율이 오빠."

"하…….."

이 잔망스러운 것. 네 엄마나 너나 다 똑같아. 아빠는 평생 짝사랑만 하면서 살아야 하냐?

은현은 초은에게도 다현에게도 을의 신세인 것이 서러워 한숨을 쉬었다.

다현이 잠이 들자, 무거운 발걸음으로 안방에 돌아왔다.

그런데.

"초…… 초은아?"

이게 대체 무슨 일이야? 그런 속옷은 대체 어디서 났니?

어디서 그런 가려야 할 곳을 더 훤히 드러낸 속옷을 팔아?

초은이 말로 표현 못 할 속옷 차림으로 침대에 비스듬히 누워 있었다.

"어서 이리 오지 못해요?"

"……."

초은의 한마디에 최면에 걸린 것처럼 발이 움직였다. 같은 쪽 팔과 다리가 함께 나가는 건 최면에 걸린 탓이겠죠.

"내가 일주일 동안 얼마나 보고 싶었는지 알아요? 각오해요. 오늘 밤은 밤새 안 재울 테니까."

"초은아."

은현은 그대로 침대 위로 다이빙했다.

"사랑해요. 무지무지. 난 정말 은현 씨밖에 안 보여."

"나, 나도. 나도 한초은밖에 없다규!"

요란한 외침을 끝으로 그들의 침실에서는 밤새 끈적한 신음만 흘렀다.

정말이지 들었다 놨다.

이러니 어떻게 한번 이겨 보겠어.

벗어날 수 없는 을의 굴레에서, 은현은 한없이 행복하기만 했다.

Fine

반하라

진한 아이스 아메리카노, 클래식, 고독하고 조용한 시간, 20분의 낮잠.
그리고 로맨틱한 이야기가 있어 행복합니다.

안녕하세요. 반하라입니다.

『절대갑 길들이기』는 감사하게도, '카카오 페이지 제1회 밀리언 소설 공모전'에서 수상한 작품입니다. 생각지 못했던 수상도 무척이나 영광이었지만, 평소 꼭 출간해보고 싶었던 '에이템포 미디어'와 인연을 맺게 되어 더욱 의미 있는 작품이었습니다.

『절대갑 길들이기』는 수상 결과를 알고 난 뒤부터 꽤 오랜 시간 집필을 한 끝에 완성할 수 있었습니다. '로맨틱 코미디'라는 키워드에 맞게 유쾌한 기분으로 가볍게 읽을 수 있는 이야기에 목표를 두고 썼는데요. 제가 입담 좋고 재치 있는 사람이 아니다 보니, 그 과정이 쉽지 않았던 것 같습니다.

이 글을 완성하기까지 꾸준한 관심과 정성을 기울여주신 '에이템포 미디어' 편집부와 곁에서 항상 힘과 용기를 주는 사랑하는 작가님들, 또 부족한 글을 너그러운 마음으로 재미있게 읽어주시는 독자님들께 진심으로 감사드립니다. 제 글의 한 글자, 한 글자가 모두 여러분의 덕분입니다.

특히, 『절대갑 길들이기』는 특별히 도와주신 분들이 계십니다.
게임이라곤 테트리스밖에 모르면서 게임회사 대표를 남자주인공으로 쓴 무모한 저에게 가르침과 조언을 주신 친애하는 ㅊ작가님의 남편분. 그리고 전직 게임 업계에 계셔서 구체적이고 실무적인 도움을 주신 ㅁ작가님과 또 다른 ㅊ작가님.
덕분에 『절대갑 길들이기』를 무사히 완성할 수 있었습니다.
정말 감사합니다.

저는 앞으로도 더 재미있고 설레는 글을 쓸 수 있도록 항상 열심히 노력하겠습니다. 제 글을 읽으신 모든 분의 로맨틱한 일상을 기원합니다.

crescendo

절대갑 길들이기

Written by 반하라

| A.TEMPO PREMIUM LABEL. op. 004

절 대 갑
길들이기

a tempo.

본래 템포대로.

da capo.

처음부터 다시.

al fine.

끝까지.

A: TEMPO란, 이탈리아 음악 용어로
'원래 빠르기로'라는 뜻을 가진 단어입니다.
너무 빠르지도, 느리지도 않게 늘 초심을
지켜나가겠다는 출판사의 의지를 담았습니다.

PREMIUM LABEL 시리즈는 엄선된 로맨스,
로맨스 판타지 작품을 정성스럽게 담아 출간합니다.

절대갑 길들이기 2

초판 인쇄 2019년 11월 23일
초판 발행 2019년 11월 28일

지은이 반하라
펴낸이 최재호
펴낸곳 주식회사 에이템포미디어
편집 디자인 s:now* **표지 디자인** Limjae
교정 교열 에이템포미디어 출판부

등록번호 2017년 6월 5일 제 395-251002017000153호
주소 경기도 부천시 부천로 198번길 18, 202동 1101호(춘의동, 춘의테크노파크 2차)
전화 070-4100-0600
전자우편 atempo_media@naver.com
블로그 http://atempomedia.com

잘못된 책은 바꿔드립니다.

ISBN 979-11-6428-138-1